COLLECTION « BEST-SELLERS »

NICHOLAS SPARKS

COMME AVANT

roman

traduit de l'américain par Leslie Boitelle

ROBERT LAFFONT

Titre original : THE WEDDING
© Nicholas Sparks, 2003
Traduction française : Éditions Robert Laffont, S.A., Paris, 2005

ISBN 2-221-10333-5
(édition originale : ISBN 0-446-53245-2 Warner Books, Inc., New York)

À Cathy,
qui a fait de moi le plus heureux des hommes
le jour où elle a accepté de m'épouser

Prologue

Est-il possible qu'un homme change vraiment? Ou bien est-ce que notre vie est toujours déterminée par notre tempérament et nos habitudes?

Nous sommes à la mi-octobre 2003 et voilà les questions que je me pose en regardant un papillon de nuit voleter autour du plafonnier de la véranda. Je suis seul dehors. Ma femme, Jane, dort à l'étage et elle n'a pas bronché quand je me suis glissé hors du lit. Il est tard, minuit passé, et, vu la fraîcheur un peu piquante, l'hiver devrait être précoce. Je porte un gros peignoir de coton mais, moi qui croyais m'être assez couvert pour ne pas avoir froid, j'ai les mains qui tremblent et je les enfonce dans mes poches.

Là-haut, les étoiles forment de petites taches de peinture argentée sur une toile anthracite. En voyant Orion et les Pléiades, la Grande Ourse et la Couronne boréale, je me dis que je devrais me sentir transporté, car contempler les étoiles, c'est comme plonger dans le passé. Les constellations brillent d'une lumière émise il y a plusieurs milliers d'années et, moi, j'attends l'inspiration. J'attends les mots du poète qui éclairciront les mystères de l'existence. Mais rien ne vient.

Ça ne m'étonne pas. Je ne me suis jamais trouvé sentimental et je suis sûr que, si vous posiez la question à ma femme, elle vous le confirmerait. Je ne perds pas le sens des réalités devant un film ou une pièce de théâtre, je n'ai jamais été très rêveur et, si j'aspire à contrôler quoi que ce soit, ce contrôle sera toujours défini par les règles du fisc et codifié par la loi. Conseiller juridique en matière de successions, je côtoie sans arrêt des gens occupés à préparer leur propre mort, ce qui, j'imagine, pourrait faire croire à certains que ma vie a moins de sens. Et alors ? Même si c'était vrai, qu'est-ce que je pourrais bien y faire ? Je ne me cherche pas d'excuses – je ne m'en suis d'ailleurs jamais cherché – et j'espère qu'à la fin de mon histoire cette petite excentricité de caractère trouvera grâce à vos yeux.

Ne vous méprenez pas, s'il vous plaît. Je ne suis peut-être pas sentimental, mais je n'ai pas non plus un cœur de pierre et il m'arrive d'être émerveillé. Bizarrement, je suis surtout ému par des choses toutes simples : une promenade en forêt, par exemple, ou le spectacle des vagues qui s'écrasent contre le cap Hatteras en projetant des panaches d'eau salée. La semaine dernière, sur un trottoir, j'ai senti ma gorge se serrer quand j'ai vu un petit garçon attraper la main de son père. Contempler un ciel chargé de nuages peut aussi me faire perdre la notion du temps et, au premier roulement de tonnerre, je m'approche toujours d'une fenêtre pour regarder tomber la foudre. D'ailleurs, quand un deuxième éclair illumine le ciel, je me sens souvent envahi d'une irrésistible envie. Mais de quoi ? Ça, aucune idée.

Je m'appelle Wilson Lewis et je vais vous raconter l'histoire d'une noce. C'est aussi l'histoire de mon mariage mais, malgré trente années de vie commune avec Jane, je dois avouer que les autres en savent bien plus que moi sur le mariage. Un homme n'apprendrait rien s'il venait me demander conseil. En tant qu'époux, j'ai été égoïste, buté et aussi ignorant qu'un poisson rouge dans son bocal : je m'en rends compte aujourd'hui et ça, ça fait mal. Pourtant, avec le recul, je crois que, si je peux me vanter d'une chose, c'est d'avoir toujours aimé ma femme. Le détail est peut-être insignifiant pour certains mais, à une époque, j'étais persuadé qu'elle ne partageait pas mes sentiments.

D'accord, tous les mariages connaissent des hauts et des bas. Je crois d'ailleurs que cette dérive est naturelle chez les

10

couples au long cours. Ma femme et moi, avons surmonté la mort de mes parents, celle de sa mère et la maladie de son père. Nous avons déménagé quatre fois. Malgré ma réussite professionnelle, il a fallu faire beaucoup de sacrifices pour nous assurer une vie confortable. Nous avons trois enfants. Même si nous n'échangerions pas pour un empire notre expérience de parents, les nuits sans sommeil ou les visites répétées à l'hôpital, quand ils étaient bébés, étaient un marathon épuisant. Et souvent difficile à gérer. Quant à leur adolescence, il va de soi que je n'aurais aucune envie de renouveler l'expérience.

Tous ces événements sont facteurs de stress. Or, quand deux personnes vivent ensemble, le stress circule dans les deux sens. Voilà qui constitue, à mon avis, le grand avantage du mariage et aussi son plus grand inconvénient. L'avantage, c'est qu'on y évacue les tensions quotidiennes de l'existence. Problème : quand on se défoule, tout retombe sur quelqu'un qu'on adore.

Pourquoi parler de ça ? Parce que je tiens à préciser que je n'ai jamais douté de mes sentiments pour ma femme. D'accord, certains jours, nous évitions de nous croiser du regard au petit déjeuner mais, moi, je n'ai jamais douté de nous. Il serait malhonnête de prétendre que je ne me suis pas demandé ce que je serais devenu si j'en avais épousé une autre mais, durant nos longues années de vie commune, je n'ai jamais regretté de l'avoir choisie, ni d'avoir été choisi par elle. Je croyais notre couple solide. Pourtant, je me suis aperçu que j'avais tort. Je l'ai appris il y a un peu plus d'un an, quatorze mois exactement, et c'est ce qui a tout déclenché.

Que s'est-il donc passé ? me demanderez-vous.

Étant donné mon âge, on pourrait accuser la crise de la cinquantaine. L'envie brutale de changer de vie, peut-être, ou alors une liaison. Eh bien, pas du tout. Non, mon péché n'était presque rien à l'échelle de l'univers, juste un incident qui, en d'autres circonstances, aurait pu prêter à rire. Seulement, ma femme en a souffert, nous en avons souffert tous les deux, ce qui explique pourquoi mon histoire doit commencer ici.

Nous étions le 23 août 2002, et voilà ce que j'ai fait : je me suis levé, j'ai pris mon petit déjeuner et je suis parti au bureau, comme d'habitude. Ma journée de travail n'a eu aucune influence sur la suite des événements : pour être franc, je me souviens juste qu'il ne s'était rien passé. Le soir, je suis rentré chez moi à l'heure habituelle et j'ai eu l'agréable surprise de voir qu'à la cuisine Jane me préparait mon repas préféré. Quand elle est venue me dire bonjour, j'ai eu l'impression qu'elle baissait les yeux, comme pour voir si je rapportais autre chose que ma mallette, mais j'avais les mains vides. Une heure plus tard, nous avons dîné ensemble puis, pendant que Jane débarrassait la table, j'ai sorti quelques dossiers à étudier. Une fois assis à mon bureau, j'attaquais à peine la première page quand j'ai vu Jane sur le pas de la porte. Elle s'essuyait les mains dans un torchon et, sur son visage, se lisait une déception que j'avais appris – sinon à comprendre – du moins à reconnaître au fil des ans.

— Tu as quelque chose à me dire ? a-t-elle fini par me demander.

Conscient que sa question n'était pas si innocente que ça, j'ai hésité un instant. Jane était peut-être allée chez le coiffeur ? Je l'ai observée attentivement, mais ses cheveux avaient l'air comme d'habitude. Avec le temps, j'essayais de relever ce genre de détail. Là, pourtant, je ne comprenais pas, mais je sentais bien qu'il fallait proposer quelque chose :

— Tu as passé une bonne journée ?

En guise de réponse, elle a esquissé un étrange demi-sourire, puis elle a tourné les talons.

Bien sûr, je sais maintenant ce qu'elle était venue chercher mais, à l'époque, j'ai haussé les épaules et j'ai repris ma lecture en mettant sa réaction sur le compte du grand mystère féminin.

Un peu plus tard dans la soirée, je m'étais glissé au lit et j'essayais de m'installer confortablement quand Jane a laissé échapper un petit hoquet. Couchée sur le côté, elle me

12

tournait le dos et, en voyant ses épaules trembler, j'ai soudain compris qu'elle pleurait. Déconcerté, j'attendais qu'elle m'explique la raison de son chagrin mais, au lieu de parler, elle a été secouée de petits hoquets rauques, comme si elle cherchait l'air entre deux sanglots. Aussitôt, la gorge serrée, j'ai cédé à l'inquiétude. J'ai essayé de ne pas m'affoler, de ne pas penser qu'un drame était arrivé à son père, aux enfants ou que son médecin lui avait annoncé une terrible nouvelle. Je refusais d'être confronté à un problème que je n'aurais pas su gérer. J'ai posé une main sur son dos pour tenter de la réconforter.

— Qu'est-ce qui ne va pas?

Elle n'a pas répondu tout de suite. Je l'ai entendue soupirer quand elle a remonté le drap sur ses épaules.

— Joyeux anniversaire, a-t-elle murmuré.

Vingt-neuf ans, me suis-je rappelé – beaucoup trop tard. Puis j'ai aperçu dans un coin de la chambre, bien emballés et posés sur la commode, les cadeaux qu'elle m'avait achetés.

J'avais oublié. Tout simplement.

Je ne cherche pas à me disculper et, même si j'avais pu, je n'aurais pas essayé. À quoi bon? Je me suis excusé, bien entendu, et j'ai renouvelé mes excuses le lendemain matin. Au soir, quand elle a ouvert la bouteille de parfum que je lui avais soigneusement choisie sur les conseils d'une jeune vendeuse, elle a souri et m'a remercié en me tapotant la cuisse.

Assis à côté d'elle sur le canapé, j'étais certain de l'aimer autant que le jour de notre mariage. Seulement, à l'observer de près, j'ai remarqué, pour la première fois peut-être, sa façon distraite de détourner le regard, la tristesse indéniable avec laquelle elle penchait la tête et, soudain, je me suis rendu compte que je ne savais pas si elle, elle m'aimait encore.

1.

C'est un crève-cœur de penser que votre femme ne vous aime peut-être pas et, le soir, quand Jane a emporté son parfum dans notre chambre, je suis resté assis des heures sur le canapé, à me demander comment nous en étions arrivés là. J'ai d'abord voulu croire que Jane s'était juste enflammée et que j'accordais trop d'importance à un incident sans gravité. Pourtant, plus j'y repensais, plus je la sentais non seulement contrariée par un mari distrait mais aussi affectée d'une mélancolie plus ancienne. Comme si ce petit impair n'était que le coup de grâce après une longue, très longue série de négligences malheureuses.

Est-ce que notre mariage avait fini par la décevoir? Même si je refusais d'y croire, le visage de Jane, lui, m'avait dit le contraire et je me suis demandé si mon faux pas n'allait pas gâcher notre avenir. Est-ce qu'elle hésitait à rester avec moi? Est-ce qu'elle regrettait même de m'avoir épousé? Autant de questions angoissantes – aux réponses peut-être plus angoissantes encore – car, jusqu'alors, j'avais toujours cru Jane aussi heureuse auprès de moi que je l'étais auprès d'elle.

Qu'est-ce qui nous avait conduits à prendre des chemins si différents?

Tout d'abord, il faut dire que, de l'avis général, nous menions une vie plutôt ordinaire. Comme beaucoup d'hommes, je devais subvenir aux besoins financiers de la famille et mon existence tournait en grande partie autour de ma carrière. Depuis trente ans, je travaille au cabinet d'avocats Ambry, Saxon & Tundle de New Bern, en Caroline du Nord, et, même si mes revenus ne sont pas faramineux, ils nous assurent une vie assez confortable. J'aime le golf, je m'occupe de mon jardin le week-end, je préfère la musique classique et je lis le journal tous les matins. Jane était institutrice, mais elle a consacré la majeure partie de sa vie d'épouse à élever nos trois enfants. Pour elle, qui gère à la fois le foyer et nos activités extérieures, ses biens les plus précieux sont les albums de photos qu'elle a soigneusement conçus comme une histoire visuelle de nos vies. Notre maison en brique a une palissade et un système d'arrosage automatique. Nous avons deux voitures. Nous faisons partie du Rotary Club mais aussi de la Chambre de commerce. Depuis que nous sommes mariés, nous avons mis de l'argent de côté pour la retraite, construit au fond du jardin une balançoire en bois qui n'intéresse plus personne, assisté à des dizaines de rencontres parents-professeurs, voté régulièrement et, chaque dimanche, nous assistons à l'office de l'Église épiscopale. J'ai aujourd'hui cinquante-six ans, c'est-à-dire trois ans de plus que ma femme.

Malgré mes sentiments pour Jane, il m'arrive de penser que nous formons un drôle de couple. Nous sommes différents sur presque tout, mais il paraît que les contraires s'attirent. Voilà pourquoi j'ai toujours pensé que j'avais pris une excellente décision le jour de notre mariage. En fin de compte, Jane incarne ce que j'ai toujours voulu être. Alors que je suis plutôt du genre rationnel et secret, Jane est une femme ouverte, chaleureuse, qui sait plaire à tout le monde. Elle rit d'un rien et elle a beaucoup d'amis. Au fil du temps, je me suis d'ailleurs aperçu que la plupart de mes amis sont, en réalité, les maris des amies de ma femme mais je crois que ça, c'est le lot de nombreux couples mariés de notre âge. J'ai quand même de la chance, car Jane semble choisir nos amis en pensant à moi et, lors des dîners, j'apprécie d'avoir toujours quelqu'un à qui parler. Je me dis parfois que, si ma femme n'était pas entrée dans ma vie, j'aurais vraiment vécu comme un moine.

Et ce n'est pas tout : j'adore voir Jane laisser parler ses émotions avec la spontanéité d'un enfant. Si elle est triste, elle pleure. Si elle est heureuse, elle rit, et rien ne l'enchante plus que d'être surprise par un geste merveilleux : elle rayonne alors d'une innocence intemporelle et, bien qu'une surprise soit par définition un événement inattendu, chez ma femme, son souvenir peut réveiller des années plus tard la même exaltation. Parfois, quand elle est perdue dans ses rêveries et que je lui demande à quoi elle pense, elle se met à me raconter avec enthousiasme une anecdote que j'avais oubliée depuis longtemps. Voilà un trait de caractère qui, je dois l'admettre, m'étonnera toujours.

Jane a reçu un cœur énorme mais, sur beaucoup de points, elle est aussi plus forte que moi. Comme la majorité des femmes du Sud, ses valeurs et ses croyances tournent autour de Dieu et de la famille : elle voit le monde en noir et blanc, à travers le prisme du bien et du mal. Face à une décision difficile, elle suit son instinct – presque toujours à bon escient – alors que moi, je pèse sans arrêt le pour et le contre en essayant d'anticiper les conséquences de mes choix. De plus, contrairement à moi, il est rare que Jane se sente embarrassée. Ce détachement vis-à-vis du regard des autres exige une confiance en soi que j'ai toujours eu du mal à saisir et que je lui envie par-dessus tout.

À mon avis, nos différences viennent en grande partie de nos éducations respectives. Alors que Jane a grandi dans un petit bourg, entourée de trois frères et sœurs et de parents qui l'adoraient, moi, j'étais l'enfant unique de deux avocats fédéraux. J'ai grandi dans un hôtel particulier de Washington et mes parents ne rentraient pas souvent avant sept heures du soir. Résultat : j'étais seul la plupart du temps et, aujourd'hui encore, j'adore retrouver l'intimité de ma tanière.

Comme je l'ai déjà dit, nous avons trois enfants et, bien que je les aime de tout mon cœur, il faut reconnaître qu'ils sont essentiellement l'œuvre de ma femme. C'est elle qui les a portés, élevés, et ils se sentent plus à l'aise avec elle. Même si je regrette parfois de ne pas avoir passé auprès d'eux le temps nécessaire, je me rassure à l'idée que Jane a plus que compensé mes absences. Nos enfants semblent avoir bien tourné malgré moi. Ils sont adultes maintenant et ont pris leur indépendance mais, par bonheur, un seul a quitté la Caroline du Nord. Comme nos deux filles nous rendent encore souvent visite, ma femme veille à ce que le réfrigérateur soit toujours rempli de leurs plats préférés au cas où elles auraient un petit creux, ce qui n'arrive jamais. Sitôt à la maison, elles passent des heures à discuter avec elle.

À vingt-sept ans, Anna est l'aînée de la famille. Brune aux yeux noirs, elle est d'une beauté qui reflète le tempérament saturnien de ses jeunes années. C'était une fille mélancolique qui, adolescente, restait enfermée dans sa chambre, à écrire son journal et à écouter des chansons tristes. À l'époque, j'avais devant moi une étrangère : il pouvait se passer des jours entiers sans qu'elle ouvre la bouche en ma présence et, moi, je ne comprenais vraiment pas ce que j'avais pu faire pour mériter ça. Je ne réussissais à lui arracher que des soupirs ou des signes de tête et, quand je lui demandais ce qui n'allait pas, elle me dévisageait comme si ma question n'avait aucun sens. Ma femme, qui n'y voyait *a priori* rien d'anormal, mettait cette attitude sur le compte de l'adolescence mais à elle, Anna continuait d'adresser la parole. Parfois, en passant devant la chambre de ma fille, je les entendais chuchoter toutes les deux et, dès qu'elles s'en apercevaient, elles arrêtaient leurs messes basses. Plus tard, quand je demandais à Jane ce qu'elles s'étaient raconté, elle haussait les épaules et me faisait un geste mystérieux de la main, comme si leur seul but était de me laisser dans l'ignorance.

Pourtant, Anna, qui est l'aînée, a toujours été ma préférée. Je n'avouerais pas ça à n'importe qui, mais je crois qu'elle connaît mes sentiments et, ces derniers temps, j'ai compris que, même pendant ses années de mutisme, elle m'aimait plus que je ne le croyais. Je me souviens encore des jours où elle se faufilait dans ma tanière pendant que j'étudiais une donation ou un testament. Elle arpentait la pièce, inspectait les étagères, soulevait quelques livres mais, si jamais je lui adressais la parole, elle s'éclipsait aussi vite qu'elle

18

était entrée. À la longue, j'ai appris à ne plus engager la conversation. Anna restait parfois une heure à me regarder griffonner sur mes cahiers d'écolier. Quand je lui jetais un coup d'œil, je voyais à son sourire complice qu'elle appréciait notre petit jeu. Ces moments-là, je ne les comprends pas plus aujourd'hui qu'à l'époque, mais ils font partie des rares images gravées dans ma mémoire.

Anna est maintenant journaliste au *Raleigh News and Observer*, mais je crois qu'elle rêve de devenir romancière. À l'université, où elle avait choisi l'atelier d'écriture comme matière principale, ses histoires étaient aussi sombres que sa personnalité. Je me rappelle ainsi avoir lu les déboires d'une jeune fille qui se prostituait pour aider un père souffrant et incestueux : à la fin de ma lecture, je n'avais pas su quoi en penser.

Anna est aussi follement amoureuse. Prudente et réfléchie, elle a toujours été très exigeante en matière de garçons et, Dieu merci, je crois que Keith la traite bien. Ce futur orthopédiste est animé d'une confiance propre aux gens qui n'ont pas été malmenés par la vie. Jane m'a appris que pour leur premier rendez-vous, il avait proposé à Anna une partie de cerf-volant sur une plage de Fort Macon. La même semaine, quand Anna l'avait amené à la maison, il portait une veste sport, venait de prendre une douche et sentait un peu l'eau de Cologne. Nous nous étions serré la main et il m'avait fait forte impression quand il avait soutenu mon regard en me disant :

— Je suis ravi de vous rencontrer, monsieur Lewis.

Joseph, le cadet, a un an de moins qu'Anna. Depuis toujours, il m'appelle « papounet » alors que personne n'a jamais dit ça dans la famille et qu'en réalité, on n'a pas grand-chose en commun. Il est plus grand et plus mince que moi, ne quitte presque jamais son jean et, quand il nous rend visite à Thanksgiving ou à Noël, il n'avale que des légumes. Adolescent, il m'avait l'air d'être un garçon réservé même si, à l'image de sa sœur, c'est surtout avec moi qu'il n'était pas très loquace. Beaucoup de gens apprécient son sens de l'humour alors que, disons-le, je n'y suis pas très sensible.

Dès que nous passons du temps ensemble, j'ai l'impression qu'il essaie de se forger une opinion sur moi.

Même enfant, Joseph était d'une nature empathique. Comme Jane. Toujours inquiet pour les autres, il se ronge les ongles et, depuis l'âge de cinq ans, il a les doigts presque à vif. Inutile de préciser que, le jour où je lui ai suggéré des études de commerce ou d'économie, il n'a pas suivi mes conseils. Il a choisi la sociologie. Aujourd'hui installé à New York, il travaille dans un foyer de femmes battues mais ne s'étale pas davantage sur le sujet. Je sais qu'il s'interroge sur les choix qui ont jalonné ma vie tout comme moi, je m'interroge sur les siens. Pourtant, malgré nos différences, j'ai avec Joseph les conversations que j'ai toujours voulu avoir avec mes enfants. Très intelligent, il a presque obtenu la note maximale à ses examens. Quant à ses centres d'intérêt, ils varient de l'histoire de la dhimmitude au Moyen-Orient jusqu'aux applications théoriques de la géométrie fractale. C'est aussi un garçon honnête, au point d'en devenir parfois pénible, et il va sans dire que ces différentes facettes de sa personnalité me laissent souvent sur la touche quand il s'agit de débattre avec lui. Bon, d'accord, son opiniâtreté m'agace parfois, mais c'est en pareilles circonstances que je suis particulièrement fier de l'avoir comme fils.

Leslie, le bébé de la famille, étudie la biologie et la physiologie à l'Université Wake Forest : elle veut devenir vétérinaire. Au lieu de passer ses grandes vacances à la maison comme la majorité des étudiants, elle suit des cours d'été pour obtenir son diplôme plus tôt et, l'après-midi, elle travaille à la « Ferme des animaux ». Leslie, qui a le même rire que Jane, est la plus sociable de nos trois enfants. Elle aussi aimait beaucoup me rendre visite dans ma tanière mais, contrairement à Anna, elle préférait que je lui accorde toute mon attention. Enfant, elle adorait s'asseoir sur mes genoux et me tirer les oreilles. Quelques années plus tard, elle passait souvent la tête à la porte de mon bureau, le temps d'échanger quelques blagues. Mes étagères débordent des cadeaux qu'elle m'a confectionnés au fil des ans : empreintes de main en plâtre, dessins colorés ou colliers de nouilles.

Elle était la plus facile à aimer, la première à demander des câlins à ses grands-parents, et elle adorait se blottir dans le canapé pour regarder des films à l'eau de rose. Pas étonnant qu'elle ait été élue reine du bal de son lycée il y a trois ans.

Elle est aussi très gentille. De peur de blesser un camarade, elle invitait toujours toute sa classe à ses fêtes d'anniversaire et, à neuf ans, elle a passé un après-midi entier à arpenter la plage, de serviette en serviette, parce qu'elle avait trouvé une montre et qu'elle voulait la rendre à son propriétaire. De mes trois enfants, c'est elle qui m'a causé le moins de souci et, dès qu'elle vient nous rendre visite, je laisse tout en plan pour passer du temps avec elle. Son dynamisme est contagieux et, quand elle est là, je me demande toujours comment j'ai pu être aussi béni des dieux.

Maintenant qu'ils ont déménagé, la maison a changé. Là où les radios hurlaient à tue-tête, on n'entend plus que le silence. Le placard contenait huit marques différentes de céréales au sucre mais, aujourd'hui, il n'y en a plus qu'une seule sorte, enrichie en fibres. Dans les chambres des enfants, le mobilier est resté le même. Seulement, comme les posters, les tableaux d'affichage et autres objets personnels ont disparu, toutes les pièces ont fini par se ressembler. En fait, la maison semble désormais étouffée par le vide : c'était l'endroit idéal pour une famille de cinq personnes mais, à présent, elle me rappelle amèrement comment les choses devaient être. Je me souviens d'ailleurs avoir espéré que ces départs successifs ne soient pas étrangers à la morosité de Jane.

Cependant, tentative d'explication mise à part, il fallait bien admettre que nous nous éloignions l'un de l'autre et, plus j'y pensais, plus je voyais combien le fossé s'était élargi. Nous avions commencé par être un couple, puis nous avions endossé le rôle de parents (ce que j'avais toujours considéré comme le prolongement normal et inévitable des choses) mais, au bout de vingt-neuf ans, j'avais l'impression que nous étions redevenus des étrangers. Seule l'habitude semblait encore nous lier. Nos vies respectives n'avaient plus grand-

chose en commun : nous nous levions à des heures différentes, nous passions la journée seuls chacun de notre côté
et, le soir, nous avions chacun notre petit rituel. Je n'étais
pas très au courant des activités de Jane et, pour être franc,
je ne lui racontais pas non plus les miennes en détail. Impossible de me rappeler la dernière fois que notre conversation
était sortie des sentiers battus.

Pourtant, deux semaines après le fiasco de l'anniversaire
oublié, c'est bien ce qui est arrivé.

— Wilson, il faut qu'on parle.

J'ai levé les yeux vers Jane. Sur la table, une bouteille de
vin. Nous avions presque fini de dîner.

— Oui ?

— Je pensais faire un saut à New York. Histoire de passer
un peu de temps avec Joseph.

— Il ne revient pas pour les vacances ?

— Si, mais c'est dans plusieurs mois. Et, comme il n'est
pas rentré à la maison cet été, ce serait sympa de changer et
d'aller lui rendre une petite visite.

Dans un coin de mon esprit, je me suis dit que ça ferait du
bien à notre couple de partir quelques jours en voyage. Jane
avait peut-être eu la même idée que moi et, ravi de cette sug-
gestion, j'ai pris mon verre de vin.

— Bonne idée. On n'est pas allés à New York depuis le
jour où il s'est installé.

Après avoir esquissé un bref sourire, Jane a replongé le
nez dans son assiette.

— Seulement, il y a autre chose.

— Oui ?

— Eh bien, tu es assez débordé au bureau et je sais que tu
as beaucoup de mal à quitter ton travail.

— Je crois que je peux m'arranger pour partir quelques
jours.

Je passais déjà en revue mon planning de rendez-vous : ce
serait juste mais je pouvais réussir à me libérer.

— Quand veux-tu partir ?

— Le problème, c'est que…

— Quel problème ?

— Wilson, tu veux bien me laisser terminer, s'il te plaît?

Sans essayer de cacher une certaine lassitude, elle a poussé un long soupir :

— Ce que j'essaie de te dire, c'est que je pensais lui rendre visite seule.

Là, je n'ai pas su quoi répondre.

— Tu es vexé, hein?

— Pas du tout, l'ai-je aussitôt rassurée. Joseph est notre fils. Comment pourrais-je me sentir vexé?

Pour bien montrer à Jane que sa décision ne me posait aucun problème, je me suis coupé un autre morceau de bifteck.

— Alors? Quand penses-tu y aller?

— La semaine prochaine. Jeudi.

— Jeudi?

— J'ai déjà mon billet.

Elle n'avait pas tout à fait terminé son repas, mais elle est partie à la cuisine. À la manière dont elle a évité mon regard, je me suis douté qu'il y avait autre chose, qu'elle n'arrivait pas à trouver les mots. Moi, je me suis retrouvé seul en face de mon assiette. D'un coup d'œil par-dessus mon épaule, j'ai vu ma femme devant l'évier, le visage de profil.

— Tu vas bien t'amuser! ai-je lancé sur un ton volontairement détaché. Et je sais que Joseph sera ravi lui aussi. Vous pourriez en profiter pour aller voir un spectacle. Ou autre chose.

— Peut-être. Ça dépendra de son emploi du temps.

Quand j'ai entendu l'eau du robinet couler, je me suis levé et j'ai apporté le reste de vaisselle sale à l'évier. Jane n'a pas bronché.

— Ça devrait être un merveilleux week-end, ai-je renchéri.

Elle s'est emparée de mon assiette et a commencé à la rincer.

— Oh! À propos de ça…

— Oui?

— Je crois que je vais rester un peu plus qu'un week-end.

J'ai soudain senti mes épaules se raidir.

— Et tu comptes passer combien de temps là-bas?

Elle a reposé mon assiette sur l'évier.

— Quelques semaines.

Bien sûr, je ne reprochais pas à Jane l'apparente dérive de notre mariage. À vrai dire, même si je n'en comprenais pas encore le pourquoi ni le comment, j'étais conscient d'avoir une grande part de responsabilité dans l'histoire. Il faut d'abord reconnaître que, même au début de notre union, je n'ai jamais vraiment été le mari idéal. Je sais, par exemple, que Jane aurait voulu plus de romantisme, à l'image du couple formé par ses parents. Son père était du genre à tenir la main de sa femme pendant des heures après un dîner ou à lui cueillir spontanément un bouquet de fleurs des champs en revenant du travail. Déjà enfant, Jane était fascinée par la relation idyllique de ses parents. Plusieurs fois, je l'ai surprise au téléphone avec sa sœur, Kate, à se demander tout haut pourquoi je n'étais pas sensible aux charmes de l'amour romantique. Ce n'est pas faute d'avoir essayé mais, visiblement, je ne sais pas ce qui fait palpiter les cœurs. Dans la maison où j'ai grandi, les câlins et les embrassades n'étaient pas de rigueur. Alors, les témoignages d'affection, ce n'était pas mon fort. Surtout devant les enfants. Un jour, j'en avais touché un mot au père de Jane, qui m'avait suggéré d'écrire une lettre :

— Dis-lui pourquoi tu l'aimes et donne-lui des raisons précises.

C'était il y a douze ans. À l'époque, j'avais essayé de suivre son conseil mais, devant ma feuille de papier, incapable de trouver les mots, j'avais fini par reposer mon stylo. Contrairement à son père, je n'ai jamais été très à l'aise pour parler sentiments. Je suis solide, c'est vrai. Fiable, absolument. Fidèle, sans l'ombre d'un doute. Mais le romantisme – et ça, je déteste le reconnaître – m'est aussi étranger que de donner la vie.

Je me demande parfois combien d'hommes sont exactement comme moi.

Un jour, pendant que Jane était à New York, je suis tombé sur Joseph au téléphone.

— Salut, papounet.

— Salut. Comment ça va ?

— Bien.

Un long silence pénible s'est installé entre nous.

— Et toi ?

— C'est plutôt tranquille ici, mais ça va, ai-je répondu, embarrassé. Euh… Comment se passe le séjour de ta mère ?

— Très bien. Elle n'a pas le temps de s'ennuyer.

— Shopping et tourisme ?

— Un peu. Mais on discute surtout. De trucs très intéressants.

J'ai hésité une seconde. Même si je me demandais de quoi il voulait parler, Joseph n'avait pas l'air décidé à s'appesantir sur le sujet.

— Ah d'accord ! ai-je repris en m'efforçant de garder un ton enjoué. Elle est là ?

— En fait, non. Elle est partie à l'épicerie mais, si tu veux la rappeler, elle devrait rentrer d'ici quelques minutes.

— Non, ça va. Tu n'as qu'à lui dire que j'ai téléphoné. A priori, je ne bouge pas de la soirée, alors si elle a envie de me passer un coup de fil…

— Je transmettrai le message.

Puis, au bout de quelques secondes de silence, il m'a lancé :

— Dis, je voulais te demander quelque chose.

— Oui ?

— Tu as vraiment oublié votre anniversaire de mariage ?

Et moi de répondre après un long soupir :

— Oui, c'est ça.

— Comment est-ce que c'est arrivé ?

— Aucune idée. Je me rappelais bien que la date approchait mais, le jour J, ça m'est complètement sorti de la tête. Je n'ai pas d'excuse.

— Elle en a beaucoup souffert.

— Je sais.

— Et tu comprends pourquoi ? m'a-t-il demandé au bout d'un moment.

Je n'ai pas répondu à la question de Joseph, mais je crois que j'avais bien compris le problème.

C'est simple : Jane ne voulait pas nous voir finir comme les vieux couples qu'on croise parfois au restaurant. Des couples qui nous ont toujours fait pitié.

D'accord, ces gens-là sont de vrais modèles de politesse. Le mari avance la chaise ou prend les manteaux. La femme, elle, suggère peut-être de choisir le plat du jour et, devant le serveur, ils ponctuent leur commande d'un petit détail rappelant bien qu'ils connaissent l'autre par cœur : pas de sel sur les œufs, par exemple, ou bien un supplément de beurre avec les toasts.

Seulement, une fois la commande terminée, ils n'échangent plus un mot.

Le temps que les plats arrivent, ils jettent un coup d'œil à la fenêtre et sirotent leur verre en silence. Quand le serveur revient enfin à leur table, ils s'adressent parfois à lui (pour redemander un peu de café, par exemple) mais, dès que le jeune homme s'éloigne, ils replongent aussitôt dans leur mutisme et, pendant le repas, on dirait que deux parfaits inconnus partagent la même table, comme si le plaisir de discuter avec l'autre ne valait pas la peine qu'on fasse le moindre effort.

Bon, là, je force un peu le trait mais, moi, je me suis déjà demandé comment ces couples en étaient arrivés là.

Or, pendant le séjour de Jane à New York, je me suis soudain rendu compte que nous risquions de prendre le même chemin.

Je me souviens qu'en allant chercher Jane à l'aéroport, j'ai ressenti une étrange nervosité. Une drôle d'impression. Alors j'ai été soulagé de voir un sourire passer sur le visage de ma femme lorsqu'elle a franchi la porte des arrivées et qu'elle est venue me rejoindre. Aussitôt, j'ai pris son bagage à main.

— Ton voyage s'est bien passé ?

— Très bien. Je ne comprends pas pourquoi Joseph aime autant habiter là-bas. Il y a toujours un monde fou et c'est très bruyant. Moi, je n'y arriverais pas.

— Contente d'être rentrée, alors ?

— Oui, mais je suis fatiguée.

— J'imagine. Un voyage, c'est toujours fatigant.

Pendant quelques secondes, nous n'avons plus dit un mot.

— Comment va Joseph ?

— Bien. Je crois qu'il a un peu grossi depuis sa dernière visite.

— Une anecdote intéressante que tu ne m'aurais pas racontée au téléphone ?

— Pas vraiment. Il travaille trop, mais c'est à peu près tout.

J'ai senti dans sa voix une pointe de tristesse, une mélancolie que je n'ai pas bien comprise. Surtout qu'en même temps j'assistais aux tendres retrouvailles d'un jeune couple, enlacé comme si les deux tourtereaux ne s'étaient pas vus depuis des années.

— Je suis content que tu rentres à la maison.

Elle a relevé la tête vers moi et soutenu mon regard, avant de se tourner lentement vers le tapis à bagages.

— Je sais.

Voilà où nous en étions il y a un an.

J'aurais voulu vous dire que les choses se sont arrangées après le retour de Jane. Eh bien, non. Notre vie a repris comme avant : nous menions toujours des existences séparées et les jours s'enchaînaient, plus ordinaires les uns que les autres. Jane n'était pas vraiment fâchée contre moi, mais elle n'avait pas non plus l'air heureux et, malgré mes efforts, je ne savais plus quoi faire. C'était comme si un mur d'indifférence s'était bâti entre nous sans que je m'en aperçoive. À la fin de l'automne, trois mois après l'anniversaire oublié, j'étais si inquiet pour notre couple que je me suis senti obligé d'en parler à son père.

Il s'appelle Noah Calhoun et, si vous le connaissiez, vous

comprendriez pourquoi je suis allé le voir. Sa femme Allie et lui avaient emménagé à la maison de retraite médicalisée de Creekside presque onze ans plus tôt, l'année de leur quarante-sixième anniversaire de mariage. Bien qu'ils aient partagé autrefois le même lit, Noah dort seul maintenant et ça ne m'a pas étonné de trouver sa chambre vide. La plupart du temps, quand je vais lui rendre visite, il est assis sur un banc, près de l'étang, et je me rappelle avoir vérifié à la fenêtre qu'il était bien là-bas.

Même de loin, je n'ai eu aucun mal à le reconnaître : ses quelques épis de cheveux blancs flottaient au vent et, le dos voûté, il portait le gilet bleu clair que Kate venait de lui tricoter. À quatre-vingt-sept ans, Noah est un veuf aux mains rongées d'arthrite et à la santé fragile. Il ne sort jamais sans ses comprimés de trinitrine et souffre d'un cancer de la prostate mais les médecins, eux, semblent surtout préoccupés par son état mental. Il y a quelques années, ils nous ont fait asseoir, Jane et moi, dans leur bureau et nous ont dévisagés d'un air grave. D'après eux, Noah est victime d'hallucinations, de bouffées délirantes qui semblent s'aggraver de jour en jour. Moi, je n'en suis pas si sûr. Je crois le connaître mieux que la plupart des gens... et certainement mieux qu'un bataillon de médecins. En dehors de Jane, Noah est mon ami le plus cher et, quand j'ai aperçu sa silhouette solitaire, je n'ai pas pu m'empêcher de le plaindre de tout ce qu'il avait perdu.

Son propre mariage s'était terminé cinq ans plus tôt mais, pour les mauvaises langues, ça faisait bien plus longtemps que ça. Dans les dernières années de sa vie, Allie souffrait de la maladie d'Alzheimer, autrement dit d'une affection très cruelle qui démantèle peu à peu tout ce qu'une personne a jamais été. Que sommes-nous, en fin de compte, sans nos souvenirs ? Sans nos rêves ? Assister à la progression de la maladie, c'était comme regarder au ralenti le film d'une tragédie inévitable. Rendre visite à Allie était, pour Jane et moi, une véritable épreuve : Jane voulait se souvenir de sa mère telle qu'elle était en bonne santé et, moi, je ne la poussais jamais à aller la voir, car je souffrais autant qu'elle. Pourtant, le plus à plaindre, c'était Noah.

Enfin, ça, c'est une autre histoire.

Une fois sorti de sa chambre, je suis allé le retrouver dehors. Il faisait frais, même pour un matin d'automne. Les feuilles brillaient sous les rayons obliques du soleil et l'air sentait un peu la fumée de cheminée. Je me suis rappelé que c'était la saison préférée d'Allie et, au moment de rejoindre Noah, j'ai senti à quel point le vieil homme était seul. Fidèle à son habitude, il nourrissait le cygne et, quand je suis arrivé à hauteur du banc, j'ai posé un sac en papier par terre. À l'intérieur, trois pains de mie extra. Noah me demandait toujours de lui en acheter quand je lui rendais visite.

— Bonjour, Noah.

Je sais que je pouvais l'appeler «papa», comme Jane s'adressait à mon propre père. Seulement, je ne suis pas très à l'aise avec ce genre de familiarités et, *a priori*, ça n'a jamais dérangé Noah.

Au son de ma voix, il a tourné la tête :

— Bonjour, Wilson. Merci d'être passé.

J'ai posé une main sur son épaule.

— Vous allez bien ?

— Ça pourrait aller mieux, m'a-t-il répondu avant d'ajouter avec un sourire malicieux : Mais ça pourrait aussi être pire.

Nous commencions toujours par échanger les mêmes mots. Quand, d'un geste, il m'a invité à le rejoindre sur le banc, je me suis assis à côté de lui. Les feuilles mortes de l'étang formaient une sorte de kaléidoscope flottant et le miroir de l'eau reflétait un ciel sans nuages.

— Je suis venu vous demander quelque chose.

— Ah ?

Noah a déchiré un morceau de pain, qu'il a lancé dans l'étang. Aussitôt, le cygne s'en est emparé et a tendu le cou pour mieux l'avaler.

— C'est à propos de Jane.

— Jane, a-t-il murmuré. Comment va-t-elle ?

— Bien, ai-je répondu en me trémoussant sur mon siège. J'imagine qu'elle passera tout à l'heure.

C'était la stricte vérité. Voilà quelques années que nous lui rendions souvent visite, parfois ensemble, parfois chacun de son côté. D'ailleurs, je me demande si, en mon absence, il leur arrive de parler de moi.

— Et les enfants ?

— Ils vont bien aussi. Anna publie des chroniques maintenant et Joseph a fini par trouver un nouvel appartement. Dans le Queens, je crois, mais à deux pas du métro. Quant à Leslie, ce week-end, elle part camper en montagne avec des amis. Elle nous a aussi raconté qu'elle avait eu d'excellentes notes à ses partiels.

Les yeux toujours rivés sur le cygne, il a hoché la tête.

— Tu as beaucoup de chance, Wilson, et j'espère que tu t'en rends compte : tes enfants sont tous devenus de merveilleux adultes.

— Je sais.

Nous sommes restés silencieux quelques instants. Quand on regarde Noah de près, les rides de son visage forment des crevasses et, là, je voyais les veines battre sous la peau fine de ses mains. Derrière nous, le parc était désert : le froid vif avait rebuté les autres pensionnaires de la résidence.

— J'ai oublié notre anniversaire de mariage.

— Oh ?

— Vingt-neuf ans.

— Hum.

Autour de nous, les feuilles mortes bruissaient dans le vent glacé.

— Je me fais du souci pour notre couple, ai-je fini par lui avouer.

Noah m'a jeté un coup d'œil. Au début, j'ai cru qu'il allait me demander pourquoi j'étais inquiet, mais il m'a plutôt observé attentivement, comme s'il essayait de lire la réponse sur mon visage. Puis il a détourné la tête et lancé un autre bout de pain au cygne. Quand il a enfin repris la parole, sa voix était douce et grave. Une voix de baryton vieillissant avec un fort accent du Sud.

— Tu te rappelles l'époque où Allie était malade ? Quand je lui faisais la lecture ?

— Oui, ai-je acquiescé, soudain envahi par le souvenir.

Il lui lisait un carnet qu'il avait écrit avant leur installation à Creekside. Ce carnet racontait comment Allie et lui étaient tombés amoureux et, quand il terminait sa lecture, Allie retrouvait parfois ses esprits malgré les ravages d'Alzheimer. Ces éclairs de lucidité ne duraient jamais très longtemps (et, à mesure que la maladie progressait, ils ont fini par disparaître complètement) mais, quand le miracle se produisait, l'état d'Allie s'améliorait à tel point que des médecins de l'Université de Chapel Hill venaient à Creekside pour essayer d'y comprendre quelque chose. La lecture de ce carnet fonctionnait de temps en temps. Aucun doute là-dessus. En revanche, les spécialistes n'ont jamais su pourquoi ça marchait si bien.

— Tu sais pourquoi je le faisais ?

— Je crois que oui, ai-je répondu, les mains posées sur les genoux. Parce que ça aidait Allie. Et qu'elle vous avait fait promettre de lui lire ce carnet.

— Oui, tu as raison.

Quand il s'est tu un instant, je l'ai entendu respirer, comme si l'air passait par un vieil accordéon.

— Mais pas seulement. C'était aussi pour moi. Et ça, beaucoup de gens ne le comprenaient pas…

Sentant qu'il n'avait pas terminé, je n'ai rien répondu. Pendant ces quelques secondes de silence, le cygne a cessé de tourner en rond et s'est approché de nous. Mis à part une petite tache noire sur le poitrail, l'oiseau était d'une blancheur immaculée. Il semblait faire du surplace quand Noah a repris la parole :

— Tu sais quel est mon meilleur souvenir des bons jours ?

Il voulait parler des rares fois où Allie le reconnaissait.

— Non.

— Tomber amoureux. C'est ça mon meilleur souvenir. Dans les bons jours, j'avais le sentiment que notre histoire recommençait depuis le début, m'a-t-il expliqué en souriant. Voilà pourquoi je dis que je l'ai aussi fait pour moi. Dès que je lui lisais ce carnet, j'avais l'impression de la courtiser à nouveau parce que, certains jours, en de rares occasions, elle retombait amoureuse de moi. Exactement comme ce qui s'était passé autrefois. Et, ça, c'est le sentiment le plus merveilleux du monde. Combien de gens se voient accorder une telle chance, dis-moi ? La chance que l'élu de leur cœur retombe éternellement amoureux d'eux ?

Noah ne semblait pas attendre de réponse et je ne lui en ai donné aucune.

À la place, nous avons encore passé une heure à discuter des enfants et de sa santé. Nous n'avons plus reparlé de Jane ni d'Allie. Pourtant, après mon départ de Creekside, j'ai repensé à notre conversation. Les médecins avaient beau être inquiets, Noah m'avait semblé plus lucide que jamais. Non seulement il savait que j'allais lui rendre visite, mais il avait aussi compris pourquoi et, en honnête homme du Sud, il avait résolu mon problème sans que je lui pose directement la question.

C'est à ce moment-là que j'ai compris ce qui me restait à faire.

2.

Il fallait que je refasse la cour à ma femme.

Ça paraît simple, non ? Quoi de plus facile ? Après tout, notre situation actuelle présente plus d'un avantage. D'abord, Jane et moi habitons ensemble et, après trente ans de vie commune, ce n'est pas comme si nous devions repartir de zéro. Inutile de nous raconter nos histoires familiales respectives et les anecdotes désopilantes de notre enfance. Inutile de parler carrière professionnelle ou de nous demander si nous avons les mêmes buts dans la vie. En plus, toutes les petites bizarreries qu'on tente généralement de taire au début d'une relation amoureuse ont déjà été étalées au grand jour. Ma femme, par exemple, sait que je ronfle. Je n'ai donc aucune raison de vouloir m'en cacher. Quant à moi, je l'ai déjà vue diminuée par la grippe et ça m'est bien égal qu'elle ait les cheveux en bataille au petit déjeuner.

Conclusion : regagner l'amour de Jane, ça devait presque être un jeu d'enfant. Il fallait juste essayer de lui faire revivre le début de notre histoire, exactement comme Noah avec Allie quand il lui lisait le carnet. Pourtant, à la réflexion, je me suis aperçu d'une chose : je n'avais jamais vraiment compris ce que je représentais aux yeux de Jane. Moi, j'estime avoir le sens des responsabilités mais, à l'époque, les femmes n'étaient pas très attirées par ce genre de qualité. Après tout, je suis un enfant du baby-boom, un pur produit de la génération « Relax ! Je passe d'abord ».

La première fois que j'ai vu Jane, c'était en 1971. J'avais

vingt-quatre ans et j'étudiais le droit à l'Université Duke. Je passais souvent pour un type très sérieux, même si je n'étais encore qu'en deuxième année. Avec moi, aucun colocataire ne tenait plus d'un trimestre, car j'étudiais souvent tard la nuit sous le faisceau aveuglant de ma lampe. Pour la plupart de mes anciens camarades, l'université n'était qu'un monde de week-ends séparés par une batterie de cours soporifiques alors que, moi, j'y voyais la préparation de mon avenir.

D'accord, j'étais un garçon sérieux mais, avant Jane, personne ne m'avait jamais trouvé timide. Nous nous sommes rencontrés un samedi matin dans un café du centre-ville. En ce début du mois de novembre, mes responsabilités à la revue juridique de l'université empiétaient souvent sur mon planning de cours. Comme je ne voulais pas prendre de retard dans mes études, j'avais poussé la porte d'un café en espérant n'y être ni reconnu ni interrompu.

C'est Jane qui est venue prendre ma commande et, encore aujourd'hui, je me rappelle chaque détail de notre première rencontre. Vêtue d'un tablier bleu marine sur une robe bleu ciel, elle avait remonté ses cheveux bruns en queue-de-cheval et ses yeux chocolat resplendissaient sur sa peau mate. Elle m'a lancé un sourire éclatant, comme si elle se réjouissait que j'aie choisi une de ses tables et, quand elle s'est adressée à moi, j'ai entendu son petit accent traînant, typique des côtes de Caroline du Nord.

À ce moment-là, je ne savais pas que nous finirions par dîner ensemble, mais je me souviens d'être revenu le lendemain et d'avoir demandé la même table. Quand je me suis assis, Jane m'a souri et, disons-le, ça m'a fait plaisir qu'elle ait l'air de me reconnaître. Ces visites du week-end se sont répétées pendant près d'un mois, sans que nous entamions jamais la moindre conversation. Nous ne nous étions même pas demandé nos prénoms respectifs. Pourtant, je me suis vite aperçu que mon esprit s'égarait chaque fois qu'elle venait me resservir un café. J'ignore encore pourquoi, mais elle semblait toujours dégager un léger parfum de cannelle.

Pour être honnête, je ne m'étais jamais senti très à l'aise avec les filles. Au lycée, je n'étais ni sportif ni membre du conseil étudiant – deux communautés qui regroupaient les élèves les plus populaires. Moi, j'étais passionné d'échecs et j'avais monté un club qui avait fini par compter onze membres. Tous des garçons, hélas. Malgré mon manque d'expérience, j'avais quand même réussi à sortir avec une demi-douzaine de filles à l'université et j'appréciais leur compagnie. Cependant, comme je refusais d'entretenir une relation suivie avant d'en avoir les moyens financiers, j'avais à peine connu ces demoiselles et elles m'étaient vite sorties de l'esprit.

En revanche, quand je quittais le café, il m'arrivait souvent de repenser à la jolie serveuse en queue-de-cheval. Surtout au moment où je m'y attendais le moins. Plus d'une fois, je me suis surpris à divaguer en plein cours : je la voyais traverser l'amphithéâtre, vêtue de son tablier bleu, et nous proposer le menu du jour. Des rêveries plutôt embarrassantes qui, pourtant, ne cessaient de revenir à la charge.

Je ne sais vraiment pas comment tout ça se serait terminé si elle n'avait pas pris les devants. Ce jour-là, j'avais passé une bonne partie de la matinée à étudier dans la fumée de cigarette des autres clients quand il s'est mis à pleuvoir. Un déluge glacé tout droit venu des montagnes. Moi, bien sûr, j'avais apporté un parapluie au cas où.

Quand la jolie serveuse s'est approchée de ma table, j'ai relevé la tête, le temps qu'elle me resserve un café, mais – surprise ! – elle avait son tablier plié sur le bras. Elle a dénoué le ruban qui retenait ses cheveux et une cascade de boucles brunes s'est abattue sur ses épaules.

— Ça ne vous dérangerait pas de me reconduire à ma voiture ? m'a-t-elle demandé. J'ai remarqué que vous aviez un parapluie et je ne voudrais pas finir trempée.

Impossible de refuser. Après avoir rassemblé mes affaires, je lui ai tenu la porte et, ensemble, nous avons traversé des flaques d'eau aussi profondes que des moules à manqué. Son épaule frôlait la mienne. Tandis que nous traversions la rue sous une pluie battante, elle m'a crié son prénom et m'a expliqué qu'elle suivait des cours à Meredith, l'université de jeunes filles. Elle étudiait l'anglais et espérait devenir institutrice. Moi, je n'ai pas été très bavard, car je me concentrais pour qu'elle reste au sec. Quand nous sommes arrivés à sa voiture, j'ai cru qu'elle allait s'installer tout de suite au volant. Au lieu de quoi, elle s'est tournée vers moi.

— Vous êtes plutôt du genre timide, vous.

Je n'ai pas su quoi répondre. D'ailleurs, elle a dû s'en apercevoir à ma mine déconfite car, aussitôt, elle a éclaté de rire.

— Aucun problème, Wilson. Moi, j'aime bien les timides.

La voir ainsi faire le premier pas pour connaître mon nom, voilà qui aurait dû me surprendre. Eh bien, non, pas du tout. Elle était devant moi, sous la pluie, les joues zébrées de mascara, et, moi, tout ce que je me disais, c'est que je n'avais jamais vu de fille aussi belle.

Ma femme est toujours très belle.

Bien sûr, sa beauté est plus douce, maintenant. Elle s'est patinée avec l'âge. Sa peau fine et délicate est désormais marquée de quelques rides. Ses hanches se sont arrondies, son ventre est un peu plus rebondi, mais elle m'inspire toujours autant de désir quand elle se déshabille dans la chambre.

Ces dernières années, nous n'avons pas souvent fait l'amour et, à chaque fois, il manquait la dose de spontanéité et d'excitation que nous aimions tant par le passé. À vrai dire, ce n'était pas la relation charnelle qui me manquait le plus. Non, moi ce que je voulais par-dessus tout, c'était retrouver enfin une lueur de désir dans ses yeux, sentir une caresse, signe qu'elle avait autant envie de moi que moi, j'avais envie d'elle. Quelque chose, n'importe quoi, pour savoir que j'étais encore l'élu de son cœur.

Seulement, une question me hantait : comment ranimer la flamme ? D'accord, il fallait que je recommence à courtiser Jane, mais je me suis vite rendu compte que la tâche serait plus compliquée que prévu. Loin de favoriser les choses (comme je l'avais d'abord imaginé), notre connaissance parfaite de l'autre était en réalité un obstacle. Nos dialogues autour de la table, par exemple, étaient englués dans des années de routine. Après ma discussion avec Noah, j'ai consacré une partie de mes après-midi au bureau à chercher de nouveaux sujets de conversation. Le manège a duré quelques semaines mais, à vrai dire, dès que j'essayais de lancer une idée, ça paraissait incongru et ça faisait long feu. Comme toujours, nous recommencions à parler des enfants ou de mon travail.

Je me suis alors aperçu d'une chose : notre vie de couple s'était durablement installée dans un quotidien incapable de réveiller la moindre passion. Pendant des années, nous avions suivi des emplois du temps différents adaptés à nos activités personnelles. Quand nous étions encore jeunes parents, je passais de longues heures au cabinet – soirs et week-ends compris – pour qu'à terme j'obtienne le statut d'associé potentiel. Je ne prenais jamais tous mes jours de congé. Bien décidé à impressionner Ambry et Saxon, je faisais peut-être du zèle mais, avec une famille à nourrir, je ne voulais courir aucun risque. Maintenant, je me rends compte qu'ajoutées à mon tempérament réservé, mes ambitions professionnelles m'ont en fait tenu à l'écart de ma famille. Quitte à ce que je me sente parfois étranger à l'intérieur de ma propre maison.

Pendant que j'évoluais dans mon petit monde, Jane, elle, passait sa vie à s'occuper des enfants. À mesure que leurs activités et leurs exigences augmentaient, moi, j'avais l'impression d'être marié à une vraie boule d'énergie, que je croisais de temps en temps entre deux portes. Ces années-là, avouons-le, nous dînions plus souvent seuls qu'en tête à tête et, même si la situation me semblait parfois curieuse, je ne faisais rien pour changer les choses.

Nous avions peut-être pris le pli de vivre comme ça... Quand les enfants n'ont plus été là pour diriger notre quotidien, je crois que nous n'avons pas su combler le vide entre nous. D'accord, notre couple n'était pas en grande forme, mais de là à changer brusquement toutes les vieilles habitudes... Autant creuser un tunnel à la petite cuillère.

Je ne dis pas que je n'ai fait aucun effort. En janvier, par exemple, j'ai acheté un livre de cuisine et j'ai décidé de nous préparer de bons petits plats le samedi soir. Certains repas étaient d'ailleurs délicieux et très originaux. En plus de ma partie de golf hebdomadaire, je me suis mis au jogging trois matins par semaine afin de perdre un peu d'embonpoint. J'ai même passé plusieurs après-midi à compulser des livres de développement personnel dans l'espoir d'y trouver le remède miracle. Premier conseil des spécialistes pour améliorer un mariage ? La règle des quatre A : attention, accord, affection et attirance. Je me souviens que tout paraissait limpide et j'ai concentré mes efforts sur ces quatre objectifs-là. Le soir, je passais plus de temps avec Jane au lieu de me retirer dans ma tanière, je lui faisais souvent des compliments et, quand elle me racontait sa journée, je l'écoutais attentivement en hochant la tête de temps en temps pour lui montrer que j'étais tout ouïe.

Enfin, je ne me berçais pas d'illusions : aucun de ces préceptes ne réveillerait comme par magie la passion de Jane, mais je n'envisageais pas les choses à court terme. S'il avait fallu vingt-neuf ans pour nous éloigner l'un de l'autre, je savais que ces quelques semaines d'efforts n'étaient que le début d'un long processus de rapprochement. Hélas, malgré un léger mieux, la situation évoluait moins vite que je l'avais espéré. À la fin du printemps, j'en ai donc conclu qu'en plus de ces petits changements quotidiens, je devais tenter autre chose, un truc extraordinaire : je voulais prouver à Jane qu'elle était encore – et serait toujours – la personne la plus importante de ma vie. Et puis, un soir, pendant que je feuilletais un album de famille, une idée a germé dans mon esprit.

Le lendemain matin, au réveil, je débordais d'énergie et de bonnes intentions. Pour mener à bien mon plan, il me fallait agir avec ordre et méthode, à l'abri des regards indiscrets. J'ai donc commencé par louer une boîte postale. Ensuite, mon projet a un peu végété, car c'est malheureusement à cette époque-là que Noah a eu une attaque.

Il avait déjà eu d'autres attaques mais, là, c'était la plus grave. Il est resté presque deux mois à l'hôpital. Deux mois pendant lesquels ma femme lui a consacré chaque minute de son temps. Elle passait toutes ses journées à son chevet si bien que, le soir, elle était trop épuisée et bouleversée pour remarquer mon désir de ranimer la flamme. Finalement,

Noah a pu rentrer à Creekside et, très vite, il a recommencé à nourrir le cygne de l'étang, mais son état de santé avait tiré la sonnette d'alarme : les jours du vieil homme étaient peut-être comptés et j'ai passé de longues heures à essuyer en silence les larmes de Jane ou simplement à la réconforter.

De tous les efforts accomplis pendant l'année écoulée, c'est mon soutien moral, je crois, qui l'a surtout touchée. Elle devait aimer ma solidité. Ou peut-être que mes efforts des derniers mois commençaient à porter leurs fruits. Enfin, quoi qu'il en soit, je remarquais parfois chez Jane les signes d'une tendresse retrouvée. Alors, même si ça n'arrivait pas souvent, j'en savourais chaque instant, car j'espérais que notre couple était reparti sur la bonne voie.

Dieu merci, la santé de Noah s'est améliorée de jour en jour et, au début du mois d'août, l'année de l'anniversaire oublié touchait doucement à sa fin. Depuis que j'avais inau-guré de mes promenades matinales, j'avais perdu presque dix kilos. J'avais aussi pris l'habitude de faire un crochet quotidien par ma boîte postale pour y récupérer mes colis. Je travaillais à mon grand projet pendant mes heures de bureau, histoire que Jane ne se doute de rien. En plus, j'avais décidé de prendre quinze jours de congé – les vacances les plus longues de ma vie – pour notre trentième anniversaire et j'avais la ferme intention de passer du temps avec ma femme. Étant donné l'échec de l'année précédente, je vou-lais vraiment lui offrir un anniversaire mémorable.

Et puis, le vendredi 15 août (mon tout premier soir de vacances, soit huit jours pile avant la date fatidique), il est arrivé quelque chose que, Jane et moi, nous ne pourrions jamais oublier.

Nous nous reposions au salon. Bien calé dans mon fau-teuil préféré, je lisais une biographie de Theodore Roose-velt tandis que ma femme feuilletait un catalogue. D'un seul coup, Anna a fait irruption chez nous. À l'époque, elle habi-tait encore New Bern, mais elle venait de louer un nouvel appartement à Raleigh. Bientôt, elle emménagerait là-bas avec Keith, qui entamait son internat de médecine à Duke. Malgré la chaleur estivale, Anna était habillée tout en noir. Elle portait deux anneaux à chaque oreille. Quant à son rouge à lèvres, il paraissait un peu trop foncé. Moi, depuis le temps, j'étais habitué à son look gothique mais, quand elle s'est assise en face de nous, j'ai vu combien elle ressemblait à sa mère. Le visage écarlate, elle a joint les mains, comme pour essayer de reprendre ses esprits.

— Papa, maman, j'ai quelque chose à vous dire.

Après avoir posé son catalogue, Jane s'est redressée sur son siège. Elle avait dû sentir, à la voix d'Anna, que l'heure était grave. La dernière fois que notre fille avait agi de la sorte, c'était pour nous annoncer qu'elle s'installait avec Keith.

Je sais, je sais. Mais elle était adulte. Qu'est-ce que je pouvais bien y faire ?

— Que se passe-t-il, ma chérie ? a demandé Jane.

Anna nous a regardés tour à tour puis, les yeux fixés sur sa mère, elle s'est lancée :

— Je vais me marier.

Je crois que les enfants ne vivent que pour le plaisir de surprendre leurs parents. L'annonce d'Anna ne faisait donc pas exception à la règle.

En réalité, tout ce qui est lié au choix d'avoir des enfants apporte son lot de surprises. On a coutume de dire que la première année de mariage est la plus pénible mais, pour Jane et moi, c'était faux. Pas plus que la septième année, « année de tous les dangers », n'a été la plus difficile.

Non, à nos yeux (hormis, peut-être, nos problèmes récents), les pires années ont été celles des biberons et des couches-culottes. Les gens, et surtout les jeunes couples sans enfants, croient à tort que les premiers mois d'un bébé ressemblent à une publicité remplie de bambins gazouilleurs aux parents souriants et détendus.

Faux ! Ma femme, elle, surnomme encore cette période « les années d'horreur ». Bien sûr, il s'agit d'une boutade, mais je doute fort qu'elle ait envie de renouveler l'expérience. Pas plus que moi, d'ailleurs.

Par « années d'horreur », Jane voulait dire qu'à l'époque, tout ou presque lui faisait horreur. Elle détestait son corps et ses sautes d'humeur. Elle détestait les femmes qui n'avaient pas la poitrine douloureuse et celles qui rentraient encore dans leurs vêtements. Elle détestait avoir la peau grasse. Elle détestait les petits boutons qui réapparaissaient pour la première fois depuis son adolescence. Mais c'était surtout le manque de sommeil qui la mettait hors d'elle et, par conséquent, elle ne supportait pas d'entendre des mères lui raconter que leur bébé faisait déjà ses nuits au bout de quelques semaines. Bref, elle détestait tous ceux qui avaient la chance de dormir plus de trois heures d'affilée et, par moments, elle en venait même à me détester de ne pas pouvoir la soulager. Après tout, je ne pouvais pas allaiter le bébé et, à cause de mon emploi du temps surchargé, je n'avais pas d'autre choix que de dormir parfois dans la chambre d'amis pour être opérationnel le lendemain au bureau. Je suis persuadé qu'elle comprenait mon point de vue mais, en pratique, ce n'était pas toujours aussi évident.

— Bonjour, disais-je en la voyant entrer d'un pas fatigué dans la cuisine. Le bébé a bien dormi ?

En guise de réponse, elle poussait un soupir d'impatience et allait droit à la cafetière. Moi, je reprenais, hésitant :

— Tu es restée debout longtemps ?

— Tu ne tiendrais pas une semaine.

Et là, comme par hasard, le nourrisson se remettait à pleurer. Jane serrait les dents, flanquait sa tasse de café sur la table, puis, à voir sa mine exaspérée, elle devait se demander pourquoi le bon Dieu la détestait autant.

À la longue, j'ai appris qu'il valait mieux ne rien dire du tout.

Sans compter, bien sûr, qu'un enfant transforme radicalement une relation de couple classique. On n'est plus seulement mari et femme, on est aussi parents, ce qui ruine aussitôt le moindre élan de spontanéité. Nous voulions aller au restaurant ? Il fallait d'abord vérifier que ses parents pouvaient garder le bébé. Ou alors contacter une baby-sitter. Un nouveau film au cinéma ? Je crois que nous n'y sommes pas allés pendant plus d'un an. Une escapade en amoureux le week-end ? Même pas la peine d'y penser. Nous n'avions pas le temps de faire ce qui nous avait poussés à tomber amoureux – les promenades, les longues discussions, les tête-à-tête –, ce qui rendait la situation très pénible pour nous deux.

Attention : je n'irais pas jusqu'à dire que cette première année était un échec total. Qu'est-ce que ça fait d'être parent ? Eh bien, il n'y a rien de plus difficile au monde mais, en même temps, on découvre l'amour inconditionnel. Aux yeux d'un père ou d'une mère, la moindre réaction de son bébé est toujours un petit miracle. Je n'oublierai jamais la première fois que mes enfants m'ont souri. Je me rappelle avoir applaudi leurs premiers pas tandis que le visage de Jane ruisselait de larmes. Rien n'est plus merveilleux que de tenir un enfant endormi au creux de ses bras et de se demander d'où peut venir un amour aussi fort. Ces instants-là, je m'en souviens comme si c'était hier. En revanche, les soucis, dont je peux aujourd'hui parler sans émotion, ne sont que des images vagues et lointaines, plus proches du rêve que de la réalité.

Non, rien ne vaut le bonheur d'avoir des enfants et, malgré les difficultés qui ont pu jalonner notre vie, la famille que nous avons fondée me donne l'impression d'être bénie des dieux.

Pourtant, comme je l'ai déjà dit, ça m'a appris à encaisser les surprises.

À l'annonce d'Anna, Jane a bondi du canapé en hurlant et s'est précipitée pour serrer sa fille contre elle. Ma femme et moi aimions beaucoup Keith. Quand je suis allé la féliciter à mon tour, Anna m'a répondu par un petit sourire énigmatique.

— Oh, ma chérie ! répétait Jane. C'est merveilleux ! Comment est-ce qu'il t'a fait sa demande ? Quand ? Je veux tout savoir. Montre-moi la bague…

Une fois passée la rafale de questions, j'ai vu le visage de Jane s'assombrir quand sa fille a secoué la tête.

— Ce ne sera pas ce genre de mariage, maman. On vit déjà sous le même toit et on n'a pas envie de mettre les petits plats dans les grands. Ce n'est pas comme si on avait besoin d'un autre saladier ou d'un nouveau mixeur.

Moi, je n'étais pas étonné. Vous savez, Anna a toujours aimé n'en faire qu'à sa tête.

— Oh! a lâché Jane mais, avant qu'elle puisse ajouter quoi que ce soit, Anna lui a pris la main.

— Il y a autre chose, maman. Quelque chose d'important.

Après m'avoir jeté un coup d'œil méfiant, elle s'est retournée vers sa mère :

— Voilà… Bon, vous savez comment va Grand-père, hein ?

Nous avons acquiescé en silence. Comme nos autres enfants, Anna a toujours été proche de Noah.

— Alors, avec cette attaque… Vous savez, Keith est vraiment ravi de le connaître et, moi, je l'aime par-dessus tout…

Un silence. Jane a pressé la main d'Anna, comme pour l'inciter à continuer.

— Eh bien, on veut se marier tant qu'il est en bonne santé, mais personne ne sait combien de temps il sera encore parmi nous. Alors, Keith et moi on a essayé de trouver une date… Avec lui qui commence son internat à Duke dans quelques semaines, moi qui déménage aussi, la santé de Grand-père… Voilà, est-ce que ça vous dérangerait si…

Elle s'est interrompue, les yeux rivés sur sa mère.

— Oui ? a murmuré Jane.

— On pensait se marier samedi prochain.

La bouche de Jane s'est arrondie de stupéfaction. Anna, elle, a continué à parler, manifestement pressée d'en finir avant qu'on lui coupe la parole :

— Je sais que c'est le jour de votre anniversaire et ce n'est pas grave si vous dites non, bien sûr, mais on trouve que ce serait une façon magnifique d'honorer votre couple. Pour tout ce que vous avez fait l'un envers l'autre. Pour tout ce que vous avez fait pour moi. Et, à mon avis, c'est la meilleure solution. Enfin, disons qu'on veut quelque chose de simple. Une petite cérémonie civile et, peut-être, un dîner en famille. Sans cadeaux, ni chichis. Alors ça ne vous dérange pas ?

Dès que j'ai vu le visage de Jane, j'ai su ce qu'elle allait lui répondre.

3.

Jane et moi avons eu de courtes fiançailles. Comme Anna.

Mon diplôme de droit en poche, j'étais entré chez Ambry & Saxon : à l'époque, Joshua Tundle n'avait pas encore pris de parts dans le cabinet. Nous n'étions encore que deux collaborateurs, dont les bureaux respectifs étaient séparés par un simple couloir. Originaire du village de Pollocksville, à une vingtaine de kilomètres au sud de New Bern, il avait fait ses études à l'Université de Caroline de l'Est et, pendant ma première année au cabinet, il me demandait souvent comment je m'adaptais à la vie d'une petite ville. À vrai dire, ce n'était pas exactement ce que j'avais imaginé. Même en faculté de droit, j'avais toujours cru suivre l'exemple de mes parents en travaillant dans une grande métropole. Pourtant, j'avais fini par accepter un emploi dans la bourgade où Jane avait grandi.

Je me suis installé ici pour elle, mais une chose est sûre : je n'ai jamais regretté ma décision. New Bern ne possède peut-être ni université, ni pôle technologique, mais elle compense sa petite taille par une véritable personnalité. Implantée en pleine campagne, à cent cinquante kilomètres au sud-est de Raleigh, elle est entourée de pinèdes et de grandes rivières tranquilles. Les eaux saumâtres de la Neuse, qui baigne la ville, semblent changer de couleur presque à chaque heure de la journée : gris acier à l'aube, elles passent au bleu dans le soleil de l'après-midi, avant de devenir brunes aux premiers instants du crépuscule. La nuit, l'eau n'est plus qu'un tourbillon de charbon liquide.

Mon bureau est situé en centre-ville, près du quartier historique, et je profite parfois de ma pause déjeuner pour aller voir les vieilles demeures. New Bern a été fondé en 1710 par des colons suisses et palatins, ce qui en fait chronologiquement la deuxième ville de Caroline du Nord. Au début, quand je suis arrivé ici, de nombreuses bâtisses étaient laissées à l'abandon et tombaient en ruine. En trente ans, les choses ont bien changé. Un par un, les nouveaux propriétaires ont voulu redonner à leur maison son lustre d'antan et, aujourd'hui, une petite balade dans le quartier vous donne l'impression que la vie peut toujours renaître, même aux endroits les plus improbables. Les passionnés d'architecture y trouveront des vitres soufflées à la bouche, des portes d'époque aux charnières en cuivre, ainsi que des lambris sculptés à la main qui se marient admirablement aux parquets en pin. Les rues étroites sont bordées de charmants perrons, souvenir d'un temps où, le soir, on aimait s'installer dehors pour prendre le frais. À l'ombre des grands chênes et des cornouillers, des milliers d'azalées fleurissent à chaque printemps. C'est simple : j'ai rarement vu un endroit aussi beau.

Jane a grandi à la périphérie de la ville, dans une ancienne maison de planteurs presque deux fois centenaire et restaurée par Noah au lendemain de la Seconde Guerre mondiale. Grâce à une rénovation soignée, la bâtisse dégage désormais une majesté ancestrale digne des plus belles demeures historiques de New Bern.

De temps en temps, je vais y jeter un coup d'œil. Je m'arrête parfois en rentrant du bureau ou avant de passer au supermarché. Il m'arrive aussi d'y aller exprès. Ça fait partie de mes petits secrets : Jane n'est pas au courant. Je suis sûr qu'elle n'y verrait aucun inconvénient, mais j'aime bien garder mes visites pour moi. Aller là-bas me donne l'impression d'être à la fois mystérieux et proche d'elle, car je sais bien que tout le monde a son jardin secret, y compris ma femme. D'ailleurs, quand je contemple la vieille propriété, je me demande souvent quel peut être celui de Jane.

Une seule personne est au courant de mes visites : Harvey Wellington, un Noir d'une cinquantaine d'années, qui occupe une petite maison en bardeaux juste à côté. Sa famille y habitait déjà avant le début du siècle et je sais qu'il est révérend de l'église baptiste du quartier. Il a toujours été proche de ma belle-famille et surtout de Jane mais, depuis l'installation de Noah et Allie à Creekside, nous nous contentons d'échanger chaque année les traditionnelles cartes de vœux. Quand je vais là-bas, je le vois souvent assis sur le perron fatigué de sa maison mais, d'aussi loin, je ne peux pas savoir ce qu'il pense de mes petites visites.

Je m'aventure rarement à l'intérieur. Depuis le départ de Noah et Allie, nous avons condamné les fenêtres et le mobilier a été recouvert de draps, comme autant de fantômes à Halloween. Moi, je préfère me promener dans le jardin. Je remonte l'allée de gravier, je longe la clôture, j'en effleure les piquets et je vais contempler la rivière à l'arrière de la maison. À cet endroit-là, le cours d'eau est plus étroit qu'en centre-ville et, par moments, la surface en est parfaitement immobile, tel un miroir qui réfléchirait les couleurs du ciel. Parfois, debout sur le ponton, je regarde les nuages se refléter dans l'eau tandis qu'une brise légère agite les feuilles au-dessus de ma tête.

Il m'arrive aussi de rester sous la tonnelle que Noah a construite après son mariage. Comme Allie adorait les fleurs, il avait planté une roseraie en forme de cœurs concentriques, visible depuis leur chambre et entièrement organisée autour d'une imposante fontaine à trois niveaux. Il y avait aussi installé plusieurs projecteurs, de manière à pouvoir contempler les fleurs même la nuit. Un spectacle éblouissant. La tonnelle sculptée à la main conduisait au jardin et Allie, l'artiste peintre, avait souvent représenté ce coin de paradis dans ses tableaux. Des tableaux qui, malgré leur beauté, semblaient toujours empreints d'une étrange tristesse. Depuis quelque temps, la roseraie n'était plus entretenue, la tonnelle vieillissait et se fissurait mais, moi, j'étais toujours aussi ému de les voir. Comme pour les travaux de rénovation de la maison, Noah s'était efforcé de rendre le jardin absolument unique. Souvent, je caresse une sculpture du bout du doigt. Ou je reste là à contempler les roses en espérant peut-être absorber un peu des talents qui m'ont toujours fait défaut.

Je viens ici parce que cette maison est très chère à mon cœur. Après tout, c'est là que je me suis aperçu pour la première fois que j'étais amoureux de Jane et, même si je sais que ma vie en a été beaucoup plus heureuse, il faut avouer qu'encore aujourd'hui, je ne comprends toujours pas très bien comment ça a pu m'arriver.

Lorsque j'ai raccompagné Jane par cette matinée pluvieuse de 1971, je n'avais aucune intention de tomber amoureux d'elle. Je la connaissais à peine mais, quand je suis resté sous mon parapluie à la regarder s'éloigner en voiture, j'ai soudain compris que je voulais la revoir. Même au bout de plusieurs heures, devant mes livres de droit, j'entendais encore ses mots résonner dans ma tête.

Aucun problème, Wilson. Moi, j'aime bien les timides.

Incapable de me concentrer, j'ai posé mon livre et quitté mon bureau. Je me suis répété que je n'avais ni le temps, ni l'envie d'entamer une relation amoureuse et, après avoir arpenté la chambre en passant en revue mon planning surchargé, ainsi que mon désir d'indépendance financière, j'ai résolu de ne plus remettre les pieds au café. La décision n'était pas facile à prendre, mais je me suis dit que c'était la meilleure solution. Fin de la discussion.

La semaine suivante, j'ai travaillé à la bibliothèque, mais je mentirais si je vous disais que je n'avais pas vu Jane. Chaque nuit, je revivais les moindres instants de notre brève rencontre : sa cascade de boucles brunes, sa voix mélodieuse, son regard patient sous la pluie. En fait, plus je voulais la chasser de mon esprit, plus les images devenaient fortes. J'ai compris que ma bonne résolution ne tiendrait pas une semaine de plus et, le samedi matin, j'ai pris mes clés de voiture.

Je ne suis pas allé au café pour lui proposer un rendez-vous. En réalité, je voulais plutôt me prouver que c'était juste une passade. Jane n'était qu'une fille banale, me suis-je répété en boucle, et, une fois devant elle, je verrais bien qu'elle n'avait rien d'extraordinaire. Le temps que je me gare sur le parking, j'avais presque réussi à m'en convaincre.

Comme toujours, le café était bondé et, pour pouvoir rejoindre ma place habituelle, j'ai dû traverser un groupe de clients sur le départ. La table venait d'être nettoyée et, une fois assis, je l'ai essuyée d'un coup de serviette avant de sortir mes affaires.

J'étais en train d'ouvrir mon manuel à la bonne page quand je l'ai entendue approcher. Tête baissée, j'ai fait mine de ne pas la voir arriver à ma table mais, lorsque j'ai relevé les yeux, ce n'était pas Jane. Non, j'avais devant moi une femme d'une quarantaine d'années, le carnet de commandes dans la poche du tablier et un crayon derrière l'oreille.

— Café ?

À en croire son efficacité un peu brutale, elle devait travailler là depuis des années. Pourquoi est-ce que je ne l'avais jamais remarquée ?

— Oui, merci.

— Je reviens dans une minute, a-t-elle pépié avant de me laisser un menu sur la table.

Dès qu'elle s'est éloignée, j'ai jeté un coup d'œil à la ronde : tout au fond du café, Jane rapportait des cuisines la commande de ses clients. Je l'ai observée quelques secondes en me demandant si elle s'était aperçue de ma présence mais, absorbée par son travail, elle ne regardait pas de mon côté. De loin, elle n'avait rien de magique. Ouf ! J'avais manifestement vaincu l'étrange fascination qui me tourmentait.

On m'a servi du café et j'ai commandé un petit déjeuner. De nouveau plongé dans mon manuel de droit, j'en avais à peine lu une demi-page quand j'ai entendu sa voix derrière mon dos :

— Bonjour, Wilson.

J'ai relevé la tête. Jane me souriait.

— Je ne vous ai pas vu le week-end dernier ! m'a-t-elle lancé gaiement. J'ai cru que je vous avais fait peur.

Incapable d'articuler un mot, la gorge nouée, je la trouvais encore plus belle que dans mes souvenirs. J'ignore combien de temps je l'ai dévisagée en silence, mais ça a duré assez longtemps pour qu'elle s'en inquiète :

— Wilson ? Vous allez bien ?

— Oui, ai-je répondu mais, bizarrement, je n'ai pas su quoi ajouter.

Au bout de quelques instants, elle a hoché la tête, perplexe :

— Bon… tant mieux. Désolée, je ne vous ai pas vu entrer. Sinon, je vous aurais installé dans mon secteur. Vous faites presque partie de mes habitués maintenant.

— Oui, ai-je répété.

Même à l'époque, je savais que ma réponse n'avait aucun sens, mais c'était *a priori* le seul mot que j'arrivais à prononcer devant elle.

Elle a attendu que j'ajoute quelque chose. En vain. Une lueur de déception est passée au fond de ses yeux.

— Je vois que vous êtes occupé, a-t-elle repris en me montrant mon manuel. Je voulais juste vous saluer et vous remercier encore une fois de m'avoir raccompagnée à ma voiture. Bon appétit.

Elle allait tourner les talons avant que j'aie pu briser le sortilège qui m'empêchait de parler.

— Jane ? ai-je lancé d'un seul coup.

— Oui ?

Je me suis éclairci la voix :

— Je pourrais peut-être vous reconduire à votre voiture un de ces jours. Même s'il ne pleut pas.

Elle m'a observé pendant de longues secondes avant de répondre :

— Avec plaisir, Wilson.

— Aujourd'hui peut-être ?

— D'accord, a-t-elle accepté en souriant.

Quand elle a fait mine de s'en aller, j'ai de nouveau lancé :

— Jane ?

Là, elle m'a jeté un regard par-dessus son épaule.

— Oui ?

Enfin conscient du véritable motif de ma visite, j'ai posé les deux mains sur mon livre, comme pour tirer force d'un monde qui m'était familier.

— Est-ce que vous voudriez dîner avec moi ce week-end ?

Elle a eu l'air amusée. Eh bien, j'en avais mis du temps à me décider…

— Oui. J'en serais ravie.

Difficile de croire que, trente ans plus tard, nous étions en train de parler mariage avec notre fille.

Quand Anna nous a fait la surprise de vouloir une petite cérémonie rapide, nous sommes restés bouche bée. Au début, Jane semblait abasourdie, puis elle a repris ses esprits et secoué la tête en murmurant d'une voix inquiète :

— Non, non, non…

À bien y réfléchir, sa réaction n'avait rien d'étonnant. L'un des plus grands désirs d'une mère est, j'imagine, de voir sa fille en belle robe blanche. Le mariage fait maintenant l'objet d'une véritable industrie et il va de soi que la plupart des mères nourrissent de grandes ambitions sur le déroulement de la cérémonie. Anna avait des idées radicalement différentes de ce que Jane avait toujours voulu pour ses enfants et, même s'il s'agissait du mariage de notre fille, ma femme ne pouvait échapper ni à ses convictions, ni à son propre passé.

Ça ne la gênait pas qu'Anna et Keith s'unissent le jour de notre anniversaire : elle connaissait mieux que personne l'état de santé de Noah et, effectivement, le jeune couple allait déménager quelques semaines plus tard. En revanche, elle refusait l'idée du mariage civil. Sans compter qu'il fallait boucler les préparatifs en huit jours à peine et qu'Anna voulait juste une cérémonie en petit comité.

De mon côté, je suis resté silencieux quand les négociations ont commencé pour de bon.

— Et la famille Sloan alors ? s'est exclamée Jane. Ça leur fendrait le cœur si tu ne les invitais pas. Et John Peterson ? Il t'a donné des cours de piano pendant des années et je sais combien tu l'appréciais.

— N'en fais pas toute une histoire, a répété Anna. Keith et moi, on vit déjà ensemble. D'ailleurs, la plupart des gens nous considèrent comme mariés.

— Et le photographe ? Je suis sûre que vous voulez des photos.

— Les invités apporteront sans doute leur appareil, a-t-elle rétorqué. Et puis, tu pourrais t'en charger, toi. Tu nous as déjà tiré le portrait des milliers de fois.

Jane a secoué la tête, puis elle s'est lancée dans une tirade exaltée en disant que ce serait le plus grand jour de la vie de sa fille. Ce à quoi Anna a répondu qu'elle allait quand même se marier. Avec ou sans chichis. Leur discussion n'était pas hostile, mais une chose était sûre : nous étions dans l'impasse.

D'habitude, je m'en remets à l'avis de Jane, surtout quand il s'agit de nos filles, mais je me suis rendu compte que, là, je devais intervenir :

— On pourrait peut-être couper la poire en deux.

Anna et Jane se sont tournées vers moi.

— Je sais que tu es fixée sur le week-end prochain, ai-je dit à Anna. Mais ça te dérangerait si on invitait quelques personnes supplémentaires ? En plus de la famille ? On te donnerait un coup de main pour tout préparer.

— Je ne sais pas si on aura le temps d'organiser ce genre de réception…

— Et si on essayait ?

Les négociations se sont encore poursuivies pendant une heure mais, au bout du compte, nous sommes arrivés à quelques compromis. Après mon intervention, Anna s'est montrée étonnamment conciliante. Elle connaissait un pasteur qui, à son avis, accepterait de les marier le week-end suivant. Jane, elle, semblait heureuse et soulagée que ses plans commencent à prendre forme.

Pendant ce temps-là, moi, je ne pensais pas seulement aux noces de ma fille, mais aussi à nos trente ans de mariage. Désormais, notre anniversaire, que j'avais espéré rendre inoubliable, aurait lieu le même jour qu'une cérémonie de mariage et, des deux événements, j'ai compris lequel prenait soudain le plus d'importance.

Notre maison se trouve en bordure de la rivière Trent, qui, au bout du jardin, mesure presque huit cents mètres de large. La nuit, je m'assieds parfois sur le ponton pour regarder les vaguelettes attraper les rayons de lune. En fonction du temps qu'il fait, l'eau ressemble certains soirs à un être vivant.

Contrairement à Noah, nous n'avons pas de perron autour de la maison. Le quartier a été construit à une époque où l'air conditionné et l'attrait permanent de la télévision incitaient les gens à rester chez eux. La première fois que nous avons visité l'endroit, Jane a jeté un coup d'œil à la fenêtre de derrière et elle s'est dit que, si elle n'avait pas de perron, elle pouvait au moins avoir un ponton. Ç'a été la première étape d'une foule de petits aménagements qui ont fini par transformer la maison en un lieu de vie très agréable.

Après le départ d'Anna, Jane est restée assise sur le canapé, les yeux rivés à la fenêtre. Je n'arrivais pas à déchiffrer l'expression de son visage mais, avant que j'aie pu lui demander à quoi elle pensait, elle s'est levée d'un bond et elle est sortie dans le jardin. Comme la soirée avait été plus qu'éprouvante, je suis allé ouvrir une bouteille de vin à la cuisine. Jane ne buvait pas souvent d'alcool, mais elle appréciait un verre de vin de temps en temps et je me suis dit que, ce soir-là, nous l'avions bien mérité.

Nos deux verres à la main, je l'ai rejointe sur le ponton. Dehors, la nuit résonnait du chant des grenouilles et des criquets. La lune n'était pas encore levée et, sur l'autre berge, on apercevait les lumières jaunes des pavillons d'en face. Agité par une petite brise, le carillon que Leslie nous avait offert à Noël tintait légèrement.

À part ça, tout était silencieux. Dans la douce lueur de la véranda, Jane avait un profil digne d'une statue grecque et, une fois encore, je n'en revenais pas de la voir toujours aussi belle. En contemplant ses pommettes hautes et ses lèvres charnues, je remerciais le ciel que nos filles lui ressemblent et, à présent que l'une d'elles allait se marier, je m'attendais à la voir rayonner de bonheur. Pourtant, quand je me suis approché, elle était en larmes !

Une fois sur le ponton, j'ai hésité un instant : n'était-ce pas une erreur de la rejoindre ? Toutefois, avant que j'aie pu tourner les talons, Jane a senti ma présence et elle a jeté un œil par-dessus son épaule.

— Oh, salut, a-t-elle lâché en reniflant.

— Ça va ?

— Oui.

Elle s'est tue quelques secondes, puis elle a secoué la tête.

— Euh… non. Enfin, je ne sais pas trop ce que je ressens.

Je me suis avancé vers elle et j'ai posé le verre de vin sur la rambarde. Dans la pénombre, on aurait dit du pétrole.

— Merci.

Après en avoir bu une gorgée, elle a poussé un long soupir et son regard s'est de nouveau perdu à la surface de l'eau.

— C'est bien Anna tout craché, a-t-elle fini par articuler. J'imagine que ça ne devrait pas m'étonner mais, quand même…

La voix brisée, elle a reposé son verre.

— Je croyais que tu aimais bien Keith.

— C'est vrai, a-t-elle acquiescé. Mais une semaine ? Je ne sais pas où elle va pêcher ce genre d'idée. Si elle voulait faire un truc pareil, autant qu'elle s'enfuie et qu'elle en finisse avec tout ça.

— Tu aurais préféré ?

— Non. Je lui en aurais beaucoup voulu.

J'ai esquissé un sourire. Jane avait toujours été franche.

— Seulement, il y a tant à faire… Comment est-ce qu'on va réussir à tout mettre en place ? Je ne dis pas que la réception doit avoir lieu dans les grands salons du Plaza, mais je suis sûre qu'Anna voudrait avoir un photographe. Et quelques amis autour d'elle.

— Elle n'était pas d'accord là-dessus ?

Jane a un peu hésité, le temps de choisir ses mots avec soin :

— Elle va repenser très souvent au jour de son mariage mais, à mon avis, elle ne s'en rend pas encore compte. Elle a réagi comme si ce n'était pas une affaire d'État.

— Tu sais, elle s'en souviendra toujours, quel qu'en soit le déroulement, lui ai-je fait remarquer gentiment.

Jane a fermé les yeux pendant de longues secondes avant de souffler :

— Tu ne comprends pas.

Elle n'a rien ajouté mais, moi, je savais exactement de quoi elle voulait parler.

C'est simple : Jane ne voulait pas qu'Anna commette la même erreur qu'elle.

Ma femme a toujours regretté la manière dont nous nous sommes mariés et, je le sais, tout est ma faute. Nous avons eu le genre de mariage qui me plaisait à moi et, bien que j'en accepte la responsabilité, je dois dire que mes parents sont loin d'être étrangers à ma décision.

Contrairement à l'immense majorité des Américains, ils étaient athées et j'ai grandi dans une maison sans Dieu. Enfant, je me posais des questions sur l'Église et les mystérieux rituels dont j'entendais parler mais, chez nous, la religion était un sujet tabou. Nous n'en discutions jamais à table et, même si je me sentais parfois différent des gamins du quartier, je n'avais jamais réfléchi à la question.

Aujourd'hui, j'ai changé d'avis. Je considère ma foi chrétienne comme le plus beau cadeau qu'on m'ait jamais fait. Inutile de s'appesantir là-dessus, si ce n'est pour dire qu'avec le recul, je crois avoir toujours su qu'il manquait quelque chose à ma vie. J'en veux pour preuve les années passées auprès de Jane. À l'image de ses parents, Jane est une fervente croyante et c'est elle qui m'a emmené à l'église. Elle a aussi acheté la bible qu'on lit le soir et c'est encore elle qui a répondu à mes premières questions.

Seulement, ma conversion a eu lieu après notre mariage.

S'il existait un motif de tension au début de notre rela-

54

tion, c'était bien mon absence de foi religieuse et je suis persuadé que Jane s'est parfois demandé si nous étions compatibles. D'ailleurs, m'a-t-elle avoué, si elle n'avait pas été sûre que je finirais par croire en Jésus-Christ Notre Sauveur, elle ne m'aurait pas épousé. Je savais que le discours d'Anna avait réveillé de pénibles souvenirs, car c'est justement l'absence de foi qui nous avait conduits à nous marier civilement. À l'époque, j'étais convaincu que me marier à l'église aurait fait de moi un hypocrite.

Sans compter l'autre raison pour laquelle nous avons été unis par un juge et non par un pasteur : ma fierté. Même s'ils en avaient les moyens, j'ai refusé que les parents de Jane nous paient un mariage religieux traditionnel. Maintenant, en tant que père, je considère ce devoir comme un vrai cadeau du ciel mais, il y a trente ans, je voulais être le seul à financer la cérémonie. Selon moi, si je ne pouvais pas nous offrir une réception classique, eh bien, il n'y en aurait pas.

En ce temps-là, je n'avais pas les moyens de mettre les petits plats dans les grands. Je venais d'entrer au cabinet, je gagnais assez bien ma vie, mais je mettais tout mon argent de côté pour pouvoir nous acheter une maison à crédit. D'accord, neuf mois après notre mariage, nous avons pu emménager chez nous, mais je ne suis plus si convaincu que le jeu en valait la chandelle. J'ai découvert que la radinerie a aussi un prix. Un prix qu'on paie parfois jusqu'à la fin de ses jours.

Notre mariage a été bouclé en moins de dix minutes. Personne n'a récité de prière. Je portais un costume gris foncé. Jane avait une petite robe jaune et un glaïeul piqué dans les cheveux. Ses parents, qui assistaient à la cérémonie derrière nous, nous ont dit au revoir avec un baiser et une poignée de main. Nous avons passé notre lune de miel dans une charmante auberge de Beaufort et, même si ma femme adorait le vieux lit à baldaquin où nous avons fait l'amour pour la première fois, notre séjour a duré moins d'un week-end, car on m'attendait au bureau le lundi d'après.

Ce n'était pas le mariage dont Jane rêvait quand elle était petite fille. Je le sais maintenant. Elle aurait voulu ce qu'elle essayait d'imposer à Anna. Une mariée rayonnante qui avance vers l'autel au bras de son père, une cérémonie orchestrée par un pasteur devant la famille et les amis. Une réception où chaque table déborde de plats, de gâteaux et de fleurs. Où le jeune couple reçoit les félicitations de ses proches. Peut-être même un peu de musique pour que la mariée ouvre le bal au bras de son époux, puis à celui du père qui l'a vue grandir, le tout sous les yeux ravis des invités.

Voilà ce que Jane aurait voulu.

4.

Le samedi matin, au lendemain de la grande révélation d'Anna, le soleil tapait déjà dur quand je me suis garé sur le parking de Creekside. En août, fidèle à la tradition des villes du Sud, New Bern semble soudain fonctionner au ralenti. On y conduit plus prudemment, les feux rouges ont l'air de s'éterniser et les piétons dépensent juste assez d'énergie pour déplacer leur corps vers l'avant, comme s'ils participaient à une course de lenteur.

Jane et Anna étaient déjà parties pour la journée. La veille au soir, après sa petite méditation sur le ponton, Jane était revenue s'asseoir à la table de la cuisine afin de dresser la liste complète des préparatifs. Même si elle savait pertinemment qu'elle ne pourrait jamais tout faire, elle avait rempli trois pages de notes et s'était fixé plusieurs objectifs à atteindre par jour.

Jane a toujours su gérer les projets de main de maître. Qu'il s'agisse d'une collecte de fonds pour les scouts ou d'une tombola à l'église, on lui demande souvent de s'en occuper. Parfois, elle s'est sentie débordée (surtout quand nos trois enfants avaient chacun leurs propres centres d'intérêt), mais elle n'a jamais refusé. Sachant qu'elle sort souvent épuisée de ce genre de marathon, je me suis promis de l'accaparer le moins possible jusqu'au mariage.

Entouré de haies taillées au cordeau, le jardin de Creekside est rempli de massifs d'azalées. Après avoir traversé le bâtiment principal – j'étais sûr que Noah ne serait pas dans sa chambre –, j'ai pris l'allée de gravier qui mène à l'étang. Ah ! Noah ne changerait donc jamais : malgré la chaleur, il portait son gilet bleu fétiche. Il n'y avait que lui pour avoir froid par un temps pareil.

Il venait de nourrir le cygne, qui nageait encore en petits ronds devant lui. Quand je me suis approché, je l'ai entendu lui parler. De quoi ? Mystère. Le cygne semblait avoir en lui une confiance absolue. Un jour, Noah m'a dit que l'oiseau se reposait parfois à ses pieds mais, ça, je n'en ai jamais été témoin.

— Bonjour, Noah.

Il a eu un peu de mal à tourner la tête.

— Bonjour, Wilson. Merci d'être passé.

— Vous allez bien ?

— Ça pourrait aller mieux… Mais ça pourrait aussi être pire.

Même si je vais souvent là-bas, Creekside me met parfois le moral à zéro : j'ai l'impression de n'y voir que des gens oubliés par la vie. Aux yeux des médecins et des infirmières, Noah a de la chance parce qu'il reçoit beaucoup de visites, mais trop de personnes âgées passent leurs journées devant la télévision pour fuir la solitude de leurs dernières années. Le soir, Noah récite des poèmes aux pensionnaires de la maison de retraite. Il adore Walt Whitman, dont le *Feuilles d'herbe* était posé à côté de lui ce jour-là, sur le banc. Il ne s'en sépare presque jamais. Jane et moi, nous avons lu ce livre il y a longtemps mais, pour être honnête, je ne comprends pas en quoi ces poèmes sont si passionnants.

À le regarder de près, j'ai vraiment eu de la peine de voir vieillir un homme comme Noah. Moi qui avais toujours occulté son âge, j'ai encore été frappé par sa respiration sifflante. Son attaque du printemps dernier l'avait laissé paralysé du bras gauche. Noah déclinait et, même si je le savais de longue date, je crois que, lui aussi, il avait fini par s'en rendre compte.

Il observait le cygne et, quand j'ai suivi son regard, j'ai reconnu l'oiseau à sa marque sombre sur le poitrail. On aurait dit un grain de beauté ou une tache de vin, un bout de charbon sur la neige, une tentative de la nature pour casser la perfection. Pendant l'année, l'étang accueille jusqu'à une dizaine de cygnes, mais cet oiseau-là est le seul à ne jamais être parti. Je le vois nager même quand l'hiver est rude et que ses congénères ont depuis longtemps migré vers le sud. Un jour, Noah m'a expliqué pourquoi le cygne ne quittait jamais Creekside : c'est ce genre d'histoire qui pousse les médecins à le croire un peu dérangé.

Une fois assis à ses côtés, je lui ai raconté la soirée de la veille avec Anna et Jane. À la fin, Noah m'a jeté un coup d'œil espiègle :

— Jane a été surprise ?

— Qui ne l'aurait pas été ?

— Et elle veut que les choses se passent d'une certaine manière ?

— Oui.

Après lui avoir parlé des listes que sa fille avait remplies dans la cuisine, je lui ai soumis une idée de mon cru. Quelque chose qui, à mon avis, avait échappé à Jane.

De sa main valide, Noah m'a tapoté la cuisse, comme pour me donner son accord.

— Et Anna ? Comment va-t-elle ?

— Bien. Je crois qu'elle n'a pas été surprise de la réaction de Jane.

— Et Keith ?

— Il va bien aussi. Du moins, c'est ce qu'Anna nous a dit.

Noah a hoché la tête d'un air approbateur :

— Ils forment un joli couple, ces deux-là, et ils ont un cœur d'or. Ils me rappellent Allie et moi.

— Je le dirai à Anna, ai-je répondu en souriant. Ça lui fera plaisir.

Nous sommes restés assis en silence jusqu'à ce que Noah me montre l'étang.

— Tu savais que les cygnes s'unissaient pour la vie ?

— Je croyais que c'était une légende.

— Non, c'est la vérité. Allie y voyait chaque fois le comble du romantisme. La preuve qu'il n'existe sur Terre aucune force plus puissante que l'amour. Avant notre mariage, elle était fiancée à un autre. Tu le savais, n'est-ce pas ?

J'ai acquiescé.

— C'est bien ce que je pensais. Un jour, elle est venue me voir en cachette de son fiancé et je l'ai emmenée en barque jusqu'à un endroit où des milliers de cygnes s'étaient rassemblés. On aurait dit qu'il avait neigé sur l'eau. Je t'en ai déjà parlé ?

Nouveau signe de tête. Même si je n'y avais pas assisté, j'imaginais parfaitement la scène. Et Jane aussi. Il lui arrivait souvent d'évoquer l'anecdote, les yeux pleins d'étoiles.

— Ils ne sont jamais revenus, a-t-il murmuré. Il y en avait toujours quelques-uns sur l'étang, mais ça n'a plus jamais été pareil.

Perdu dans ses souvenirs, il s'est tu un instant.

— Pourtant, Allie adorait y aller. Elle aimait nourrir les cygnes et me montrait les couples. « En voilà un, disait-elle, et là, un autre. Tu ne trouves pas merveilleux qu'ils restent toujours ensemble ? »

Un large sourire lui plissait le visage.

— J'imagine que c'était sa façon à elle de m'inciter à rester fidèle.

— À mon avis, elle n'avait pas à s'inquiéter.

— Ah bon ?

— Je crois qu'Allie et vous, vous étiez faits l'un pour l'autre.

Son sourire s'est teinté de nostalgie.

— Oui, tu as raison, mais il a fallu y travailler dur. Nous aussi, on a eu des moments difficiles.

Il songeait peut-être à la maladie d'Alzheimer. Ou, bien des années plus tôt, à la mort d'un de leurs enfants. Et à d'autres choses encore mais, ça, il avait toujours du mal à en parler.

— Pourtant, tout avait l'air si facile.

Noah a secoué la tête.

— Mais ce n'était pas vrai. Pas toujours. Dans les nombreuses lettres que je lui ai écrites, je lui rappelais non seulement mes sentiments pour elle, mais aussi les vœux qu'on avait échangés.

Allusion à l'époque où il m'avait conseillé de faire la même chose avec Jane ? Au lieu de rebondir là-dessus, j'ai préféré lui poser une question qui me tracassait :

— Est-ce qu'avec Allie, vous avez traversé une période difficile après le départ des enfants ?

Noah a pris le temps de la réflexion :

— Je ne sais pas si « difficile » est le mot juste mais, en tout cas, c'était différent.

— Comment ça ?

— D'abord, c'était plus calme. Vraiment très calme. Quand Allie travaillait dans son atelier, moi, je bricolais seul à la maison. C'est à cette époque-là, je crois, que j'ai commencé à me parler à moi-même. Histoire d'avoir un peu de compagnie.

— Comment Allie a-t-elle réagi à l'absence des enfants ?

— Comme moi. Du moins, au début. Nos enfants ont rempli notre vie pendant de longues années et, dès que ça change, il faut toujours quelques ajustements. Mais, une fois passé cette période d'adaptation, elle appréciait sans doute qu'on se retrouve en tête à tête.

— Il lui a fallu combien de temps ?

— Aucune idée. Quelques semaines peut-être.

Un énorme poids s'est abattu sur mes épaules. Quelques semaines ?

Noah a dû s'en rendre compte et, au bout d'un moment, il s'est éclairci la voix :

— Maintenant que j'y repense, je suis sûr que ça n'a pas duré si longtemps. Je crois qu'au bout de quelques jours, tout était redevenu normal.

Quelques jours ? ! Je n'arrivais pas à en croire mes oreilles.

Puis il s'est gratté le menton.

— À vrai dire, si je me souviens bien, ça n'a même pas été une question de jours. En fait, on a dansé la gigue devant la maison dès que David a fini d'entasser ses affaires dans la voiture. Mais, laisse-moi te dire une chose, les premières minutes ont été dures. Vraiment très dures. Je me demande parfois comment on a réussi à surmonter ça.

Malgré un ton des plus sérieux, j'ai bien vu une petite lueur espiègle briller au fond de ses yeux.

— La gigue?

— C'est une danse.

— Je sais ce que c'est.

— Plutôt populaire à l'époque.

— Mais il y a des lustres de ça.

— Quoi? On ne danse plus la gigue aujourd'hui?

— C'est un art perdu, Noah.

Il m'a donné un petit coup de coude.

— Tu as marché un moment quand même.

— Un peu, ai-je admis.

— Je t'ai bien eu! m'a-t-il lancé avec un clin d'œil.

Apparemment ravi de son coup, il est resté silencieux un moment. Puis, conscient d'avoir quand même éludé ma question, il s'est tourné sur le banc en poussant un long soupir:

— Ç'a été difficile pour nous deux, Wilson. À l'époque où ils sont partis, nos enfants étaient aussi devenus des amis. Allie et moi on s'est retrouvés seuls et, pendant un bout de temps, on n'a pas su quoi faire ensemble.

— Vous n'en avez jamais parlé.

— Tu ne m'as jamais posé la question. Les enfants me manquaient mais, de nous deux, je crois que c'était Allie la plus malheureuse. D'accord, elle était peintre mais c'était surtout une mère. Quand les enfants ont déménagé, elle ne savait plus trop qui elle était. Du moins, pendant quelque temps.

J'ai essayé de me représenter la scène. En vain. Cette Allie-là, je ne l'avais jamais vue et je n'arrivais pas à l'imaginer.

— Comment ça se fait?

Au lieu de répondre tout de suite, Noah m'a dévisagé quelques secondes.

— Je t'ai déjà parlé de Gus? L'homme qui me rendait visite quand je réparais la maison?

J'ai hoché la tête. Gus était de la même famille que Harvey, le pasteur noir que je voyais parfois en allant me promener chez Noah.

— Eh bien, le vieux Gus adorait les histoires à dormir

debout. Et il fallait qu'elles soient drôles. Certains soirs, on restait assis sur le perron à inventer nos propres blagues. Il y en a d'ailleurs eu de très bonnes, mais tu veux connaître ma préférée ? L'histoire la plus incroyable que Gus m'ait jamais racontée ? Bon, d'abord, il faut savoir que Gus a été marié à la même fille pendant cinquante ans et qu'ils ont eu huit enfants. Ces deux-là ont traversé toutes les tempêtes ensemble. Enfin bon, on avait passé la soirée à se raconter des histoires quand, d'un seul coup, il m'a dit : « J'en ai une bonne. » Il a pris une grande inspiration, m'a regardé droit dans les yeux et m'a lancé le plus sérieusement du monde : « Ça y est, je comprends les femmes. »

Noah a éclaté de rire, comme s'il entendait cette boutade pour la première fois.

— Le truc, c'est qu'aucun homme ne peut lâcher ça en pensant ce qu'il dit. C'est tout simplement impossible. Alors inutile d'essayer. Enfin, ne va pas croire qu'on ne peut pas aimer les femmes… et qu'on ne doit pas faire notre possible pour leur montrer combien elles comptent à nos yeux.

Sur l'étang, le cygne battait des ailes et lissait son plumage. Moi, je réfléchissais à ce que Noah venait de dire. Voilà en quels termes il m'avait parlé de Jane cette année-là. Jamais de conseils précis, jamais d'instructions. Et, en même temps, il avait parfaitement compris que j'avais besoin de son soutien.

— À mon avis, Jane aurait aimé que je vous ressemble.

Et Noah de laisser échapper un petit rire.

— Tu te débrouilles bien, Wilson. Tu te débrouilles très bien.

Hormis le tic-tac de l'horloge comtoise et le bourdonnement monotone du climatiseur, tout était calme quand je suis rentré à la maison. Après avoir posé mes clés sur le bureau du séjour, je suis allé examiner les étagères près de la cheminée. Les rayonnages sont remplis de photos de famille : nous cinq en jean et T-shirt bleu il y a deux ou trois ans, une autre photo sur la plage de Fort Macon quand les enfants étaient adolescents ou encore celle-là quand ils étaient plus petits. Et puis, il y a les clichés de Jane : Anna en robe de bal, Leslie en pom-pom girl, Joseph avec notre chienne, Sandy, qui nous a quittés il y a quelques années. Sans oublier les autres photos, quand ils étaient bébés. Même si ces souvenirs ne sont pas classés par ordre chronologique, ils montrent à quel point la famille a grandi et évolué au fil des ans.

Au milieu des étagères, juste au-dessus de la cheminée, se dresse un portrait de Jane et moi le jour de notre mariage. Allie a pris cette photo en noir et blanc sur les marches du palais de justice. Son talent d'artiste a encore fait des siennes et, même si Jane a toujours été splendide, l'objectif s'est aussi montré indulgent avec moi ce jour-là. Voilà de quoi j'espérais avoir toujours l'air aux côtés de ma femme.

Bizarrement, il n'y a pas d'autres photos de nous deux sur les étagères. Les albums sont pourtant remplis d'instantanés pris par les enfants, mais aucun cliché ne s'est jamais retrouvé encadré. Plusieurs fois, Jane a suggéré que nous nous fassions retirer le portrait tous les deux. Seulement, dans le tourbillon constant de la vie et du travail, j'ai toujours laissé ça de côté. Aujourd'hui, je me demande parfois pourquoi nous n'avons jamais trouvé le temps, ce que ça signifie pour notre avenir ou même si ç'a a une quelconque importance.

Après ma conversation avec Noah, j'ai réfléchi aux années qui ont suivi le départ des enfants. Pendant cette période-là, est-ce que j'aurais pu être un meilleur mari ? Oui, sans l'ombre d'un doute mais, à bien y réfléchir, je crois que c'est surtout au départ de Leslie pour l'université que j'ai eu tout faux avec Jane. Ou, du moins, que j'ai été complètement aveugle. Je me souviens qu'à l'époque, Jane me semblait très calme et même un peu maussade. Elle restait à la fenêtre, les yeux dans le vague, ou alors elle triait sans enthousiasme les vieilles affaires des enfants. Le problème, c'est que, moi, je vivais une année particulièrement chargée au cabinet : après sa crise cardiaque, le vieil Ambry avait dû réduire de façon drastique ses activités et il m'avait confié une bonne partie de ses clients. Confronté à une montagne de travail et aux répercussions structurelles de la maladie d'Ambry sur le cabinet, j'étais souvent épuisé et stressé.

Quand Jane s'est mis en tête de redécorer la maison, ça m'a rassuré de la voir s'atteler à un nouveau projet. Avoir l'esprit occupé pourrait lui éviter de ruminer l'absence des enfants. Résultat : des canapés en cuir sont venus remplacer les vieux sofas en tissu, tandis que des tables basses en merisier et des lampes en laiton torsadé faisaient leur apparition. Le séjour a été retapissé et, autour de la table, il y a maintenant assez de chaises pour accueillir tous nos enfants et leurs futurs conjoints. Même si Jane a fait des merveilles, il faut reconnaître que j'ai souvent été choqué par le montant des factures qui encombraient la boîte aux lettres. Enfin bon, je savais qu'il valait mieux ne pas faire de commentaire.

Pourtant, à la fin des travaux, nous avons remarqué tous les deux qu'un autre malaise s'était installé dans notre mariage. Rien à voir avec le syndrome du nid vide. Non, ce malaise venait du couple que nous étions devenus. Cependant, aucun de nous n'a évoqué le problème, comme si le seul fait d'en parler à voix haute pouvait rendre les choses indélébiles. À vrai dire, je crois que nous avions peur des retombées possibles.

C'est aussi pour cette raison que nous n'avons jamais consulté de thérapeute. Vous pouvez trouver ça démodé mais, moi, je n'ai jamais aimé l'idée de déballer mes problèmes à un inconnu. Jane partage mon avis. En plus, je sais déjà ce qu'il nous dirait :

— Non, votre problème ne vient ni du départ des enfants, ni de l'emploi du temps allégé de Jane. Ce sont juste des catalyseurs qui ont mis l'accent sur des problèmes déjà existants.

Mais, alors, pourquoi en étions-nous arrivés là ?

Même si c'est difficile à admettre, je crois que notre problème vient d'une espèce de négligence involontaire. Enfin, surtout de ma part. Moi qui ai souvent fait passer la carrière avant la famille, je suis toujours parti du principe que mon mariage était solide. À mes yeux, notre couple n'avait pas vraiment de problèmes et Dieu sait que je n'étais pas comme

Noah, à multiplier les petites attentions. Quand je réfléchissais à la situation – ce qui, avouons-le, n'arrivait pas très souvent –, je me rassurais en me disant que Jane avait toujours su quel genre d'homme j'étais et que ça lui suffisait.

Seulement, j'ai appris que l'amour, c'était plus que trois mots marmonnés avant de se coucher. L'amour se nourrit d'action et de dévouement, de petits gestes réciproques à renouveler au quotidien.

Là, devant notre photo, je ne pensais qu'à une chose : trente ans de négligence involontaire avaient fini par donner à mon amour des airs de mensonge et, manifestement, j'étais en train d'en payer le prix fort. Notre mariage n'était plus qu'un mot. Nous n'avions pas fait l'amour depuis cinq ou six mois et nos baisers, si rares, ne voulaient presque plus rien dire. Moi, je mourais de l'intérieur, le cœur brisé par ce que nous avions perdu, et, les yeux rivés sur notre photo de mariage, je me suis détesté d'avoir tout laissé partir à vau-l'eau.

5.

Malgré la chaleur, j'ai passé le reste de l'après-midi à désherber le jardin, puis j'ai pris une douche avant d'aller faire quelques courses. Nous étions samedi – mon jour de cuisine – et j'avais décidé de tester une nouvelle recette. Accompagné de farfalle et de petits légumes, le plat serait sans doute assez copieux pour nous deux mais, au dernier moment, j'ai eu envie de préparer quelques amuse-gueule et une salade César.

À cinq heures de l'après-midi, j'entrais dans la cuisine et, une demi-heure plus tard, les amuse-gueule étaient presque prêts. Mes petits champignons, garnis de chair à saucisse et de fromage fondu, réchauffaient lentement au four, à côté du pain que j'avais acheté à la boulangerie. La table à peine dressée, j'ouvrais une bouteille de merlot quand j'ai entendu Jane rentrer à la maison.

— Il y a quelqu'un ?

— Je suis dans la salle à manger.

Elle est apparue sur le pas de la porte. Un vrai rayon de soleil. Alors que mes cheveux, un peu plus clairsemés, tirent désormais sur le poivre et sel, les siens sont toujours aussi noirs et épais que le jour où je l'ai épousée. Elle avait glissé quelques mèches derrière son oreille et, autour du cou, elle portait le petit diamant que je lui avais offert au début de notre mariage. Malgré les soucis qui ont pu émailler notre vie de couple, je dois dire en toute franchise que la beauté de Jane ne me laissait jamais de marbre.

— Ah! Mais ça sent délicieusement bon ici. Qu'est-ce que tu nous as préparé?

— Du veau au marsala, ai-je annoncé avant de lui servir un verre de vin.

J'ai traversé la pièce pour lui donner son verre. Sur le visage de Jane, les appréhensions de la veille étaient remplacées par une exaltation que je ne lui avais pas vue depuis longtemps. Pas de doute : Anna et elle avaient passé une bonne journée et, même si je n'étais pas conscient de retenir mon souffle, j'ai fini par pousser un soupir de soulagement.

— Tu ne croiras jamais ce qui nous est arrivé aujourd'hui! a-t-elle exulté. Et, quand je te l'aurai dit, tu n'en croiras toujours pas tes oreilles!

Après avoir bu une gorgée de vin, elle s'est appuyée sur moi, le temps de retirer ses chaussures, et elle m'avait déjà lâché le bras que je sentais encore la chaleur de sa peau.

— Quoi? Qu'est-ce qui s'est passé?

— Allez, viens! Suis-moi à la cuisine pendant que je te raconte tout. Je meurs de faim. On était si occupées qu'on n'a pas eu le temps de manger. Quand on s'est enfin aperçues que c'était l'heure de déjeuner, la plupart des restaurants étaient fermés et on avait encore plusieurs boutiques à visiter avant qu'Anna rentre chez elle. Au fait, merci d'avoir préparé le dîner. J'avais complètement oublié que c'était ton jour de cuisine et j'essayais de me trouver une excuse pour appeler un traiteur.

Toujours aussi bavarde, elle est entrée dans la cuisine. Moi qui la suivais à quelques mètres, j'admirais le subtil balancement de ses hanches.

— Enfin bon, je crois qu'Anna commence à y prendre goût. Elle m'a paru beaucoup plus enthousiaste qu'hier soir.

Le regard brillant, Jane m'a lancé un coup d'œil par-dessus son épaule :

— Mais attends un peu. Tu vas être épaté.

J'avais mis sur la table tout ce qu'il fallait pour préparer le plat principal : escalopes de veau, petits légumes, planche à découper et couteau. À l'aide d'une manique, j'ai sorti du four les amuse-gueule, que j'ai posés sur la cuisinière.

— Et voilà !

Elle m'a regardé, étonnée :

— C'est déjà prêt ?

— Tu es arrivée pile à l'heure, ai-je répondu en haussant les épaules.

Jane a attrapé un champignon et en a croqué une bouchée.

— Donc, ce matin, je suis passée la prendre… Oh ! Mais c'est délicieux ! .

Elle s'est tue quelques secondes, soudain très intéressée par le champignon. Puis elle en a pris un autre morceau, qu'elle a laissé fondre dans sa bouche avant de poursuivre :

— Donc, on a d'abord essayé de trouver un photographe. Quelqu'un de plus qualifié que moi. Je sais qu'il existe plusieurs studios en ville, mais j'étais sûre de ne trouver personne à la dernière minute. Alors, hier soir, j'ai pensé au fils de Claire. Il prend des cours de photo au Centre universitaire Carteret et, plus tard, il veut en faire son métier. Ce matin, j'ai appelé Claire pour lui dire qu'on passerait peut-être chez elle, mais ta fille n'était pas très emballée : elle ne connaît pas le travail de ce garçon. Mon autre idée, c'était de demander à quelqu'un de son journal, mais Anna m'a répondu que le travail en free-lance n'y était pas très bien vu. Enfin, bref, elle voulait d'abord s'adresser aux studios professionnels en espérant que quelqu'un serait disponible. Et tu ne devineras jamais ce qui est arrivé.

— Raconte.

Histoire de ménager le suspense, Jane a avalé le reste de son champignon. Puis, les doigts brillants, elle en a attrapé un deuxième.

— Ils sont absolument délicieux ! s'est-elle extasiée. Nouvelle recette ?

— Oui.

— Et c'est compliqué ?

— Pas vraiment, ai-je répondu d'un air détaché.

Jane a pris une grande inspiration :

— Donc, comme je m'en doutais, les deux premiers studios n'étaient pas libres samedi. Mais, ensuite, on est allées au Studio Cayton. Tu as déjà vu des photos de mariage prises par Jim Cayton ?

— J'ai entendu dire que c'était le meilleur.

— Il est incroyable ! Et ses clichés sont épatants ! Même Anna était impressionnée et, pourtant, tu la connais. Il s'est occupé du mariage de Dana Crowe, tu te rappelles ? D'habitude, il faut bien réserver six mois à l'avance et, encore, ce n'est pas gagné. Tu vois, on n'avait aucune chance mais, quand j'ai posé la question à sa femme, c'est elle qui gère le studio, eh bien, elle m'a dit qu'un client venait d'annuler.

Elle a croqué un autre morceau de champignon, qu'elle a savouré lentement.

— Et la bonne nouvelle, m'a-t-elle annoncé, ravie, c'est qu'il est libre samedi prochain !

— Fantastique !

Une fois la bombe lâchée, Jane s'est mise à parler plus vite et m'a tout m'expliqué en détail :

— Ah ! Tu ne peux pas savoir comme Anna était heureuse. Jim Cayton ? Même si on avait eu un an devant nous, c'est lui que j'aurais voulu avoir ! On a passé des heures entières à feuilleter les albums, histoire de trouver des idées. Anna voulait savoir si tel cliché me plaisait et, moi, je lui demandais lesquels elle préférait. Mme Cayton a dû nous prendre pour des folles. Dès qu'on terminait un album, on voulait en voir un autre, mais elle a eu la gentillesse de répondre à toutes nos questions. Quand on a quitté le studio, on se pinçait presque pour être sûres de ne pas rêver.

— J'imagine.

— Ensuite, a-t-elle continué gaiement, on a fait le tour des pâtisseries. Là encore, on a visité plusieurs boutiques, mais je ne m'inquiétais pas trop pour le gâteau. Ce genre de chose, ça ne se prépare pas des mois à l'avance. Enfin bon, on a fini par trouver notre bonheur. Seulement, je ne pensais pas qu'il en existait autant de sortes. Un catalogue entier de gâteaux de mariage ! On nous en a proposé des grands, des petits et de toutes les tailles intermédiaires. Sans oublier qu'après, il faut encore choisir le parfum, le type de glaçage, la forme, les décorations supplémentaires et des tas d'autres choses...

— Ça a l'air très excitant.

Jane a levé les yeux au ciel.

— Tu n'en as même pas idée !

En la voyant ainsi déborder de joie, j'ai éclaté de rire.

Les astres ne nous étaient pas souvent favorables mais, ce jour-là, la configuration paraissait idéale. Jane était aux anges, la soirée ne faisait que commencer et nous allions bientôt savourer un petit dîner romantique. Tout semblait se dérouler à merveille et, en face de celle qui était ma femme depuis trente ans, j'ai soudain compris que, même si j'avais voulu, la journée n'aurait pas pu être plus réussie.

Tandis que je finissais de préparer le dîner, Jane a continué à me raconter sa journée en détail, depuis la pièce montée (deux étages, parfum vanille et glaçage à la crème) jusqu'aux photos de mariage : Cayton retouchait sur ordinateur la moindre imperfection. Dans la lumière chaude de la cuisine, je distinguais à peine les pattes-d'oie de Jane, petites marques discrètes d'une longue vie à deux.

— Je suis ravi que tout se soit bien passé. Et, sachant que c'était juste ton premier jour, on peut dire que les choses ont déjà bien avancé.

Une odeur de beurre fondu avait envahi la cuisine. Le veau commençait à grésiller doucement.

— Je sais et, crois-moi, j'apprécie. Le problème, c'est qu'on ne connaît pas encore le lieu de la cérémonie donc, pour le moment, impossible de poursuivre les préparatifs. J'ai dit à Anna que, si elle voulait, on pouvait organiser ça ici, mais elle n'a pas sauté de joie.

— De quoi est-ce qu'elle a envie ?

— Elle ne sait pas encore très bien. Peut-être d'un mariage en plein air. Quelque chose de pas trop guindé.

— Ça ne devrait pas être si difficile à trouver.

— Détrompe-toi. Le seul endroit qui m'est venu à l'esprit, c'est le Tryon Palace, mais je ne crois pas qu'on puisse le louer en si peu de temps. Je ne sais même pas s'ils acceptent les cérémonies de mariage.

— Mmm...

J'ai assaisonné les escalopes avec un peu de sel, du poivre et de l'ail en poudre.

— J'aime bien aussi la Plantation Orton, a-t-elle continué. Tu te souviens? L'année dernière, au mariage des Bratton?

Oui, je me souvenais. Installée entre Wilmington et Southport, la plantation est presque à deux heures de route de New Bern.

— C'est un peu loin, non? Vu que la majorité des invités habitent par ici...

— Je sais. Je disais ça comme ça. De toute façon, je suis sûre que c'est déjà réservé.

— Et pourquoi pas en centre-ville? Dans une auberge?

Jane a secoué la tête.

— À mon avis, la plupart sont trop petites et je ne sais pas lesquelles ont un jardin, mais je pourrais peut-être me renseigner. Et si ça ne marche pas... enfin, on trouvera bien quelque part. Du moins, j'espère.

Plongée dans ses pensées, elle a froncé les sourcils. Puis elle s'est accoudée au plan de travail, son pied nu calé contre la porte du placard. Exactement à l'image de la jeune fille que j'avais amenée à sa voiture. La deuxième fois que je l'avais raccompagnée, je croyais qu'elle allait se mettre au volant et partir, comme elle l'avait fait quinze jours plus tôt. Au lieu de quoi, elle s'était adossée à la portière, jambe repliée, et nous avions eu ce que j'appelle notre première conversation. Émerveillé par l'enthousiasme avec lequel Jane me racontait son enfance à New Bern, je lui découvrais pour la première fois des qualités que j'adore encore aujourd'hui : son intelligence et sa passion, son charme, sa conception apparemment insouciante de la vie. Des années plus tard, elle s'en était servie dans l'éducation de nos enfants, ce qui avait permis d'en faire des adultes responsables et attentionnés.

Comme pour sortir Jane de sa rêverie distraite, je me suis raclé la gorge.

— Je suis passé voir Noah aujourd'hui.

Sur ce, Jane a repris ses esprits.

— Comment va-t-il ?

— Bien. Un peu fatigué mais de bonne humeur.

— Il était encore devant l'étang ?

— Oui.

Et moi d'anticiper sa question en ajoutant :

— Le cygne était là, lui aussi.

Jane a pincé les lèvres. Soucieux de ne pas la contrarier, j'ai vite enchaîné :

— Je lui ai parlé du mariage.

— Ça lui a fait plaisir ?

— Très. Il m'a dit qu'il avait hâte d'y être.

— Demain, j'emmène Anna le voir. Elle n'a pas pu y aller la semaine dernière et je sais qu'elle veut tout lui raconter en détail.

Son visage s'est éclairé d'un petit sourire de satisfaction.

— D'ailleurs, merci de lui avoir rendu visite aujourd'hui. Je sais qu'il t'apprécie beaucoup.

— Moi aussi, j'aime bien passer du temps avec lui.

— Je sais, mais merci quand même.

Les escalopes étaient prêtes. J'y ai ajouté les derniers ingrédients : marsala, jus de citron, champignons, bouillon de bœuf, échalotes émincées et ciboulette. Sans oublier une noix de beurre pour faire bonne mesure et me récompenser des dix kilos perdus en un an.

— Tu as déjà annoncé la nouvelle à Joseph et Leslie ? ai-je repris.

Jane m'a regardé remuer la sauce, puis elle a sorti une cuillère du tiroir et l'a trempée dans la poêle pour goûter ma préparation.

— Ah ! Mais c'est très bon.

— Tu as l'air surprise…

— Absolument pas. Tu es un vrai cordon-bleu maintenant. Surtout quand on voit d'où tu es parti…

— Quoi ? Tu n'as pas toujours adoré ma cuisine ?

Elle a posé l'index sur son menton.

— Disons que la purée brûlée et la sauce aux grumeaux, il faut s'y faire.

Conscient qu'elle avait parfaitement raison, j'ai souri : mes toutes premières expériences culinaires étaient loin d'être une réussite.

Après avoir repris un peu de sauce, Jane a posé sa cuillère sur la table.

— Wilson ? À propos du mariage…

— Oui ?

— Tu sais que ça va coûter cher de trouver un billet d'avion pour Joseph à la dernière minute, hein ?

— Oui.

— Et, même si un client a annulé, les tarifs du photographe sont plutôt élevés.

J'ai acquiescé d'un signe de tête.

— Je m'en doute.

— Quant au gâteau, il n'est pas donné non plus. Enfin, pour un gâteau.

— Aucun problème. Il faut bien ça, vu le nombre d'invités, non ?

Manifestement interloquée, elle m'a regardé avec curiosité.

— Eh bien, je voulais juste te prévenir pour que tu ne te mettes pas dans tous tes états.

— Pourquoi est-ce que je me mettrais dans tous mes états ?

— Tu sais bien. Les grosses dépenses, ça t'inquiète toujours un peu.

— Ah bon ?

Jane a haussé le sourcil.

— Inutile de jouer la comédie. Tu ne te rappelles pas comment tu as réagi quand j'ai redécoré la maison ? Ou quand la chaudière n'arrêtait pas de tomber en panne ? Tu cires même tes chaussures…

Amusé, j'ai levé les mains en signe de reddition.

— D'accord, tu as gagné mais ne t'inquiète pas. Là, c'est différent.

J'ai redressé la tête, car je savais qu'elle était tout ouïe.

— Même si nos économies doivent y passer, ça vaudra encore le coup.

Après avoir failli s'étrangler avec son vin, elle m'a longuement dévisagé puis, d'un seul coup, elle s'est avancée vers moi et m'a pincé le bras.

— En quel honneur?

— Je voulais juste vérifier que tu étais bien mon mari. Que tu n'avais pas été remplacé par un zombie.

— Un zombie?

— Oui. Comme dans *L'Invasion des profanateurs*. Souviens-toi, le film.

— Oui mais, là, c'est bien moi.

— Dieu merci, a-t-elle répondu d'un air faussement soulagé.

Puis, à mon grand étonnement, elle m'a lancé un clin d'œil.

— Enfin, je voulais juste te prévenir.

J'ai souri, le cœur gonflé à bloc. Depuis quand est-ce que nous n'avions pas ri ni plaisanté comme ça dans la cuisine? Des mois? Des années peut-être? D'accord, l'embellie serait peut-être de courte durée, mais elle me suffisait à alimenter une secrète lueur d'espoir.

Mon premier rendez-vous avec Jane ne s'est pas passé exactement comme prévu.

J'avais réservé une table chez Harper, le meilleur restaurant de la ville. Et aussi le plus cher. J'en avais les moyens, mais je savais qu'il faudrait me serrer la ceinture jusqu'à la fin du mois pour payer le reste des factures. Sans compter que je lui avais organisé une autre surprise après le dîner.

Je suis passé la prendre à Meredith, devant sa résidence universitaire, qui était juste à quelques minutes du restaurant. Typique d'un premier rendez-vous, notre conversation est restée superficielle : nous avons parlé des cours, du froid glacial, et je lui ai dit que nous avions bien fait de prendre une veste. Je me rappelle aussi l'avoir complimentée sur son pull. Elle m'a répondu qu'elle l'avait acheté la veille. En prévision de notre dîner? Cette question-là, je me suis bien gardé de la lui poser à haute voix.

Avec la cohue de Noël, les places de parking étaient rares et nous avons fini par nous garer à plusieurs rues du restaurant. Heureusement, comme j'avais prévu large, j'étais sûr d'arriver à temps pour honorer la réservation. Dehors, nous avons vite eu le bout du nez tout rouge et un nuage de vapeur nous sortait de la bouche à chaque bouffée. Quelques vitrines étaient ornées de guirlandes lumineuses et, quand nous sommes passés devant une pizzeria de quartier, nous avons entendu des chants de Noël s'échapper d'un juke-box.

C'est en arrivant près du restaurant que nous avons aperçu le chien. Tapi au fond d'une ruelle, crasseux, il n'avait plus que la peau sur les os. Il tremblait et, à voir son pelage, il vagabondait déjà depuis un bout de temps. Je me suis interposé entre Jane et le chien, au cas où il aurait été dangereux, mais elle est venue devant moi et s'est accroupie pour essayer d'attirer l'attention de l'animal.

— Tout va bien, a-t-elle murmuré. On ne te veut aucun mal.

Le chien a reculé dans l'obscurité.

— Il porte un collier. Je suis sûre qu'il s'est perdu.

Elle ne quittait pas des yeux l'animal qui, lui, semblait l'étudier avec une certaine méfiance.

D'un coup d'œil à ma montre, j'ai vu qu'il nous restait quelques minutes avant l'heure de la réservation. Sans trop savoir si ce chien était dangereux, je me suis accroupi à côté de Jane et j'ai commencé à le rassurer à mon tour. Ça duré un petit moment, mais il refusait toujours de bouger d'un pouce. Quand Jane a esquissé un pas vers lui, il a reculé en gémissant.

— Il est terrifié, a-t-elle lâché d'une voix soucieuse. Qu'est-ce qu'on va faire? Moi, je ne veux pas le laisser seul ici. La météo annonce une nuit glaciale et, s'il est perdu, je suis certaine qu'il n'a qu'une envie : rentrer chez lui.

J'imagine que j'aurais pu répondre n'importe quoi. Lui dire que nous avions essayé, que nous pouvions prévenir la fourrière. Nous aurions même pu revenir après le dîner et, s'il était toujours là, tenter à nouveau de l'amadouer. Seulement, le visage de Jane m'en a aussitôt dissuadé. Elle avait dans les yeux un mélange d'inquiétude et de défi, premier signe de sa bienveillance légendaire envers les plus malheureux. Déjà, à l'époque, je savais que je n'avais pas le choix : il fallait respecter sa décision.

— Laisse-moi essayer, ai-je proposé.

Pour être franc, je n'étais pas sûr de la marche à suivre. Enfant, je n'avais jamais eu de chien pour la simple et bonne raison que ma mère y était allergique. J'ai tendu la main vers lui en continuant à le rassurer doucement, comme je l'avais vu faire au cinéma.

Je l'ai laissé s'habituer à ma voix et, quand je me suis approché d'un pas, il n'a pas bougé. Soucieux de ne pas effrayer le pauvre toutou, je me suis arrêté, je l'ai laissé s'habituer de nouveau à ma présence, puis j'ai encore avancé d'un pas. Après ce qui m'a paru une éternité, j'étais assez près du chien pour qu'il puisse renifler mes doigts. Puis, décidant qu'il n'avait rien à craindre de moi, il a commencé à me lécher la main. Quelques minutes plus tard, je pouvais lui caresser la tête et j'ai jeté un coup d'œil à Jane.

— Il t'aime bien, a-t-elle constaté, stupéfaite.

Moi, j'ai haussé les épaules.

— On dirait.

Quand j'ai pu lire le numéro de téléphone inscrit sur le collier, Jane est allée prévenir le propriétaire depuis une cabine publique. Pendant ce temps-là, je suis resté avec le chien et, plus je le caressais, plus il en demandait. Au retour de Jane, nous avons attendu presque vingt minutes que quelqu'un vienne le chercher. Le propriétaire, qui avait une trentaine d'années, a presque bondi de sa voiture. Aussitôt, le chien s'est précipité sur son maître en remuant la queue. Après s'être fait copieusement lécher le visage, l'homme s'est ensuite tourné vers nous :

— Merci mille fois d'avoir appelé. Il a disparu depuis une semaine et mon fils était inconsolable. Vous n'avez pas idée de ce que ça représente à ses yeux. Il n'avait demandé qu'une seule chose au père Noël : retrouver son chien.

Il a voulu nous offrir une récompense, mais nous n'avons pas accepté. Quand il est remonté en voiture, il nous remerciait encore. Je crois qu'en le regardant partir, nous avons eu tous les deux le sentiment de nous être rendus utiles. Dès que le bruit du moteur s'est évanoui dans la nuit, Jane m'a pris par le bras.

— Tu penses que notre réservation est encore valable ?

J'ai vérifié ma montre.

— On a une demi-heure de retard.

— Donc ils devraient nous avoir gardé la table, non ?

— Aucune idée. J'ai déjà eu beaucoup de mal à en obtenir une. Il a fallu que je demande l'aide d'un professeur.

— On aura peut-être de la chance.

Eh bien, non. Le temps que nous arrivions, notre table était occupée par d'autres clients et le restaurant affichait complet jusqu'à dix heures moins le quart. Jane a levé les yeux vers moi.

— Au moins, on a fait le bonheur d'un enfant.

— Je sais. Et je recommencerais sans hésiter.

Après m'avoir dévisagé quelques instants, elle m'a serré le bras.

— Moi aussi, je suis contente qu'on se soit arrêtés, même si on ne peut pas dîner ici.

Enveloppée par le halo lumineux d'un réverbère, elle avait l'air presque irréelle.

— Ça te dirait d'aller ailleurs ? lui ai-je demandé.

— Tu aimes la musique ?

Dix minutes plus tard, nous étions dans la pizzeria aperçue en début de soirée. Moi qui avais prévu un dîner aux chandelles et une bonne bouteille de vin… nous avons fini par commander une bière avec notre pizza.

Pourtant, Jane ne semblait pas déçue et elle parlait en toute décontraction. Elle m'a raconté ses cours de mythologie grecque et de littérature anglaise, ses années passées à Meredith, ses réunions entre amis et tout ce qui lui passait par la tête. La plupart du temps, je me suis contenté de hocher la tête en lui posant assez de questions pour la faire parler encore deux heures et, disons-le, je n'avais jamais autant apprécié la compagnie de quelqu'un.

Dans la cuisine, j'ai vu que Jane me dévisageait avec curiosité. Après m'être débarrassé de mes vieux souvenirs, j'ai mis la touche finale à notre repas et j'ai apporté le plat sur la table. Une fois assis, nous avons baissé la tête et j'ai dit le bénédicité en remerciant Dieu de ce qu'il nous avait donné.

— Ça va ? Tu avais l'air préoccupé tout à l'heure, a repris Jane, le temps de se servir en salade.

Je nous ai versé un verre de vin.

— En fait, je me rappelais notre premier rendez-vous.

— Ah bon ? s'est-elle étonnée, la fourchette suspendue dans le vide. Mais pourquoi ?

— Je n'en sais rien, ai-je répondu en lui tendant son verre. Toi aussi, tu t'en souviens ?

— Bien sûr que oui, m'a-t-elle grondé. C'était juste avant les vacances de Noël. On était censés dîner chez Harper, mais on a trouvé un chien errant et on a loupé notre réservation. Résultat : on s'est retrouvés dans une petite pizzeria de quartier. Et après…

Elle a plissé les yeux, comme pour se rappeler le déroulement précis de la soirée.

— On a repris la voiture et on est allés voir les illuminations de Havermill Road, c'est ça ? Même s'il faisait un froid de canard, tu as absolument voulu que je sorte de la voiture et qu'on se promène un peu. Un habitant de la rue avait transformé son jardin en village du père Noël et, quand tu m'y as emmenée, le vieil homme à la hotte m'a tendu le cadeau que tu m'avais choisi. Je n'en revenais pas que tu te sois donné tant de mal pour un premier rendez-vous.

— Tu te rappelles ce que je t'ai offert ?

— Comment oublier ? a-t-elle souri. Un parapluie.

— Si je me souviens bien, tu n'as pas sauté de joie.

— Eh bien, a-t-elle répondu, les mains levées au ciel, comment est-ce que j'allais rencontrer d'autres garçons désormais ? À l'époque, ma méthode, c'était de me faire raccompagner à ma voiture. N'oublie pas qu'à Meredith, les seuls hommes à la ronde étaient professeurs ou concierges.

— Raison de plus pour t'offrir ce cadeau. Moi, je savais exactement comment tu procédais.

— Tu n'en avais pas la moindre idée ! a-t-elle riposté d'un air narquois. J'étais la première fille avec qui tu sortais.

— Non, j'avais déjà eu des rendez-vous.

Elle m'a toisé d'un air malicieux.

— D'accord, la première fille que tu aies jamais embrassée alors.

Là, elle avait raison, mais je regrette de lui avoir avoué ça un jour. Elle ne l'a pas oublié et elle ne rate jamais une occasion de le remettre sur le tapis. Pour me défendre, j'ai quand même rétorqué :

— J'étais trop occupé à préparer mon avenir. Je n'avais pas le temps de me consacrer à ce genre de chose.

— Tu étais timide.

— J'étais studieux. Il y a une différence.

— Tu ne te souviens pas du dîner ? Ni de la promenade ? Hormis tes cours à l'université, c'est à peine si tu m'as dit deux mots.

— Mais j'ai parlé plus que ça ! Je t'ai dit que j'aimais bien ton pull, tu te rappelles ?

— Ça ne compte pas, a-t-elle répondu en me faisant un clin d'œil. Tu as eu de la chance que je me sois montrée aussi patiente avec toi.

— Oui, c'est vrai.

Je l'ai dit comme j'aurais aimé l'entendre de sa bouche et je crois qu'elle a compris mon intention, car je l'ai vue esquisser un sourire.

— Tu sais ce que je retiens surtout de cette soirée ? ai-je continué.

— Mon pull ?

Eh oui, ma femme a toujours eu le sens de la repartie. J'ai éclaté de rire mais, moi, je pensais à quelque chose de plus sérieux :

— Ce qui m'a plu, c'est que tu te sois arrêtée près du chien et que tu n'aies pas voulu partir avant d'être sûre de son sort. Ça m'a montré que tu avais le cœur à la bonne place.

J'aurais juré la voir rougir mais, comme elle s'est dépêchée de prendre son verre de vin, je n'ai pas pu en avoir la certitude. Avant qu'elle ajoute quoi que ce soit, j'ai changé de sujet :

— Alors, dis-moi, Anna commence à avoir quelques appréhensions ?

— Pas du tout. Elle ne semble pas s'inquiéter le moins du monde. À mon avis, elle doit se dire que tout va marcher sans problème, comme aujourd'hui avec le photographe et le gâteau. Ce matin, quand je lui ai montré la longue liste des préparatifs, tout ce qu'elle m'a répondu, c'est : « Eh bien, je crois qu'on ferait mieux de s'y mettre, non ? »

J'ai hoché la tête : ça, c'était mon Anna tout craché.

— Et son ami le pasteur ?

— Elle lui a téléphoné hier soir et il lui a dit qu'il serait très heureux de les marier.

— Parfait. Encore un truc de réglé.

— Oui, oui, a répondu Jane avant de se taire.

Je savais qu'elle songeait aux multiples préparatifs de la semaine à venir.

— Je crois que je vais avoir besoin de ton aide, a-t-elle fini par m'annoncer.

— À quoi est-ce que tu penses ?

— Eh bien, déjà, il va falloir s'occuper des smokings pour toi, Keith et Joseph. Sans oublier celui de papa...

— Aucun problème.

Elle s'est trémoussée sur son siège.

— Anna doit aussi dresser la liste des gens qu'elle voudrait inviter. On n'a pas le temps d'envoyer de faire-part, alors quelqu'un va devoir leur téléphoner. Comme je passe toute la journée dehors avec Anna et que, toi, tu es en vacances...

J'ai levé les mains au ciel.

— Je serai ravi de m'en occuper. Je commence demain.

— Tu sais où est le carnet d'adresses ?

Voilà le genre typique de question auquel je me suis habitué en trente ans de mariage. Jane croit depuis longtemps que je souffre d'une incapacité naturelle à retrouver certains objets dans la maison. Il m'arrive aussi de ne pas remettre les choses à leur place et, d'après elle, je lui ai assigné le rôle de toujours savoir où j'ai pu les poser. À vrai dire, ce n'est pas entièrement de ma faute. D'accord, je ne sais pas toujours où les affaires se rangent dans la maison mais, plutôt qu'à une inaptitude de ma part, je crois que ça tient surtout à des systèmes de classement différents. Ma femme considère, par exemple, que la torche électrique se range naturellement au fond d'un tiroir de cuisine mais, pour moi, la logique voudrait que cette torche soit dans la buanderie, à côté de la machine à laver et du sèche-linge. Résultat : les objets voyagent d'un endroit à l'autre et, comme je passe la journée au travail, je n'arrive pas à suivre le rythme. Si je laisse mes clés de voiture sur la table, mon instinct me dit que je les retrouverai au même endroit mais, Jane, elle, croit que je vais d'emblée les chercher sur le tableau, près de la porte. Le carnet d'adresses, j'aurais parié qu'il était à côté du téléphone. Là où je l'avais posé la dernière fois que je m'en étais servi et j'allais justement le lui dire quand elle a repris la parole :

— Il est sur l'étagère. Avec les livres de cuisine.

Je l'ai dévisagée.

— Évidemment.

La bonne humeur a régné entre nous jusqu'à ce que nous finissions de dîner et que nous débarrassions la table.

Puis, tout doucement, de manière presque imperceptible au début, l'entrain a fait place à une conversation plus artificielle et ponctuée de longs silences. Le temps de ranger la cuisine, nous étions retombés dans un dialogue routinier, où le crissement des assiettes remplaçait les rires et les joyeuses reparties.

Ma seule explication, c'est que nous ne savions plus quoi nous dire. Jane m'a redemandé des nouvelles de Noah et j'ai répété ce que je lui avais raconté. Une minute plus tard, elle a reparlé du photographe mais, au beau milieu d'une phrase, elle s'est tue, consciente de n'avoir déjà détaillé toute l'affaire. Comme aucun de nous n'avait parlé à Joseph ou à Leslie, il n'y avait rien de neuf non plus de ce côté-là. Quant à mon travail, je n'étais pas au cabinet, donc je n'avais rien à ajouter. Pas la moindre anecdote. Sentant que la bonne ambiance de la soirée s'étiolait lentement, je voulais éviter l'inévitable. Alors j'ai commencé à gamberger pour trouver quelque chose, n'importe quoi :

— Tu as entendu parler de l'attaque de requins à Wilmington ?

— Celle de la semaine dernière ? Avec la petite fille ?

— Oui, celle-là.

— C'est toi qui m'en as parlé.

— Ah bon ?

— La semaine dernière. Tu m'as lu l'article.

J'ai passé son verre sous le robinet, puis j'ai rincé la passoire. Jane, elle, fouillait dans le placard pour trouver un Tupperware.

— Quel horrible début de vacances ! a-t-elle lâché. Sa famille n'avait même pas fini de décharger la voiture.

Quand les assiettes ont suivi, j'ai raclé les restes, qui ont atterri au fond de l'évier, et j'ai branché le broyeur à ordures : son grondement a résonné dans la pièce, comme pour souligner le silence entre nous. Ensuite, j'ai mis les assiettes au lave-vaisselle.

— J'ai un peu désherbé le jardin, ai-je lancé au bout d'un moment.

— Je croyais que tu l'avais fait il y a quelques jours à peine.

— Oui.

Après m'être occupé des ustensiles de cuisine, j'ai rincé le couvert à salade, puis j'ai arrêté le robinet et j'ai fini de remplir le lave-vaisselle.

— J'espère que tu n'es pas resté trop longtemps au soleil.

Si elle me parlait de ça, c'est parce qu'à soixante et un ans, mon père était mort d'un infarctus en lavant sa voiture. Il y a des antécédents de maladies cardiaques dans ma famille, ce qui inquiète Jane. Même si, à l'époque, nous étions plus amis qu'amants, je savais que ma femme prendrait toujours soin de moi. Elle est d'un naturel bienveillant et, ça, ça ne changera jamais.

Comme ses frères et sœurs ont le même caractère, j'en attribue le mérite à Noah et Allie. Les câlins et les éclats de rire tiennent chez eux une place prépondérante : ils adorent plaisanter, car personne n'y voit jamais aucune méchanceté. Je me suis souvent demandé quel homme je serais devenu si j'avais grandi dans leur famille.

— Il devrait encore faire chaud demain, a annoncé Jane, interrompant ainsi ma rêverie.

— J'ai entendu à la météo que ça allait grimper à trente-cinq degrés. Et le temps devrait aussi être très humide.

— Trente-cinq degrés ?

— C'est ce qu'ils ont dit.

— On va avoir trop chaud.

Pendant que j'essuyais la table, Jane a mis au réfrigérateur les restes du dîner. Après l'intimité du début de soirée, l'absence de réelle conversation me semblait assourdissante. À voir le visage de Jane, je savais qu'elle aussi, elle était déçue de ce retour au train-train quotidien. Elle a tapoté sa robe, comme si elle cherchait ses mots au fond d'une poche. Finalement, elle a poussé un soupir et affiché un sourire forcé.

— Je crois que je vais téléphoner à Leslie.

Quelques secondes plus tard, je me suis retrouvé seul à la cuisine : une fois encore, j'ai regretté de ne pas être quelqu'un d'autre et je me suis demandé si notre couple pouvait vraiment avoir une seconde chance.

Dans les deux semaines qui ont suivi notre premier rendez-vous, nous nous sommes revus cinq fois avant que Jane rentre à New Bern pour les vacances de Noël. Nous avons étudié ensemble deux fois, nous sommes allés voir un film et nous avons passé deux après-midi à flâner sur le campus de Duke.

Pourtant, il y a une promenade en particulier qui restera à jamais gravée dans ma mémoire. Ce jour-là, le temps était maussade : il avait plu toute la matinée et le ciel était encore assombri de gros nuages gris. C'était un dimanche, deux

84

jours après l'épisode du chien perdu, et nous nous promenions entre les bâtiments du campus.

— Comment sont tes parents ? m'a-t-elle demandé.

J'ai continué à marcher. Sans lui répondre tout de suite.

— Ce sont des gens bien.

Elle en attendait davantage mais, voyant que je n'étais pas
très bavard, elle m'a donné un petit coup d'épaule.

— C'est tout ce que tu peux me dire ?

Jane voulait que je lui raconte ma vie et, même si je ne
m'étais jamais senti très à l'aise pour ce genre de confidences, je savais qu'elle insisterait – gentiment et obstiné-
ment – jusqu'à ce que je cède. Elle était d'une intelligence
hors normes, non seulement sur le plan universitaire mais
aussi avec les gens. Et surtout avec moi.

— Je ne sais pas quoi ajouter. Ce sont juste des parents
ordinaires. Ils sont fonctionnaires et ils habitent une petite
maison à Dupont Circle depuis presque vingt ans. En plein
centre de Washington. C'est là que j'ai grandi. Je crois qu'il
y a quelques années, ils voulaient acheter un pavillon en
banlieue résidentielle mais, comme ils refusaient de perdre
leur temps dans les transports en commun, on est restés où
on était.

— Tu avais un jardin ?

— Non, mais il y avait une jolie cour et, parfois, quelques
mauvaises herbes poussaient entre les briques.

Elle s'est mise à rire.

— Où est-ce que tes parents se sont connus ?

— À Washington. Ils ont grandi là-bas et ils se sont rencontrés en travaillant au ministère des Transports. Je pense
qu'ils ont partagé quelque temps le même bureau, mais
c'est tout ce que je sais. Ils ne m'en ont jamais dit davantage.

— Ils ont des passe-temps ?

L'image de mes parents à l'esprit, j'ai réfléchi à sa question.

— Ma mère adore écrire au rédacteur en chef du *Washington Post*. Je crois qu'elle veut changer le monde. Elle prend
toujours le parti des opprimés et, bien sûr, elle n'est jamais
à court d'idées pour rendre la société meilleure. Elle doit
leur envoyer au moins un courrier par semaine. Ses lettres ne

85

sont pas toutes publiées mais, quand ça arrive, elle découpe l'article et le colle dans un album. Quant à mon père, eh bien, il est plutôt du genre calme. Il aime mettre des bateaux en bouteille. Il a déjà dû en confectionner des centaines et, quand il n'y a plus eu de place sur les étagères, il en a fait don aux bibliothèques des écoles. Les enfants adorent ça.

— Toi aussi, tu sais en fabriquer ?

— Non. C'est la distraction de mon père. Il n'a pas voulu m'apprendre parce que, à ses yeux, je devais avoir ma propre passion. Enfin, je pouvais le regarder, tant que je ne touchais à rien.

— C'est triste.

— Moi, ça ne me gênait pas. Je n'ai jamais rien connu d'autre et le spectacle était intéressant. Silencieux mais intéressant. Mon père ne parlait pas beaucoup en travaillant, mais j'aimais bien passer du temps à ses côtés.

— Il jouait à chat avec toi ? Vous faisiez du vélo ensemble ?

— Non. Ce n'était pas un adepte de la vie au grand air. Il préférait ses bateaux. Moi, ça m'a appris la patience.

Elle a baissé la tête, les yeux rivés sur la pointe de ses chaussures : elle devait sûrement comparer mon enfance à la sienne.

— Et tu es fils unique ?

Bien que je n'en aie jamais parlé à personne, j'ai eu envie de lui raconter pourquoi. Même à l'époque, je voulais qu'elle me connaisse, qu'elle sache tout de moi.

— Ma mère ne pouvait plus avoir d'enfants. À ma naissance, elle a eu une espèce d'hémorragie, ce qui aurait rendu les choses beaucoup trop risquées.

Jane a froncé les sourcils.

— Je suis désolée.

— Je crois qu'elle l'était, elle aussi.

Nous nous sommes arrêtés un instant devant la grande chapelle du campus pour en admirer l'architecture.

— Tu ne m'avais jamais parlé de toi aussi longtemps d'affilée.

86

— C'est sans doute plus que je n'en ai jamais dit à personne.

Du coin de l'œil, je l'ai vue replacer une mèche de cheveux derrière son oreille.

— Je crois que je te comprends un peu mieux maintenant.

— Et c'est une bonne chose ? lui ai-je demandé après une brève hésitation.

Sans dire un mot, Jane s'est tournée vers moi et je me suis aperçu que je connaissais la réponse.

J'imagine que je devrais me rappeler la scène dans les moindres détails mais, pour être franc, la suite des événements est très floue. J'ai pris Jane par la main et, la seconde d'après, je l'ai attirée vers moi en douceur. Elle a eu l'air un peu surprise mais, en voyant mon visage s'approcher du sien, elle a fermé les yeux, comme pour accepter ce que j'allais faire. Elle s'est penchée en avant et, quand ses lèvres ont touché les miennes, j'ai su que notre premier baiser resterait un souvenir inoubliable.

Au téléphone avec Leslie, Jane ressemblait beaucoup à la jeune fille qui m'avait accompagné sur le campus ce jour-là. Elle parlait d'une voix enjouée et les mots sortaient facilement de sa bouche. Je l'entendais rire comme si Leslie était là en chair et en os.

Assis sur le canapé à l'autre bout de la pièce, j'écoutais la conversation d'une oreille distraite. Avant, Jane et moi, nous marchions et nous parlions pendant des heures mais, depuis, d'autres semblent avoir pris ma place. Avec les enfants, elle sait toujours quoi dire. Elle ne se force pas non plus quand elle rend visite à son père. Quant à ses nombreux amis, elle aime beaucoup les fréquenter eux aussi. Que penseraient-ils de nous s'ils passaient une soirée ordinaire en notre compagnie ?

Est-ce que nous étions le seul couple à avoir ce problème ? Ou est-ce le lot de tous les mariages de longue date ? Comme une sorte d'enchaînement inéluctable ? La logique semblait en faveur de la seconde hypothèse et, pourtant, ça me faisait mal de penser que Jane perdrait sa bonne humeur dès qu'elle raccrocherait le téléphone. Au lieu d'une discussion enjouée, nous allions nous redire des platitudes et la magie de l'instant disparaîtrait aussitôt. Moi, je me sentais incapable d'endurer d'autres banalités sur la météo.

Mais que faire ? La question m'obnubilait. En l'espace d'une heure, j'avais vu les deux facettes de notre mariage et je savais bien laquelle je préférais, celle qu'à mon avis nous méritions d'avoir.

En arrière-plan sonore, la conversation téléphonique touchait à sa fin. On suit tous un rituel bien précis avant de raccrocher et je connais celui de Jane aussi bien que le mien. Bientôt, elle allait dire à notre fille qu'elle l'aimait, il y aurait un blanc pendant lequel Leslie lui répondrait la même chose, puis elles se souhaiteraient bonsoir. Conscient que l'instant fatidique allait arriver, j'ai soudain décidé de sauter sur l'occasion : j'ai quitté mon canapé et je me suis tourné vers Jane.

J'allais traverser le salon pour la prendre par la main, exactement comme je l'avais fait devant la chapelle de Duke. Elle se demanderait ce qui se passait, comme elle s'était déjà posé la question à l'époque, mais je l'attirerais contre moi. Je caresserais son visage, puis je fermerais lentement les yeux et, quand mes lèvres auraient effleuré les siennes, elle saurait que je ne l'avais encore jamais embrassée ainsi. Ce serait nouveau mais familier, agréable mais plein de désir, et ce moment privilégié éveillerait en elle les mêmes sentiments que moi. J'y voyais le début d'une nouvelle vie à deux, comme l'avait été notre premier baiser il y a si longtemps.

Je m'imaginais la scène dans les moindres détails et, quelques secondes plus tard, j'ai entendu Jane dire au revoir à Leslie et appuyer sur le bouton qui coupait la communication. C'était le moment ou jamais et, après avoir pris mon courage à deux mains, j'ai avancé vers elle.

La main toujours posée sur le téléphone, Jane me tournait le dos. Elle est restée immobile un instant, les yeux rivés sur la fenêtre du salon, à regarder le ciel s'assombrir peu à peu. Je n'avais jamais rencontré quelqu'un d'aussi exceptionnel : voilà ce que je lui dirais après notre baiser.

J'ai continué à avancer. Elle était désormais tout près de moi, assez près pour que je respire l'odeur familière de son parfum. Mon cœur s'est mis à battre la chamade. J'y étais presque mais, au moment où j'allais lui attraper la main, elle a soudain repris le combiné. D'un geste rapide et efficace, elle a juste appuyé sur deux touches. Le numéro de téléphone était en mémoire : je savais très bien ce qu'elle venait de faire.

Quelques secondes plus tard, quand Joseph a décroché, ma belle détermination s'est envolée et je n'avais plus qu'une solution : retourner au canapé.

Pendant l'heure qui a suivi, je suis resté assis près de la lampe, ma biographie de Roosevelt posée sur les genoux. Jane m'avait demandé de prévenir les invités mais, après son coup de fil à Joseph, elle s'est quand même chargée de contacter certains proches. Bien que je comprenne son impatience, ses appels nous ont enfermés dans des mondes séparés jusqu'à neuf heures du soir. Conclusion : le moindre espoir déçu est toujours un déchirement.

Quand Jane a enfin reposé le téléphone, j'ai essayé d'attirer son attention. Seulement, au lieu de me rejoindre sur le canapé, elle est allée chercher le sac posé près de la table d'entrée. Un sac dont je n'avais même pas remarqué la présence.

— J'ai pris ça pour Anna avant de rentrer, m'a-t-elle expliqué en agitant plusieurs revues sur le mariage. Mais, avant de les lui donner, je voudrais d'abord y jeter un coup d'œil.

J'ai esquissé un sourire forcé. Le reste de notre soirée venait de tomber à l'eau.

— Bonne idée.

Quand nous nous sommes à nouveau murés dans le silence (moi sur le canapé, Jane sur son fauteuil), mon regard a été subrepticement attiré vers elle. Ses yeux papillonnaient d'une robe de mariée à l'autre et, parfois, elle cornait une page. Elle aussi, elle avait la vue qui baissait et elle devait tordre un peu le cou, comme si elle regardait sous son nez pour mieux voir. De temps en temps, je l'entendais murmurer quelque chose, une sorte d'exclamation étouffée : sans doute qu'elle s'imaginait Anna dans telle ou telle tenue.

Devant un visage si expressif, j'étais émerveillé d'en avoir embrassé chaque centimètre carré. *Je n'ai jamais aimé que toi*, aurais-je voulu lui dire, mais le bon sens l'a emporté : il valait mieux lui avouer ça à un meilleur moment, quand j'aurais toute son attention et qu'elle pourrait me retourner le compliment.

La soirée avançait et, moi, je continuais à admirer Jane en faisant mine de lire mon livre. Ça aurait sans doute pu durer une éternité, mais j'ai commencé à accuser la fatigue de la journée et, manifestement, Jane ne monterait pas se coucher avant une bonne heure. Si elle n'y jetait pas un autre coup d'œil, les pages cornées allaient la hanter. Et il fallait encore qu'elle feuillette deux autres magazines.

— Jane ?

— Oui ? a-t-elle soufflé machinalement.

— J'ai une idée.

— À quel sujet ? m'a-t-elle demandé, toujours absorbée par sa revue.

— Le lieu où on devrait célébrer le mariage.

J'avais enfin attiré son attention : elle a relevé la tête.

— L'endroit n'est peut-être pas parfait, mais je suis sûr que c'est disponible. C'est en plein air, on peut se garer facilement et il y a aussi des fleurs. Des milliers de fleurs.

— Où ça ?

Et moi d'annoncer après une courte hésitation :

— Chez Noah. Sous la tonnelle de roses.

Bouche bée, Jane a vite cligné les paupières, comme pour se remettre les idées en place, puis son visage s'est doucement éclairé d'un sourire.

6.

Le lendemain matin, après avoir réglé la question des smokings, j'ai téléphoné aux amis et aux voisins qui figuraient sur la liste d'Anna. La plupart du temps, j'ai obtenu la réponse que j'attendais.

Bien sûr qu'on sera là, m'a dit un couple. *On ne manquerait ça pour rien au monde,* m'a assuré un autre. Même si j'étais d'humeur affable, je ne me suis pas attardé au téléphone et j'ai bouclé la liste avant l'heure du déjeuner.

Jane et Anna étaient parties commander les bouquets et, dans l'après-midi, elles avaient prévu de visiter la maison de Noah. Comme il me restait pas mal de temps avant de les y retrouver, j'ai décidé de faire un saut à Creekside. En chemin, je me suis arrêté à l'épicerie pour acheter trois pains de mie extra.

Le temps que j'arrive à la résidence, j'ai repensé à la maison de Noah et à ma toute première visite là-bas.

La première fois que Jane m'a emmené chez elle, nous sortions ensemble depuis six mois. En juin, elle avait obtenu son diplôme à Meredith et, après la cérémonie, elle est montée dans ma voiture pour suivre ses parents jusqu'à New Bern. Jane est l'aînée de la famille – sept ans à peine séparent les quatre frères et sœurs – et, à notre arrivée, je me suis senti étudié des pieds à la tête. Alors que j'avais accompagné sa famille à la remise des diplômes et qu'à un moment donné, Allie m'avait même pris le bras, je ne pouvais m'empêcher de redouter l'épreuve de la première impression.

Consciente de mon embarras, Jane m'a proposé une balade dès que nous sommes arrivés chez elle et le charme de la campagne a vite calmé mes angoisses. La couleur du ciel rappelait celle des œufs de merles. Débarrassé de la fraîcheur piquante du printemps, l'air n'était pas encore aussi chaud et humide qu'en plein été. Au fil des ans, Noah avait planté des milliers de bulbes et, le long de la clôture, les lys fleurissaient en massifs multicolores. Les arbres affichaient mille et une nuances de vert. L'air résonnait de chants d'oiseaux. Pourtant, même de loin, c'est la roseraie qui a attiré mon attention. Les cinq cœurs concentriques – grands rosiers au milieu et plus petits sur les bords – explosaient de couleurs. Rouge, rose, orangé, jaune et blanc. Les fleurs semblaient obéir à une sorte de hasard organisé, suggérant un compromis entre l'homme et la nature qui semblait presque déplacé dans ce paysage à la beauté sauvage.

Nous nous sommes finalement retrouvés sous la tonnelle du jardin. Il allait de soi que je m'étais beaucoup attaché à Jane depuis quelque temps, mais je n'étais pas encore certain que nous ayons un avenir ensemble. Comme je l'ai déjà dit, je voulais absolument décrocher un emploi stable avant de m'engager dans une relation sérieuse. Il me restait encore un an d'études à la faculté de droit et je trouvais injuste de demander à Jane qu'elle m'attende. Bien sûr, j'ignorais à l'époque que je finirais par travailler à New Bern. J'avais déjà pris contact avec des cabinets d'Atlanta et de Washington tandis que Jane, elle, envisageait de rentrer dans sa ville natale.

La demoiselle avait cependant l'art de perturber mes plans. Elle semblait apprécier ma compagnie. Elle m'écoutait d'une oreille attentive, me taquinait gentiment et, quand nous étions tous les deux, elle me prenait toujours la main. Je me souviens que, la première fois, ça m'a paru très naturel. C'est peut-être ridicule mais, quand un couple se tient par la main, le geste semble évident ou pas. Sans doute à cause des doigts qui s'entrelacent ou d'un placement adéquat du pouce. Seulement, quand j'ai voulu expliquer mon raisonnement à Jane, elle a éclaté de rire et m'a demandé pourquoi je voulais toujours tout analyser.

Ce jour-là, jour de la remise des diplômes, elle m'a de nouveau pris la main et, pour la première fois, elle m'a raconté l'histoire d'Allie et de Noah. Ils s'étaient rencontrés adolescents et étaient tombés amoureux, mais Allie avait déménagé et ils s'étaient perdus de vue pendant quatorze ans. Entre-temps, Noah avait travaillé dans le New Jersey, il était parti à la guerre et avait fini par rentrer à New Bern. De son côté, Allie s'était fiancée à un autre. Pourtant, à quelques jours de son mariage, elle avait revu Noah et, aussitôt, elle avait compris que c'était l'homme de sa vie. Résultat : elle avait rompu ses fiançailles pour rester à New Bern.

Nous avions déjà discuté de beaucoup de choses mais, ça, elle ne m'en avait jamais parlé. À l'époque, son récit ne m'a pas touché autant qu'aujourd'hui, mais j'imagine que c'était une question d'âge et de fierté masculine. J'ai quand même vu que Jane était très attachée à cette histoire et j'ai été attendri par l'amour qu'elle portait à ses parents. Très vite, ses yeux sombres ont débordé de larmes, qui se sont écrasées sur son visage. Au début, elle les essuyait mais, ensuite, elle les a laissées couler, comme si ça n'avait finalement pas d'importance que je la voie pleurer. J'ai été très ému de la sentir aussi à l'aise avec moi, car je savais qu'elle était en train de me confier un de ses plus grands secrets. Moi-même, je ne pleurais pas souvent et, à la fin de son récit, elle a eu l'air de comprendre ma retenue.

— Désolée d'être aussi émotive, a-t-elle chuchoté, mais il y a longtemps déjà que je voulais te raconter cette histoire. J'attendais juste le bon moment et le bon endroit.

Elle a serré ma main, comme si elle ne voulait plus jamais la lâcher.

J'ai détourné le regard : j'avais l'étrange impression qu'un étau me comprimait la poitrine. Autour de moi, le spectacle était d'une intensité exceptionnelle : chaque pétale, chaque brin d'herbe se détachait du paysage. Derrière Jane, j'ai vu sa famille réunie sous la véranda. Des prismes de soleil découpaient des carrés de lumière sur le sol.

— Merci de m'avoir fait partager ça, ai-je murmuré et, quand je me suis retourné vers elle, j'ai su ce que c'était de tomber amoureux.

Une fois arrivé à Creekside, j'ai retrouvé Noah près de l'étang.

— Bonjour, Noah.

— Bonjour, Wilson, m'a-t-il répondu, les yeux rivés sur l'eau. Merci d'être passé.

J'ai posé le sac de pain par terre.

— Vous allez bien ?

— Ça pourrait aller mieux, mais ça pourrait aussi être pire.

Je me suis assis à côté de lui sur le banc. Le cygne n'a pas eu peur de moi : il est resté près de la berge.

— Tu lui as parlé d'organiser le mariage à la maison ?

J'ai acquiescé. La veille, j'avais expliqué mon idée à Noah.

— Je crois qu'elle était étonnée de ne pas y avoir pensé plus tôt.

— Elle a des tas de choses en tête.

— C'est vrai. Anna et elle sont parties juste après le petit déjeuner.

— Elles étaient pressées ?

— Plutôt, oui. Jane a presque tiré Anna dehors. Et, depuis, pas de nouvelles.

— Allie faisait pareil avec Kate.

Il voulait parler de la sœur cadette de Jane. À l'époque, le mariage de Kate avait aussi eu lieu chez Noah. Jane était son témoin.

— Elle regarde déjà les robes de mariée, j'imagine.

Je l'ai dévisagé, surpris.

— Je crois qu'aux yeux d'Allie, c'était le meilleur moment, a-t-il continué. Elles ont passé deux jours à Raleigh pour trouver la robe idéale. Kate a dû en essayer une centaine et, quand Allie est rentrée à la maison, elle me les a toutes décrites une par une. Un peu de dentelle par ici, les manches

94

qui arrivent là, de la soie et du taffetas, une taille cintrée… Je crois qu'elle en a parlé pendant des heures mais, quand elle s'enflammait comme ça, elle était si belle que je l'ai à peine entendue.

J'ai posé les mains sur mes genoux.

— À mon avis, Anna et elle n'auront pas le temps de chercher autant.

— Non, sans doute pas. Mais, tu sais, quoi qu'elle porte, ce sera elle la plus jolie.

Là-dessus, j'étais parfaitement d'accord.

Désormais, les enfants se partagent les frais d'entretien de la maison de Noah.

Nous en sommes tous propriétaires : Noah et Allie ont fait le nécessaire avant leur installation à Creekside. Comme la maison leur était très chère, à eux et aux enfants, il était impossible de s'en séparer. Ils ne pouvaient pas non plus la donner à un seul enfant, car toute la famille y a un nombre incalculable de souvenirs en commun.

Je disais donc que j'allais souvent me promener là-bas et, quand j'y suis passé après mon départ de Creekside, j'ai commencé à dresser la liste des travaux nécessaires. Un gardien tondait la pelouse et s'occupait de la clôture, mais il restait beaucoup à faire avant d'y accueillir les invités du mariage. Impossible de m'en sortir tout seul. La façade blanche était couverte de poussière, conséquence d'innombrables bourrasques de pluie, mais, avec un bon nettoyage au jet, les planches devraient redevenir impeccables. Hélas, malgré les efforts du gardien, le jardin était en piteux état. La clôture était envahie de mauvaises herbes. Les haies avaient besoin d'être taillées. Quant aux lys à floraison précoce, il n'en restait que des tiges desséchées. Les massifs d'hibiscus, d'hortensias et de géraniums ajoutaient des taches de couleur par-ci par-là, mais il fallait aussi les redessiner.

Tous ces travaux pourraient être bouclés assez vite, mais ce qui m'inquiétait davantage, c'était la roseraie. Depuis que la maison était vide, les rosiers avait poussé un peu n'importe comment : les cœurs concentriques étaient presque

tous à la même hauteur et chaque buisson semblait enche-
vêtré dans les branches de son voisin. Les tiges partaient de
tous les côtés et le feuillage assombrissait l'éclat des fleurs.
J'ignorais si les projecteurs fonctionnaient encore. De là où
j'étais, la tâche semblait désespérée : autant tout couper à
ras et attendre la prochaine floraison.

J'ai espéré que mon jardinier paysagiste pourrait accomplir un miracle. Si quelqu'un était capable de relever le défi,
c'était bien lui. Posé et perfectionniste, Nathan Little avait
dessiné les plus beaux jardins de Caroline du Nord (Immeuble
Biltmore, Tryon Palace, Parc botanique de Duke) et je n'avais
jamais rencontré quelqu'un d'aussi calé en matière de plantes.

La passion que je voue à mon jardin – petit mais superbe –
nous a permis de devenir amis et Nathan aime souvent passer à la maison après sa journée de travail. Nous avons
de longues discussions sur l'acidité du sol, l'importance de
l'ombre pour les azalées, les différents engrais ou même
l'arrosage des pensées. Rien à voir avec mes activités au cabinet, et c'est sans doute pour ça que j'en retire tant de joie.

Pendant mon inspection de la propriété, j'ai essayé de
visualiser le résultat. Ce matin-là, entre deux appels aux invités de la noce, j'avais aussi contacté Nathan et, même un
dimanche, il avait accepté de se déplacer. Il gérait trois
équipes de jardiniers, dont la plupart ne parlaient qu'espagnol, et c'était impressionnant de voir la somme de travail
qu'ils pouvaient abattre en une seule journée. Toutefois, le
projet restait ambitieux et j'ai prié le ciel qu'ils puissent finir
à temps.

Plongé dans mes réflexions, j'ai aperçu de loin Harvey
Wellington, le pasteur. Debout sur son perron, il était adossé
à un pilier, les bras croisés. Il n'a pas bronché quand j'ai
remarqué sa présence. Nous avons eu l'air de nous dévisager et, au bout d'un moment, il a affiché un large sourire.
J'ai cru qu'il m'invitait à venir le saluer mais, le temps que je
tourne la tête, il avait disparu à l'intérieur. Nous nous étions
déjà parlé, serré la main, mais je me suis rendu compte que
je n'étais encore jamais entré chez lui.

96

Nathan est arrivé après le déjeuner et nous avons passé une heure ensemble. Pendant que je parlais, il a hoché la tête en me posant un minimum de questions. Quand j'ai eu fini de lui expliquer mon projet, il a scruté attentivement la propriété.

D'après lui, seule la roseraie poserait quelques problèmes : il faudrait beaucoup de travail pour lui redonner sa beauté d'origine.

— Mais c'est possible ?

Il a étudié la roseraie pendant de longues secondes avant d'opiner du chef :

— Mercredi et jeudi.

Avec tout son personnel. Trente hommes au total.

— Seulement deux jours ? En comptant la roseraie ?

Il connaissait son métier aussi bien que je connaissais le mien, mais le délai annoncé me paraissait stupéfiant.

Il a souri et posé une main sur mon épaule.

— Ne t'inquiète pas, mon vieux. Ce sera magnifique.

La chaleur de l'après-midi montait du sol par vagues scintillantes. L'air s'était chargé d'humidité, ce qui rendait la ligne d'horizon un peu floue. Comme j'avais le front en sueur, j'ai sorti un mouchoir de ma poche. Après m'être épongé le visage, je me suis assis sur le perron pour attendre Jane et Anna.

Même si les fenêtres étaient condamnées, ce n'était pas pour consolider la maison. En fait, les panneaux servaient à empêcher les actes de vandalisme et les visites intempestives. Avant de s'installer à Creekside, Noah a dessiné lui-même ces panneaux, mais ce sont ses fils qui ont fait presque tout le travail. Ces volets sont fixés par un jeu de charnières et de crochets, de sorte qu'on puisse les ouvrir facilement de l'intérieur. Le gardien les déverrouille deux fois par an, le temps d'aérer la maison. Il n'y a plus l'électricité, mais on branche parfois un générateur pour vérifier le bon fonctionnement des prises et des interrupteurs. À cause du système d'arrosage, nous n'avons pas coupé l'eau et je sais que le gardien ouvre parfois les robinets de la cuisine et des salles de bains pour évacuer la poussière des tuyaux.

Je suis sûr qu'un jour, quelqu'un réinvestira les lieux. Ce ne sera pas Jane et moi, ni l'un de ses frères et sœurs, mais ça semble inévitable. Aussi inévitable que l'emménagement aura lieu bien après la disparition de Noah.

Quelques minutes plus tard, la voiture de Jane et Anna a remonté l'allée dans un épais nuage de poussière. Je les ai rejointes à l'ombre d'un grand chêne. Plus elles regardaient autour d'elles, plus Jane semblait inquiète. Un chewing-gum à la bouche, Anna m'a adressé un petit sourire.

— Salut, papa.

— Bonjour, ma puce. Comment ça s'est passé aujourd'hui ?

— C'était marrant. Maman était complètement affolée, mais on a fini par y arriver. Le bouquet est commandé. Les fleurs des boutonnières aussi.

Jane n'avait pas l'air d'entendre notre conversation : elle jetait toujours des regards frénétiques à la ronde. Je voyais bien qu'à ses yeux, la maison ne serait jamais prête à temps. Comme elle venait chez Noah moins souvent que moi, elle devait se souvenir de l'endroit tel qu'il avait été et non pas tel qu'il était devenu.

J'ai posé une main sur son épaule.

— Ne t'inquiète pas, ce sera magnifique, l'ai-je rassurée en répétant mot pour mot la promesse de mon ami le jardinier.

Quelques minutes plus tard, nous nous sommes promenés tous les deux dans le jardin. Un peu à l'écart, Anna appelait Keith sur son téléphone portable. J'ai expliqué à Jane les idées dont j'avais discuté avec Nathan, mais j'ai bien vu qu'elle avait l'esprit ailleurs.

Quand je lui ai posé la question, elle a secoué la tête.

— C'est Anna, m'a-t-elle avoué en soupirant. Parfois, elle est très concentrée sur les préparatifs et, l'instant d'après, plus rien. Sans compter qu'elle n'arrive pas à prendre ses propres décisions. Même pour les bouquets. Elle ne savait pas quelles couleurs choisir. Ni quelles variétés de fleurs. En revanche, dès que je lui donne mon avis, elle est d'accord avec moi. Ça me rend folle. Enfin, quoi, je sais que toute cette cérémonie, c'est mon idée, mais on parle quand même de son mariage.

— Elle a toujours été comme ça, tu ne te rappelles pas? Tu me disais la même chose quand vous alliez acheter ses tenues d'école.

— Je sais.

Pourtant, au ton de sa voix, elle semblait tracassée par autre chose.

— Qu'est-ce qu'il y a?

— Si seulement on avait plus de temps, a-t-elle soufflé. Je sais qu'on a déjà réglé pas mal de choses mais, avec un peu de temps, j'aurais pu organiser une petite réception. Même si la cérémonie est réussie, qu'est-ce qui va se passer après? Anna n'aura plus jamais l'occasion de vivre une journée pareille.

Ma femme. Incorrigible romantique.

— Et si on faisait une réception?

— De quoi est-ce que tu parles?

— Pourquoi ne pas l'organiser ici? On n'aurait qu'à ouvrir la maison.

Elle m'a dévisagé comme si j'avais perdu la tête.

— Et après? On n'a pas de traiteur. Pas de tables. Pas de musiciens. Ce genre d'événement, ça prend du temps à mettre en place. Il ne suffit pas de claquer des doigts pour que tout fonctionne.

— Tu disais la même chose à propos du photographe.

— Une réception, c'est différent!

— Eh bien, on agira différemment, ai-je insisté. On pourrait demander à certains invités d'apporter un plat.

Jane a cligné des paupières.

— À la bonne franquette? s'est-elle exclamée sans même essayer de cacher son désarroi. Tu voudrais qu'on organise un buffet de mariage à la bonne franquette?

J'ai eu un léger mouvement de recul.

— C'était juste une idée, ai-je marmonné.

Elle a secoué la tête, les yeux perdus dans le vague.

— D'accord. Pas la peine d'en faire toute une histoire. C'est la cérémonie qui compte.

— Laisse-moi passer deux ou trois coups de téléphone. Je pourrai peut-être arranger quelque chose.

— On n'a pas le temps, a-t-elle répété.

— Moi, je connais des gens qui pourraient nous aider.

C'était la vérité. Comme je travaille dans un des trois cabinets juridiques de New Bern (et le seul de la ville au début de ma carrière), je connais sans doute la plupart des entrepreneurs du comté.

Jane a eu un instant d'hésitation.

— Je sais bien.

En entendant ces mots qui sonnaient comme une excuse, je me suis surpris à lui prendre la main.

— Je vais passer quelques coups de fil. Fais-moi confiance.

C'était peut-être le ton sérieux de ma voix ou mon regard déterminé, mais elle a levé les yeux vers moi pour m'observer en détail. Puis, très lentement, elle m'a pressé la main en signe d'approbation :

— Merci.

Ma main serrée dans la sienne, j'ai ressenti une étrange impression de déjà-vu. Comme si nos années de vie commune s'étaient rembobinées d'un seul coup. Pendant une fraction de seconde, j'ai revu Jane sous la tonnelle : je venais d'entendre l'histoire de ses parents, nous étions jeunes et un avenir prometteur s'offrait à nous. Tout était redevenu nouveau et, quand je l'ai regardée s'éloigner avec Anna quelques instants plus tard, j'ai soudain compris que cette cérémonie de mariage était la meilleure chose qui nous soit arrivée depuis des années.

7.

Ce soir-là, quand Jane est rentrée à la maison, le dîner était presque prêt.

J'ai réglé le thermostat du four sur doux – au menu, poulet cordon-bleu – et je suis sorti de la cuisine en m'essuyant les mains dans un torchon.

— Salut.

— Salut. Comment ça s'est passé au téléphone ? m'a-t-elle lancé pendant qu'elle posait son sac à main sur la table. J'ai oublié de te le demander cet après-midi.

— Jusqu'ici, ça va. Toutes les personnes de la liste pourront venir. Du moins celles que j'ai réussi à contacter.

— Toutes ? C'est... incroyable. D'habitude, les gens sont en vacances à cette époque de l'année.

— Comme nous ?

Quand j'ai entendu son petit rire insouciant, j'ai été ravi de constater qu'elle semblait de meilleure humeur.

— Ah ! Mais bien sûr. Nous, on se la coule vraiment douce, hein ?

— Ce n'est pas si terrible...

Quand elle a senti la bonne odeur de cuisine, Jane a affiché un air perplexe :

— Tu t'es encore mis aux fourneaux ?

— Je me suis dit que tu n'aurais pas envie de cuisiner ce soir.

Elle a souri.

— Tu es adorable.

Quand ses yeux ont croisé mon regard, j'ai eu l'impression qu'ils s'attardaient un peu plus longtemps que d'habitude.

— Ça t'ennuie si je monte prendre une douche avant le dîner ? Je suis en nage. On n'a pas arrêté de la journée.

— Aucun problème, ai-je répondu sur un ton désinvolte.

Quelques minutes plus tard, j'ai entendu l'eau gronder dans les canalisations. Après avoir fait revenir les légumes, j'ai réchauffé le pain de la veille et j'étais en train de mettre la table quand Jane est redescendue à la cuisine.

Moi aussi, j'avais pris une douche dès que j'étais rentré à la maison. Ensuite, comme la plupart de mes vieux vêtements ne m'allaient plus, j'avais enfilé un pantalon de toile flambant neuf.

— C'est celui que je t'ai acheté ? m'a-t-elle demandé sur le pas de la porte.

— Oui. Tu le trouves comment ?

Elle m'a examiné avec attention.

— Il te va bien. Vu d'ici, on se rend vraiment compte que tu as maigri.

— Parfait. Ça me ficherait en rogne de penser que j'ai souffert toute une année pour rien.

— Tu n'as pas souffert. Tu as marché d'un bon pas, peut-être, mais tu n'as pas souffert.

— Eh bien, vas-y, toi. Essaie de te lever avant l'aube, surtout quand il pleut.

— Oh ! Mon pauvre chéri, m'a-t-elle taquiné. Ça doit être dur d'avoir une vie comme la tienne.

— Tu n'imagines même pas.

Elle s'est mise à rire. Elle aussi, elle avait enfilé un pantalon plus confortable, mais j'apercevais le vernis de ses ongles de pied sous l'ourlet. Elle avait les cheveux mouillés et quelques gouttes d'eau s'étaient écrasées sur son chemisier. Même sans le faire exprès, Jane était l'une des femmes les plus sensuelles que j'avais jamais vues.

— Alors écoute ça, a-t-elle repris. D'après Anna, Keith adore nos idées. On dirait qu'il est plus enthousiaste qu'elle.

— Mais elle est enthousiaste, notre Anna. Elle s'inquiète juste de savoir comment les choses vont tourner.

— Pas du tout. Anna ne s'inquiète jamais de rien. Elle est comme toi.

— Mais je m'inquiète, moi !

— Non, c'est faux.

— Bien sûr que si.

— Alors cite-moi un seul exemple.

J'ai réfléchi quelques instants.

— Très bien. Quand je suis entré en dernière année de droit.

Après mûre réflexion, Jane a secoué la tête.

— Tu ne t'inquiétais pas. Tu étais une vedette. Un des piliers de la revue juridique.

— Je ne te parle pas des études. Moi, j'étais terrifié à l'idée de te perdre. Tu venais d'être nommée institutrice à New Bern, tu te rappelles ? Et j'étais sûr qu'un fringant jeune homme allait te tomber dessus et t'arracher à moi. J'en aurais eu le cœur brisé.

Elle m'a dévisagé avec curiosité, comme pour réussir à comprendre ce que je venais de lui avouer mais, au lieu de réagir directement à mon petit discours, elle a penché la tête et planté les poings sur les hanches.

— Tu sais, je crois que tu es en train de t'investir là-dedans toi aussi.

— De quoi est-ce que tu parles ?

— Du mariage. Enfin, quoi, préparer le dîner deux soirs de suite, m'aider à tout préparer, céder ainsi à la nostalgie… À mon avis, tu commences à te laisser gagner par l'excitation ambiante.

Une sonnerie a retenti quand la minuterie du four s'est arrêtée.

— Tu as peut-être raison, ai-je reconnu.

Je n'avais pas menti : j'avais vraiment peur de la perdre quand je suis rentré terminer mon droit à Duke et, pour être franc, je n'ai pas su gérer au mieux cette situation délicate. Je savais que, pendant ma dernière année d'études, je ne pourrais pas voir Jane aussi souvent que les neuf mois précédents et j'ignorais comment elle allait réagir. L'été avançait. Nous avions abordé la question deux ou trois fois, mais Jane n'avait pas l'air inquiète. Elle affichait une confiance presque effrontée en l'avenir et, moi qui aurais sans doute pu y voir un signe rassurant, je me demandais parfois si je ne tenais pas plus à elle qu'elle ne tenait à moi.

D'accord, je sais que j'ai quelques qualités, mais je ne les trouve pas exceptionnellement rares. Pas plus que mes défauts ne sont exceptionnellement détestables. En fait, je pense être un type plutôt ordinaire et, il y a déjà trente ans, je savais que mon destin ne serait ni glorieux ni misérable.

Jane, en revanche, aurait pu devenir ce qu'elle voulait. Je me suis souvent dit qu'elle serait la même épouse dans la richesse ou dans la pauvreté, en ville ou à la campagne. Sa faculté d'adaptation m'a toujours impressionné. Quand on rassemble le tout – son intelligence et sa passion, son charme et sa gentillesse –, il va de soi que Jane aurait fait le bonheur de n'importe quel mari.

Alors pourquoi m'avoir choisi, moi ?

La question me hantait au début de notre relation et je n'y trouvais aucune réponse satisfaisante. J'avais peur que Jane ne se réveille un matin en s'apercevant que je n'avais rien de spécial et qu'elle ne se tourne vers un garçon plus charismatique. Ce cruel manque de confiance en moi m'empêchait de lui avouer mes sentiments. J'en avais parfois envie mais, une fois au pied du mur, je n'arrivais jamais à en trouver le courage.

Ça ne voulait pas dire pour autant que notre histoire devait rester secrète. Cet été-là, je travaillais dans un cabinet d'avocats et, à l'heure du déjeuner, je parlais souvent de Jane avec les autres stagiaires. D'ailleurs, j'insistais sur le fait que notre relation était presque idéale. Je n'ai jamais révélé quelque chose que j'aurais pu regretter par la suite, mais je me souviens que certains collègues étaient jaloux de me voir réussir à la fois ma vie professionnelle et ma vie personnelle. L'un d'eux, Harold Larson, qui travaillait également à la revue juridique de l'université, était tout ouïe dès que je parlais de Jane. Sans doute parce qu'il avait aussi une petite amie. Il sortait avec Gail depuis plus d'un an et ne s'en était jamais caché. Comme Jane, Gail avait quitté la région pour se rapprocher de ses parents, en Virginie. Plus d'une fois, Harold nous avait annoncé que, son diplôme en poche, il projetait de l'épouser.

À la fin de l'été, nous bavardions tous les deux quand quelqu'un nous a demandé si nous venions accompagnés au pot de départ organisé par le cabinet. Harold a eu l'air bouleversé par cette question et, quand nous nous en sommes inquiétés, il a marmonné :

— Gail et moi, on a rompu la semaine dernière.

Le sujet était manifestement encore douloureux, mais Harold a tenu à nous expliquer la situation :

— Même si je n'allais pas souvent lui rendre visite, je croyais que tout se passait à merveille entre nous. À mon avis, elle n'a pas supporté l'éloignement et elle ne voulait pas attendre que je termine mes études. Elle a rencontré quelqu'un d'autre.

Mon dernier après-midi de vacances avec Jane a sans doute été marqué par le souvenir de cette triste conversation. C'était un dimanche, deux jours après le pot de départ, et nous étions assis devant la maison de Noah. Je partais pour Durham le soir même. Le regard perdu sur la rivière, je me demandais si notre couple pourrait triompher de la distance ou si, comme Gail, Jane allait me trouver un remplaçant.

— Dis donc, bel inconnu, tu es bien silencieux aujourd'hui.

— Je me disais juste que les cours allaient bientôt reprendre à la fac.

Elle a esquissé un sourire.

— Ça te fait peur ou est-ce que tu as hâte d'y être ?

— Les deux, je crois.

— Tu n'as qu'à te dire une chose : encore neuf petits mois et tu as ton diplôme.

Quand j'ai acquiescé en silence, elle m'a dévisagé quelques instants.

— Tu es sûr qu'il n'y a pas autre chose ? Tu as tiré une tête d'enterrement toute la journée.

Je me suis trémoussé sur mon rocking-chair.

— Tu te souviens de Harold Larson ? Je te l'ai présenté avant-hier à la soirée.

Les sourcils froncés, Jane a fouillé dans sa mémoire.

— Celui qui travaille à la revue juridique avec toi ? Un grand brun ?

C'était bien lui.

— Qu'est-ce qui lui arrive ?

— Tu as remarqué qu'il était venu seul ?

— Pas vraiment. Pourquoi ?

— Sa petite amie vient de rompre.

— Oh ! a-t-elle lâché.

Elle devait se demander en quoi ça la concernait ou pourquoi j'y pensais.

— Ça va être une année difficile. Je sais que je vais presque passer ma vie à la bibliothèque.

Jane a posé une main rassurante sur mon genou.

— Tu as eu d'excellents résultats pendant deux ans. Je suis certaine que tu t'en sortiras haut la main.

— J'espère. C'est juste qu'avec autant de travail, je ne pourrai sans doute pas continuer à venir te voir tous les week-ends.

— J'ai bien compris, mais on se verra quand même. Ce n'est pas comme si tu n'allais plus avoir de temps du tout. Et puis rappelle-toi que, moi aussi, je peux aller à Duke.

Au loin, une volée d'étourneaux a jailli des arbres.

— Il faudra que tu me préviennes avant de venir. Pour être sûre que je sois libre. La dernière année a la réputation d'être la plus chargée.

La tête un peu penchée sur le côté, elle devait essayer de lire entre les lignes.

— Qu'est-ce qui se passe, Wilson ?

— Quoi ?

— Ça. Ce que tu viens de m'annoncer. On dirait que tu te cherches déjà des excuses pour ne pas me voir.

— Ce n'est pas une excuse. Je veux juste vérifier que tu comprends bien à quel point je vais être occupé.

Jane s'est renfoncée dans son siège, les lèvres pincées.

— Et ?

— Et quoi ?

— Et qu'est-ce que ça veut dire au juste ? Que tu n'as plus envie de me voir ?

— Non ! ai-je protesté. Bien sûr que non. Seulement, tu vas rester ici et, moi, je serai là-bas. Tu sais ce qu'on dit : loin des yeux, loin du cœur.

— Et alors ? a-t-elle rétorqué, bras croisés.

— Eh bien, disons qu'une relation longue distance peut venir à bout des meilleures intentions et, pour être franc, je ne veux pas voir l'un de nous souffrir.

— Souffrir ?

— C'est ce qui est arrivé à Harold et Gail. Ils ne se voyaient plus beaucoup parce qu'il était débordé de travail et, maintenant, ils ont rompu.

Après une brève hésitation, Jane m'a répondu prudemment :

— Et, toi, tu crois qu'il va nous arriver la même chose.

— Il faut reconnaître que les statistiques ne jouent pas en notre faveur.

— Les statistiques ? ! s'est-elle exclamée en clignant les yeux. Tu veux ramener notre histoire à une simple série de chiffres ?

— J'essaie juste d'être honnête…

— À propos de quoi ? Des statistiques ? Quel rapport avec nous deux ? Et qu'est-ce que Harold vient faire là-dedans ?

— Jane, je…

Incapable de me regarder en face, elle a détourné la tête.

— Si tu ne veux plus me voir, tu n'as qu'à le dire. Ne te réfugie pas derrière un emploi du temps surchargé. Contente-toi de la vérité. Je suis adulte. Je peux encaisser.

— Mais je te dis la vérité ! J'ai envie de te voir. Je ne voulais pas t'annoncer ça comme ça.

Gloups.

— Je… enfin… Tu es une fille très spéciale et tu comptes beaucoup pour moi.

Elle n'a rien répondu. Dans le silence qui a suivi, j'ai eu la surprise de voir une petite larme, une seule, s'écraser sur sa joue. Elle l'a vite essuyée avant de recroiser les bras, le regard rivé sur les arbres de la berge.

— Pourquoi faut-il que tu agisses toujours comme ça ? a-t-elle repris d'une voix sèche.

— Comme quoi ?

— Ça. Ce que tu fais en ce moment. Parler de statistiques, te servir des chiffres pour expliquer les choses, pour expliquer notre histoire. Le monde ne fonctionne pas toujours ainsi. Et les gens non plus. On n'est pas Harold et Gail.

— Je sais bien…

Elle s'est retournée vers moi et, pour la première fois, j'ai vu son chagrin et sa colère.

— Alors pourquoi me sortir un truc pareil ? Je sais que ça ne va pas être facile, et alors ? Mes parents, eux, ne se sont pas vus pendant quatorze ans, mais ils se sont quand même mariés. Et toi, tu me parles de neuf petits mois ? Alors qu'il n'y aura que quelques heures de route entre nous ? On pourra se téléphoner, s'écrire…

Elle a secoué la tête.

— Je suis désolé. Je crois que j'ai juste peur de te perdre. Je ne voulais pas te bouleverser…

— Pourquoi ? Parce que je suis « une fille très spéciale » ? Parce que « je compte beaucoup pour toi » ?

— Oui, bien sûr que oui. Tu es très spéciale.

Elle a respiré un grand coup.

— Eh bien, moi aussi, je suis contente de te connaître.

Ça y est ! J'avais enfin compris. Alors que je pensais lui faire un compliment, elle avait mal interprété mes paroles et, à la simple idée d'avoir pu blesser Jane, j'ai soudain eu la gorge nouée.

— Je suis désolé, ai-je répété. Je ne voulais pas te dire ça comme ça. Tu es quelqu'un de très spécial à mes yeux mais… tu vois, le truc, c'est que…

J'avais l'impression que ma langue n'arrêtait pas de fourcher et, en m'entendant bredouiller, Jane a laissé échapper un soupir. Conscient qu'il ne me restait plus beaucoup de temps, j'ai pris mon courage à deux mains et j'ai essayé de lui confier ce que j'avais sur le cœur :

— En fait, je voulais te dire que… je crois que je t'aime, ai-je murmuré.

Elle est restée silencieuse mais, quand son visage s'est éclairé d'un petit sourire, j'ai su qu'elle m'avait entendu.

— Eh bien, tu crois ou tu en es sûr ?

J'ai ravalé ma salive.

— J'en suis sûr.

Avant d'ajouter, histoire d'être parfaitement clair :

— Enfin, que je t'aime.

Pour la première fois depuis le début de notre conversation, elle s'est mise à rire, amusée par les difficultés que je m'étais créées tout seul. Puis, haussant les sourcils, elle a fini par sourire.

— Eh bien, Wilson, a-t-elle lentement articulé, je pense que tu ne m'as jamais rien dit d'aussi gentil.

À ma grande surprise, elle a bondi de son fauteuil, s'est assise sur mes genoux et a passé son bras autour de mon cou avant de m'embrasser doucement. Derrière elle, le monde est devenu flou et, dans le crépuscule d'été, comme si je m'étais désincarné, j'ai entendu mes propres mots résonner à mon oreille.

— Moi aussi, j'en suis sûre. Enfin, que je t'aime.

J'étais plongé dans mes souvenirs quand la voix de Jane a retenti :

— Pourquoi est-ce que tu souris ?

Elle me dévisageait de l'autre côté de la table. Ce soir-là, nous n'avions pas mis les petits plats dans les grands : nous nous étions servis directement à la cuisine et je n'avais pas allumé de bougies.

— Ça t'arrive de repenser au jour de ta visite à Duke ? lui ai-je demandé. Quand on a finalement réussi à dîner chez Harper ?

— Tu venais d'être embauché à New Bern, c'est ça ? Et tu m'avais dit que tu voulais célébrer l'événement.

— Toi, tu portais une robe bustier noire…

— Tu t'en souviens ?

— Comme si c'était hier. On ne s'était pas vus depuis

près d'un mois et j'étais planté à ma fenêtre quand tu es descendue de voiture.

Encouragé par la mine réjouie de Jane, j'ai enchaîné :

— Je me rappelle même ce que je me suis dit en te voyant arriver.

— Ah bon ?

— Je me suis dit qu'à tes côtés, je venais de passer la meilleure année de ma vie.

Après avoir baissé les yeux sur son assiette, elle a relevé la tête et croisé de nouveau mon regard. Presque timidement. Poussé par le souvenir, j'ai repris de plus belle :

— Tu te rappelles ce que je t'avais offert ? Pour Noël ?

Elle ne m'a pas répondu tout de suite.

— Des boucles d'oreilles, a-t-elle soufflé avant de porter inconsciemment les mains à son visage. Tu m'avais acheté des boucles d'oreilles en diamant. Je savais qu'elles t'avaient coûté cher et je n'en revenais pas que tu aies fait une pareille folie.

— Comment sais-tu qu'elles étaient chères ?

— C'est toi qui me l'as dit.

— Ah bon ?

Ça, je n'en avais aucun souvenir.

— Rien qu'une fois ou deux, a-t-elle ajouté avec un sourire espiègle.

Nous avons continué à dîner en silence. Moi, entre deux bouchées, j'observais la courbe de son menton et la façon dont la lumière du crépuscule jouait sur son visage.

— On ne dirait pas que ça fait déjà trente ans, hein ? ai-je lancé au bout d'un moment.

L'ombre d'une tristesse bien familière est passée devant ses yeux.

— Non. Je n'arrive pas à croire qu'Anna soit maintenant en âge de se marier. Le temps file à une vitesse…

— Qu'est-ce que tu aurais changé ? Si tu avais eu une baguette magique ?

— Dans ma vie, tu veux dire ? a-t-elle répondu, les yeux dans le vide. Je n'en sais rien. J'aurais peut-être plus profité de l'instant présent.

— Moi, c'est pareil.

— Ah oui? s'est-elle exclamée, franchement surprise.

— Bien sûr.

Puis Jane a eu l'air de reprendre ses esprits.

— C'est juste que… S'il te plaît, ne le prends pas mal, Wilson, mais tu n'es pas du genre à te complaire dans le passé. Enfin, disons que tu es très pragmatique. Tu as si peu de regrets…

Sa voix s'est brisée.

— Et toi, tu en as? ai-je murmuré.

Elle a fixé le bout de ses doigts pendant quelques secondes.

— Non, pas vraiment.

J'ai failli lui prendre la main, mais Jane a soudain changé de sujet et repris avec entrain :

— On est allées voir Noah aujourd'hui. Après avoir visité la maison.

— Ah?

— Il nous a dit que tu étais passé en fin de matinée.

— Exact. Je voulais son accord pour organiser ça chez lui.

— C'est ce qu'il nous a dit.

Du bout de la fourchette, elle remuait ses légumes.

— Anna et lui étaient si mignons ensemble. Pendant qu'elle lui parlait du mariage, elle ne lui a pas lâché la main. Dommage que tu n'aies pas été là. Ça m'a rappelé la façon dont maman et lui aimaient s'asseoir tous les deux.

L'espace d'un instant, elle m'a semblé perdue dans ses pensées.

— Si seulement maman était encore parmi nous… Elle adorait les mariages.

— Je crois que c'est de famille, ai-je murmuré.

Jane a esquissé un petit sourire mélancolique.

— Tu as sans doute raison. Tu ne peux pas savoir comme on s'amuse, même en si peu de temps. Je suis impatiente que Leslie se marie et qu'on ait vraiment le loisir de tout préparer.

— Elle n'a même pas de petit ami régulier, alors ce n'est pas demain la veille que quelqu'un va la demander en mariage.

111

— Broutilles, broutilles! a-t-elle rétorqué en secouant la tête. Ça ne veut pas dire qu'il soit trop tôt pour y penser, hein?

De quel droit aurais-je pu m'y opposer?

— Eh bien, quand ça arrivera, j'espère que son futur mari viendra d'abord me demander la main de ma fille.

— C'est ce que Keith a fait?

— Non, mais leur mariage est si précipité que je ne m'y attendais pas trop. Pourtant, ça forge le caractère et je crois que n'importe quel jeune homme devrait en faire l'expérience.

— Comme toi, le jour où tu as demandé la permission à papa?

— Oh! Ce jour-là, ça m'a sacrément forgé le caractère…

— Ah oui? s'est-elle étonnée, les yeux brillants de curiosité.

— Je crois que j'aurais pu me débrouiller un peu mieux.

— Papa ne m'en a jamais parlé.

— Sans doute parce qu'il a eu pitié de moi. Je n'avais pas choisi le moment idéal.

— Pourquoi est-ce que tu ne me l'as jamais raconté?

— Je ne voulais pas que tu sois au courant.

— Eh bien, maintenant, il va falloir cracher le morceau.

Comme je n'avais pas envie d'en faire toute une histoire, j'ai pris mon verre de vin.

— Bon d'accord. J'étais allé chez lui en sortant du bureau mais, comme j'avais encore une réunion de travail dans la soirée, je n'avais pas beaucoup de temps. Noah bricolait au fond de son atelier. C'était juste avant nos vacances au bord de la mer. Enfin bon, il fabriquait une petite maison pour deux chardonnerets qui s'étaient installés sous l'auvent du perron. Il avait la ferme intention de la terminer avant le week-end et, là, il était en train de fixer le toit. Moi, j'ai essayé d'orienter la conversation sur notre couple, mais l'occasion ne s'est pas présentée. Alors, finalement, je lui ai posé la question de but en blanc. Il m'a demandé un autre clou et, moi, je lui ai dit: «Tenez. Et, dites, au fait, pendant que j'y pense, ça vous embêterait si j'épousais votre fille?»

Jane s'est mise à glousser:

— Tu as toujours été d'une grande délicatesse. J'imagine que ça ne devrait pas me surprendre, vu la manière dont tu m'as demandée en mariage. C'était si…

— Mémorable?

— Malcolm et Linda ne s'en lassent pas, a-t-elle ajouté en parlant d'un vieux couple d'amis. Surtout Linda. Chaque fois qu'on rencontre quelqu'un, elle me demande de raconter cette histoire.

— Et toi, bien sûr, tu es ravie de lui faire plaisir.

Elle a levé les mains d'un air innocent.

— Si mes amis apprécient mes histoires, pourquoi les en priver?

Pendant que notre repas se poursuivait dans la bonne humeur, moi, j'observais Jane de la tête aux pieds. Je la regardais couper son poulet en petits morceaux. J'admirais la manière dont ses cheveux captaient la lumière. Je respirais le léger parfum de son gel douche au jasmin. Rien n'expliquait ce bien-être retrouvé entre nous deux et, d'ailleurs, je n'ai pas cherché à comprendre. Je me suis demandé si Jane s'en était aussi rendu compte. Auquel cas, elle n'en montrait rien. Et moi non plus. Résultat : nous avons traîné à table jusqu'à ce que les restes du repas soient complètement froids.

L'histoire de ma demande en mariage est en effet mémorable et elle ne manque jamais de provoquer les fous rires de l'assistance.

Devant nos amis, le partage d'histoires est plutôt monnaie courante. D'ailleurs, pendant les dîners, ma femme et moi, nous cessons d'être des individus. Nous devenons un couple, une équipe et j'aime beaucoup cette espèce d'interaction. Chacun peut intervenir dans le récit de l'autre et reprendre le flambeau sans l'ombre d'une hésitation. Jane peut parler du jour où, à un match de football américain, un joueur est sorti du terrain et a percuté Leslie, qui dirigeait alors l'équipe des pom-pom girls. Si Jane s'interrompt au milieu de l'histoire, je sais que c'est à mon tour de dire qu'elle a été la première à bondir de son siège pour s'assurer que sa fille allait bien : moi, j'étais tétanisé par la peur mais, après avoir retrouvé mes esprits, j'ai fendu la foule en poussant, en écartant et en balayant les gens comme le footballeur l'avait fait quelques secondes plus tôt. Puis, au moment où je reprends mon souffle, Jane enchaîne sans problème. Ça m'étonne qu'aucun de nous ne trouve l'exercice insolite ou même difficile. Ce genre de ping-pong est devenu une seconde nature chez nous, et je me demande souvent comment ça se passe quand on ne connaît pas aussi bien son conjoint. Au fait, Leslie n'a pas été blessée ce jour-là : le temps qu'on la rejoigne sur la pelouse, elle avait déjà ramassé ses pompons.

Pourtant, je ne participe jamais à l'histoire de la demande en mariage. Là, je reste assis en silence, conscient que Jane trouve l'anecdote bien plus drôle que moi. Après tout, ce n'était pas censé être drôle. Moi, j'étais sûr que ce jour-là resterait gravé à jamais dans sa mémoire et j'espérais qu'elle en garderait un souvenir romantique.

Finalement, Jane et moi, nous avions réussi à passer l'année en étant toujours aussi amoureux. À la fin du printemps, nous parlions de nous fiancer et la seule surprise serait de décider quand nous allions officialiser la situation. Je savais qu'elle voulait quelque chose qui sorte de l'ordinaire : l'amour qui unissait ses parents avait placé la barre très haut. Quand Noah et Allie étaient ensemble, ils donnaient l'image du couple parfait. S'ils se retrouvaient sous la pluie (et la plupart d'entre nous reconnaîtront qu'il y a de quoi gâcher une promenade), ils en profitaient pour allumer un feu et rester allongés côte à côte, histoire de tomber encore plus amoureux. Si Allie se sentait d'humeur romantique, son mari pouvait lui réciter de mémoire toute une série de poèmes. Comme Noah faisait figure d'exemple, je savais qu'il me fallait suivre ses traces. Résultat : j'avais décidé de demander Jane en mariage sur la plage d'Ocracoke, où elle passait ses vacances de juillet en famille.

Je trouvais mon plan très ingénieux. J'avais décidé de cacher la bague de fiançailles dans une conque ramassée un an plus tôt : Jane tomberait dessus quand nous irions nous promener sur la plage pour ramasser des oursins. Ensuite, je

114

voulais m'agenouiller devant elle, prendre sa main et lui dire qu'elle ferait de moi le plus heureux des hommes si elle acceptait de m'épouser.

Hélas, les choses ne se sont pas passées exactement comme prévu. Une tempête a éclaté ce week-end-là : il pleuvait à torrents et les rafales de vent pliaient les arbres presque à l'horizontale. Pendant toute la journée de samedi, j'ai attendu que le temps se calme, mais Dame Nature semblait avoir d'autres idées en tête et le ciel ne s'est éclairci que le dimanche, en milieu de matinée.

Plus nerveux que je ne l'avais imaginé, j'ai commencé à répéter mentalement le texte que j'avais appris par cœur. Ce genre de préparation m'avait toujours aidé à l'université. Problème : je n'avais pas pensé que mon petit manège m'empêcherait d'adresser la parole à Jane de toute la promenade. J'ignore combien de temps nous avons arpenté la plage en silence, mais ça a duré assez longtemps pour que je sursaute quand Jane a finalement lancé :

— La marée monte vite, hein ?

Je n'avais pas imaginé que la tempête aurait autant d'impact sur les marées et, même si j'étais à peu près sûr que le coquillage était à l'abri, je ne voulais courir aucun risque. Plutôt préoccupé, j'ai commencé à accélérer le pas en essayant de ne pas éveiller les soupçons.

— Pourquoi est-ce que tu te dépêches ? m'a-t-elle demandé.

— Tu trouves que je me dépêche ?

Elle n'a pas eu l'air de se satisfaire de ma réponse et, de son côté, elle a décidé de ralentir. Pendant un petit moment, du moins jusqu'à ce que j'aperçoive la conque, j'ai marché tout seul, quelques mètres en avant. Quand j'ai vu les marques de l'eau sur le sable, près du coquillage, j'ai su que nous avions encore le temps. Pas beaucoup, mais ça a suffi à me détendre un peu.

Je me suis retourné pour parler à Jane : à vrai dire, elle s'était arrêtée quelques secondes avant moi. Quand je l'ai vue penchée au-dessus du sable, le bras tendu, j'ai su exactement ce qu'elle était en train de faire. Dès qu'elle posait le pied sur une plage, Jane avait l'habitude de chercher de

115

minuscules oursins. Les plus beaux, ceux qu'elle collectionnait, étaient translucides, fins comme du papier à cigarettes et à peine plus grands qu'un ongle.

— Viens voir ! m'a-t-elle lancé sans relever la tête. Il y en a plein par ici.

La bague cachée dans la conque était à vingt mètres devant moi, Jane à vingt mètres derrière. Finalement, dans la mesure où nous avions à peine échangé deux mots depuis que nous étions sur la plage, j'ai décidé de rejoindre Jane. Elle m'a montré un petit oursin, qu'elle avait posé sur le bout de son doigt comme une lentille de contact :

— Regarde celui-là.

Nous n'en avions jamais trouvé d'aussi petit. Après me l'avoir donné, elle s'est de nouveau penchée sur le sable pour en chercher d'autres.

Moi, j'ai commencé à chercher avec elle en essayant de l'amener doucement vers la conque, mais Jane continuait à inspecter le même coin de plage sans voir que je m'éloignais. Toutes les deux secondes, il fallait que je vérifie si le coquillage était encore à l'abri des vagues.

— Qu'est-ce que tu regardes ? a-t-elle fini par me demander.

— Rien du tout.

Seulement, quelques instants plus tard, je n'ai pas pu m'empêcher de jeter un autre coup d'œil et, là, quand Jane m'a surpris, elle a affiché un air perplexe.

La mer continuait à monter et le temps nous était désormais compté. Pourtant, Jane arpentait toujours le même carré de sable. Elle avait trouvé deux autres oursins plats, encore plus petits que le premier, et semblait bien décidée à rester là-bas. Finalement, en désespoir de cause, j'ai fait mine d'apercevoir le coquillage au loin.

— Ce n'est pas une conque ?

Jane a relevé la tête.

— Pourquoi est-ce que tu ne vas pas la ramasser ? Elle a l'air jolie.

Je n'ai pas su quoi répondre. Après tout, c'était elle qui

116

devait la trouver. Seul souci : les vagues s'approchaient désormais dangereusement.

— Oui, ai-je soufflé.

— Tu vas la chercher ?

— Non.

— Pourquoi ?

— C'est peut-être toi qui devrais aller la chercher.

— Moi ? a-t-elle lancé, étonnée.

— Si tu en as envie.

Après réflexion, elle a secoué la tête.

— On en a des tas à la maison. Rien d'extraordinaire.

— Tu en es sûre ?

— Oui.

Les choses s'annonçaient mal. Alors que j'essayais de trouver une solution, une grosse vague a soudain approché du rivage. Dans un élan désespéré, et sans un mot d'explication, je me suis précipité sur la conque.

Je n'avais jamais brillé par ma rapidité mais, ce jour-là, j'aurais pu remporter une médaille olympique. Après un sprint d'anthologie, j'ai empoigné le coquillage comme une balle de base-ball, juste avant que la mer ne recouvre la plage. Hélas, pendant que j'attrapais la conque, j'ai perdu l'équilibre et, le souffle coupé, je me suis écroulé par terre. *Ompf !* Quand je me suis relevé, j'ai secoué le sable de mes habits trempés en essayant de garder un minimum de dignité. Au loin, Jane m'observait, bouche bée.

J'ai rapporté le coquillage, que je lui ai tendu.

— Tiens…, ai-je haleté.

Elle me regardait toujours sans comprendre.

— Merci.

J'attendais qu'elle le retourne ou qu'en l'agitant, elle entende la bague cogner à l'intérieur. Au lieu de quoi, on a continué à se dévisager en silence.

— Tu tenais vraiment à avoir ce coquillage, dis-moi ? a-t-elle fini par articuler.

— Oui.

— Il est joli.

— Oui.

— Merci encore.

— Je t'en prie.

Pourtant, elle ne l'avait toujours pas remué. De plus en plus inquiet, je lui ai dit :

— Secoue-le.

Elle a eu l'air de réfléchir à ce que je venais de dire :

— Que je le secoue ?

— Oui.

— Tu te sens bien, Wilson ?

— Oui, ai-je répété, le doigt pointé sur le coquillage.

— D'accord.

Quand Jane s'est enfin exécutée, la bague est tombée sur le sable. Aussitôt, j'ai posé un genou à terre et j'ai commencé à la chercher. Oubliant tout ce que j'avais l'intention de dire à Jane, je lui ai fait directement ma demande, sans même avoir la présence d'esprit de lever les yeux vers elle :

— Est-ce que tu veux m'épouser ?

Une fois la cuisine nettoyée, Jane est sortie sur le ponton. En laissant la porte entrouverte, elle voulait sûrement m'inviter à la rejoindre. Quand je suis arrivé, elle était accoudée à la rambarde, comme le soir où Anna nous avait annoncé son mariage.

Le soleil était couché et une lune orangée montait au-dessus des arbres, telle une lanterne de Halloween posée au milieu du ciel. Jane ne la quittait pas des yeux. La chaleur de la journée avait fini par se dissiper et une légère brise s'était levée.

— Tu crois vraiment pouvoir trouver un traiteur ?

Je me suis installé à côté d'elle.

— Je ferai de mon mieux.

— Ah ! Pendant que j'y pense, rappelle-moi de réserver un billet d'avion pour Joseph demain. Je sais qu'on peut lui trouver un vol jusqu'à Raleigh mais, avec un peu de chance, il pourra atterrir directement à New Bern.

— Je m'en occupe si tu veux. De toute façon, j'ai des coups de fil à passer.

— Tu es sûr ?

118

— Ce n'est pas la mer à boire.

En face de nous est passé un bateau, simple ombre noire à peine éclairée par une lumière rougeoyante à l'avant.

— Alors qu'est-ce qui vous reste à faire, Anna et toi ?

— Plus que tu ne peux l'imaginer.

— Mais encore ?

— Eh bien, il y a d'abord la robe. Leslie veut nous accompagner et ça va sans doute nous prendre deux ou trois jours.

— Pour une robe ?

— Elle doit trouver la bonne et, ensuite, il faut s'occuper des retouches. Ce matin, on en a parlé à une couturière, qui demande à avoir la robe d'ici jeudi. Et puis, bien sûr, il y a la réception. Enfin, si elle a lieu. Le traiteur, c'est une chose mais, si tu arrives à en dénicher un, il nous faudra aussi de la musique. Et on aura besoin de décorations, donc tu devras appeler une société de location…

J'ai laissé échapper un soupir discret. Je sais que je n'aurais pas dû être surpris, mais quand même…

— Donc, pendant que je passerai la journée de demain au téléphone, vous allez courir les boutiques de robes de mariée, c'est ça ?

— J'en meurs d'impatience, m'a-t-elle répondu en frissonnant. La regarder les essayer, voir celle qu'elle préfère. J'attends ce moment depuis qu'elle est petite fille. C'est très excitant.

— J'en suis sûr.

— Et dire qu'Anna était à deux doigts de ne pas me laisser m'en occuper !

— Les enfants sont parfois d'une ingratitude incroyable.

Elle s'est mise à rire, avant de se retourner vers la rivière. Au loin, les criquets et les grenouilles entamaient leur traditionnel chant du soir.

— Tu n'as pas envie d'aller te promener ? lui ai-je soudain proposé.

— Euh… maintenant ?

— Pourquoi pas ?

— Où est-ce que tu veux aller ?

— C'est important ?

Malgré son air surpris, elle m'a répondu :

— Pas vraiment.

Quelques minutes plus tard, nous faisions le tour du quartier. Les rues étaient désertes. À l'intérieur des maisons, les lampes étincelaient derrière les rideaux et laissaient entrevoir les mouvements des ombres. Jane et moi, nous marchions sur le bas-côté de la route. Les cailloux et le gravier crissaient sous nos pas. Au-dessus de nos têtes, des stratus s'étiraient dans le ciel en longs rubans argentés.

— C'est aussi tranquille que ça le matin ? Quand tu pars faire ta promenade ?

J'ai l'habitude de quitter la maison avant six heures, bien avant que Jane ne se réveille.

— Ça arrive. En général, je rencontre quelques joggeurs. Et aussi des chiens. Ces petites bêtes-là adorent se glisser derrière toi et t'aboyer dessus d'un seul coup.

— Excellent pour le cœur, je parie.

— Oui, c'est une sorte d'exercice supplémentaire. Mais ça m'oblige à rester vigilant.

— Moi aussi, je devrais recommencer à marcher. Avant, j'adorais ça.

— Tu peux toujours te joindre à moi.

— À cinq heures et demie du matin ? Ah non, je ne crois pas.

Sa voix exprimait un mélange d'espièglerie et d'incrédulité. Même si ma femme était autrefois une lève-tôt, ses habitudes avaient changé depuis le départ de Leslie.

— Tu as eu une bonne idée, a-t-elle repris. Le paysage est magnifique ce soir.

— C'est vrai.

Après un silence, Jane a jeté un coup d'œil à une maison du carrefour.

— Tu as appris que Glenda avait eu une attaque ?

Glenda et son mari sont nos voisins et, même si nous ne fréquentons pas les mêmes amis, nous avons de bonnes relations. À New Bern, les nouvelles vont toujours très vite.

— Oui. C'est triste.

— Elle n'est pas beaucoup plus âgée que moi.

120

— Je sais, mais j'ai entendu dire qu'elle allait mieux maintenant.

Au bout de quelques minutes, Jane a de nouveau rompu le silence :

— Ça t'arrive de penser à ta mère ?

Je ne savais pas trop quoi répondre. Ma mère est décédée dans un accident de voiture deux ans après notre mariage. Même si je n'étais pas aussi proche de mes parents que Jane l'était des siens, l'annonce de sa mort avait été un terrible choc. Encore aujourd'hui, je n'ai aucun souvenir des six heures passées en voiture pour rejoindre mon père à Washington.

— Quelquefois.

— Et, dans ces moments-là, tu te souviens de quoi ?

— Tu te rappelles la dernière fois qu'on est allés leur rendre visite ? Quand on est arrivés et que maman est sortie de la cuisine ? Elle portait un chemisier à fleurs violet. Elle avait l'air si heureuse de nous voir qu'elle a ouvert les bras pour nous serrer contre elle. Voilà ce que je retiens de ma mère. Une image qui ne change jamais, un peu comme un tableau. C'est toujours la même personne que je vois.

Jane a hoché la tête.

— Moi, je me souviens toujours de ma mère dans son atelier. Avec de la peinture plein les doigts. Elle faisait le portrait de notre famille – une première ! – et je me rappelle son enthousiasme à l'idée de l'offrir à papa pour son anniversaire.

Un silence.

— Je ne me souviens pas vraiment d'elle pendant sa maladie. Maman avait toujours été si expressive. Enfin, je veux dire, elle avait l'habitude de parler avec les mains et son visage était si animé quand elle nous racontait une histoire… Mais, avec Alzheimer, elle a changé. Ce n'était plus pareil.

— Je sais.

— Moi, ça m'inquiète de temps en temps, a-t-elle murmuré. D'avoir la maladie d'Alzheimer.

Même si, moi aussi, j'y avais déjà songé, je suis resté silencieux.

— Je n'arrive pas à imaginer ce que ça pourrait être. Ne plus reconnaître Anna, Joseph ou Leslie ? Être obligée de leur demander leur nom à chaque visite, comme maman le faisait avec moi ? Rien que d'y penser, j'en ai le cœur brisé.

Sans dire un mot, je l'ai regardée : sa silhouette était éclairée par la lueur des maisons.

— Je me demande si maman savait jusqu'où irait la maladie, a-t-elle réfléchi à voix haute. Enfin, je sais qu'elle connaissait son état, mais est-ce qu'elle se rendait compte qu'elle ne reconnaîtrait plus ses propres enfants ? Ni même papa ?

— Je crois qu'elle en était consciente. C'est pour ça qu'ils sont partis à Creekside.

Elle a fermé les yeux un instant et, quand elle a repris la parole, elle semblait envahie d'une grande frustration :

— Je ne supporte pas l'idée que papa ait refusé de venir vivre avec nous après la mort de maman. On avait largement assez de place.

Je n'ai rien répondu. Même si je pouvais lui expliquer pourquoi Noah était resté à Creekside, elle aurait refusé de m'entendre. Elle en connaissait les raisons aussi bien que moi mais, elle, elle n'arrivait pas à les accepter et je savais que prendre la défense de Noah n'aurait réussi qu'à déclencher une nouvelle dispute.

— Je déteste ce cygne, a-t-elle pesté.

Il y a une histoire derrière le cygne mais, là encore, je suis resté de marbre.

Nous avons fait le tour d'un pâté de maisons, puis d'un autre. Certains voisins avaient déjà éteint leurs lampes mais, Jane et moi, nous continuions à marcher. Sans nous presser ni lambiner. Au bout d'un certain temps, j'ai aperçu notre maison et, conscient que la promenade touchait à sa fin, je me suis arrêté pour lever la tête vers les étoiles.

— Qu'est-ce qu'il y a ? m'a-t-elle demandé en suivant mon regard.

— Tu es heureuse, Jane ?

Ses yeux se sont reposés sur moi.

— Pourquoi une question pareille ?

— Juste par curiosité.

Le temps qu'elle me réponde, je me suis demandé si elle avait pu lire entre les lignes : plus que de savoir si elle était heureuse en général, je voulais surtout vérifier si elle était heureuse avec moi en particulier.

Elle m'a dévisagé pendant de longues secondes, comme si elle essayait de déchiffrer mes pensées :

— Eh bien, il y a une chose…

— Oui ?

— C'est plutôt important.

J'étais suspendu à ses lèvres.

— Je serai vraiment heureuse si tu réussis à nous trouver un traiteur.

Et là, je n'ai pas pu m'empêcher d'éclater de rire.

J'ai proposé de nous préparer une tasse de décaféiné, mais Jane a refusé d'un air fatigué. Ses deux journées-marathons l'avaient épuisée et, après avoir bâillé une deuxième fois, elle m'a dit qu'elle montait se coucher.

Je suppose que j'aurais pu lui emboîter le pas. Au lieu de quoi, je l'ai regardée grimper l'escalier en me repassant le film de la soirée.

Plus tard, quand je suis enfin allé la rejoindre, je me suis glissé sous les draps et je me suis retourné vers elle. Sa respiration était profonde et régulière. Ses paupières papillotaient, signe qu'elle était en train de rêver. De rêver à quoi ? Ça, je n'en étais pas sûr, mais elle avait le visage apaisé d'un enfant. Je l'ai observée de longues minutes, à me demander si j'allais ou non la réveiller. À l'aimer encore plus que la vie elle-même. Malgré l'obscurité, j'ai vu une mèche de cheveux s'étaler sur sa joue et j'ai tendu la main. Jane avait la peau d'une douceur poudrée, d'une beauté éternelle. En replaçant la boucle de cheveux derrière son oreille, j'ai cligné les paupières pour repousser les larmes qui m'étaient mystérieusement montées aux yeux.

8.

Le lendemain soir, Jane m'a scruté, les yeux écarquillés, sans même prendre le temps de poser son sac à main.

— Tu as trouvé ?

— Apparemment, ai-je répondu sur un ton désinvolte, comme si louer les services d'un traiteur avait été un jeu d'enfant.

En réalité, totalement surexcité, je n'avais pas arrêté de faire les cent pas en attendant le retour de Jane.

— Lequel ?

— Le Chelsea.

Situé en plein centre de New Bern, en face de mon cabinet, ce restaurant est installé dans l'immeuble où Caleb Bradham a inventé une boisson désormais connue sous le nom de Pepsi-Cola. Créé il y a dix ans, le Chelsea propose une des cartes préférées de Jane. Le menu est très varié et, pour accompagner les plats traditionnels du sud du pays, le chef concocte des sauces et des marinades exotiques dont il a le secret. Les vendredis et samedis soir, il est impossible d'y dîner sans réservation et les clients s'amusent toujours à deviner quels ingrédients ont pu servir à élaborer des saveurs si uniques.

Le Chelsea est aussi réputé pour son ambiance musicale. Un piano à queue est installé dans un coin de la salle et John Peterson, qui a donné des cours à Anna pendant des années, offre parfois un récital à la clientèle du restaurant. Avec une oreille très sensible aux mélodies contemporaines et une voix qui n'est pas sans rappeler Nat King Cole, Peterson peut jouer n'importe quelle chanson à la demande et, grâce à son talent, il se produit jusqu'à Atlanta, Charlotte ou Washington. Jane peut passer des heures à l'écouter et je sais qu'il est touché de la voir éprouver une fierté quasi maternelle à son égard. Après tout, c'est elle qui, la première à New Bern, l'a engagé comme professeur.

Jane était trop abasourdie pour réagir. Dans un silence à peine dérangé par le tic-tac de la pendule, elle clignait les yeux et devait se demander si elle avait bien entendu :

— Mais… comment ?

— J'en ai parlé à Henry. Je lui ai expliqué la situation en précisant de quoi on avait besoin et il m'a dit qu'il s'en chargerait.

— Je ne comprends pas. Comment Henry peut-il organiser une réception pareille à la dernière minute ? Il n'avait rien de prévu ?

— Je ne sais pas.

— Alors il t'a suffi de lui téléphoner et tout était arrangé ?

— Disons que ça n'a pas été aussi facile, mais il a fini par accepter.

— Et le menu ? Il n'avait pas besoin de savoir combien il y aurait d'invités ?

— Je lui ai parlé d'une centaine de couverts au total. Ça me semble bien. Quant au menu, on en a discuté et il va nous concocter un repas qui sort de l'ordinaire. J'imagine qu'on peut toujours l'appeler et lui commander un plat en particulier.

— Non, non ! s'est-elle empressée de répondre. C'est très bien. Tu sais que j'adore toute sa cuisine. C'est juste que je n'en reviens pas ! Tu y es arrivé.

— Eh oui !

Encore tout émerveillée, elle m'a adressé un grand sourire et, d'un seul coup, elle s'est précipitée sur le téléphone.

— Il faut que j'appelle Anna ! Elle ne va pas en croire ses oreilles !

Henry MacDonald, le propriétaire du restaurant, est un vieil ami. À New Bern, il semble presque utopique d'avoir une vie privée, mais ça a quand même ses avantages. Comme on a tendance à toujours retomber sur les mêmes gens – au supermarché, en voiture, à l'église ou dans les soirées –, il règne entre nous une sorte de courtoisie latente et on peut parfois accomplir de petits miracles qui, ailleurs, auraient été impossibles. On se rend mutuellement service, car on ne sait jamais quand, à notre tour, on aura besoin d'un coup de main. Voilà qui explique, entre autres, pourquoi New Bern est une ville à part.

Il va sans dire que j'étais ravi de mon exploit. Le temps que j'aille à la cuisine, Jane s'exclamait déjà au téléphone :

— Ton père y est arrivé ! Je ne sais pas comment, mais il a réussi !

En entendant sa voix remplie de fierté, j'ai senti mon cœur bondir dans ma poitrine.

Une fois installé à la table de la cuisine, j'ai trié le courrier de la journée. Factures, catalogues, *Time Magazine*. Comme Jane discutait avec Anna, je me suis emparé de la revue. Je pensais qu'elles continueraient à bavarder encore un moment mais, surprise ! quand Jane a raccroché, je n'avais même pas entamé le premier article.

— Attends ! Avant que tu commences à lire, je veux tout savoir, m'a-t-elle dit en me rejoignant à la cuisine. D'accord, je sais que Henry sera là et qu'il se chargera des repas. Mais il aura du personnel pour l'aider, non ?

— Sans doute. Il ne peut pas faire le service tout seul.

— Quoi d'autre ? Est-ce que ce sera un buffet ?

— Je me suis dit que ce serait la meilleure solution, vu la taille de la cuisine chez Noah.

— Bonne idée. Et pour les tables ou les nappes ? Il va tout apporter ?

— J'imagine. À vrai dire, je ne lui ai pas posé la question mais, s'il ne s'en occupe pas, ce ne sera pas un gros problème. On pourra certainement louer ce qui nous manquera.

Elle a acquiescé d'un bref signe de tête. Je voyais bien qu'elle était en train de revoir ses plans, de mettre à jour la liste des préparatifs :

— Bon, d'accord.

Seulement, avant qu'elle puisse dire quoi que ce soit, j'ai pris les choses en main :

126

— Ne t'inquiète pas. Je l'appelle demain matin à la première heure pour m'assurer que tout est en ordre.

Et moi d'ajouter avec un petit clin d'œil :

— Fais-moi confiance.

En reconnaissant les mots que j'avais prononcés la veille chez Noah, elle m'a souri d'un air faussement timide. Je pensais que cet instant de grâce allait très vite passer. Au lieu de quoi, nous sommes restés à nous regarder dans les yeux jusqu'à ce que, presque hésitante, elle se penche vers moi et m'embrasse sur la joue.

— Merci d'avoir trouvé le traiteur.

J'ai senti ma gorge se nouer.

— Je t'en prie.

Quatre semaines après ma demande sur la plage, nous étions mariés et, cinq jours après la cérémonie, quand je suis rentré du bureau, Jane m'attendait dans le séjour du petit appartement que nous avions loué.

— Il faut qu'on parle, m'a-t-elle annoncé en m'invitant à la rejoindre.

Une fois débarrassé de mon attaché-case, je me suis assis à côté d'elle sur le canapé et elle m'a pris la main.

— Ça va ? ai-je demandé.

— Tout va très bien.

— Alors qu'y a-t-il ?

— Est-ce que tu m'aimes ?

— Oui. Bien sûr que je t'aime.

— Donc tu accepterais de faire quelque chose pour moi ?

— Si je peux. Tu sais que je ferais n'importe quoi pour toi.

— Même si c'est difficile ? Même si tu n'en as pas envie ?

— Bien sûr, ai-je répété, perplexe. Jane… Qu'est-ce qui se passe ?

Elle a respiré un bon coup avant de me répondre :

— Je veux que tu m'accompagnes à l'église dimanche.

Sa demande m'a pris au dépourvu et, sans me laisser le temps de réagir, ma femme a continué :

— Je sais que tu n'en as aucune envie et que tu as reçu une éducation athée, mais je voudrais que tu fasses ça pour moi. C'est très important à mes yeux. Même si tu as l'impression de ne pas y avoir ta place.

— Jane, je…

— J'ai besoin de t'avoir là-bas à mes côtés.

— On en a déjà parlé, ai-je protesté, mais elle m'a encore coupé la parole, cette fois-ci d'un signe de tête.

— Je sais. Et je comprends que tu n'aies pas été élevé comme moi. Seulement, rien ne pourrait me faire plus plaisir que ce petit effort-là.

— Même si je ne suis pas croyant?

— Même si tu n'es pas croyant.

— Mais…

— Il n'y a pas de mais. Pas là-dessus. Pas avec moi. Je t'aime, Wilson, et je sais que, toi aussi, tu m'aimes. Alors, si on veut que ça marche, chacun de nous va devoir lâcher du lest. Je ne te demande pas de te convertir. Je te demande juste de m'accompagner à l'église. Le mariage est une affaire de compromis. On fait des choses l'un pour l'autre, même si on n'en a pas envie. Comme moi le jour où je t'ai épousé.

J'ai pincé les lèvres : déjà à l'époque, j'avais compris qu'elle avait été déçue par le choix d'une union civile.

— D'accord, j'irai.

Sur quoi, Jane m'a embrassé. D'un baiser aussi aérien que le ciel lui-même.

Quand Jane m'a embrassé dans la cuisine, j'ai soudain repensé à ce baiser de jeunes mariés. Sûrement parce qu'il me rappelait les tendres rapprochements qui nous aidaient tant, par le passé, à gommer nos différences. Sans parler de passion brûlante, nous faisions au moins une trêve, le temps de nous engager à régler les problèmes.

À mon avis, la longévité de notre couple s'explique surtout par cet engagement envers l'autre et, comme je venais de le comprendre, c'était bien ce pilier de notre mariage qui m'avait tant préoccupé ces douze derniers mois : je me demandais non seulement si Jane m'aimait toujours, mais aussi si elle avait encore «envie» de m'aimer.

Après tout, elle avait dû essuyer tant de déceptions : les

128

années où je rentrais du bureau quand les enfants étaient déjà au lit, les soirs où je ne parlais que de mon travail, les fêtes et autres vacances en famille auxquelles je n'ai pas participé, les week-ends passés au golf avec un client ou un associé. À bien y réfléchir, je crois avoir été un mari absent, à peine l'ombre du jeune homme passionné qu'elle avait épousé. Pourtant, par ce baiser, elle semblait me dire qu'elle était toujours prête à essayer.

— Wilson ? Tu vas bien ?

J'ai esquissé un sourire forcé :

— Ça va.

Puis, impatient de changer de sujet, j'ai tenté de reprendre mes esprits :

— Alors ? Comment s'est passée ta journée ? Vous avez eu la robe ?

— Non. On a fait plusieurs boutiques mais, dans sa taille, Anna n'a vu aucun modèle qui lui plaisait. Je ne croyais pas que ça prendrait autant de temps. En fait, Anna est si mince que les vendeuses doivent mettre des épingles partout pour voir de quoi elle aura l'air. Demain, on essaiera d'autres magasins et on verra ce qu'on trouve. Heureusement, elle m'a dit que Keith s'occupait de tout avec sa famille, donc on n'a pas à s'en charger. Tiens, ça me fait penser à une chose… Tu n'as pas oublié le billet d'avion pour Joseph ?

— Non. Ton fils arrivera vendredi.

— À New Bern ou à Raleigh ?

— New Bern. Il est censé atterrir à huit heures et demie du soir. Leslie a pu vous accompagner aujourd'hui ?

— Non, pas cette fois. Elle nous a téléphoné dans la voiture. Il fallait qu'elle termine des recherches pour son projet scientifique, mais elle pourra nous rejoindre demain. Elle m'a dit que, si on voulait aller là-bas, il y avait aussi quelques boutiques à Greensboro.

— Et tu vas y aller ?

— C'est à trois heures et demie de route d'ici, a-t-elle marmonné. Je n'ai vraiment pas envie d'être enfermée en voiture pendant sept heures.

— Pourquoi ne pas passer la nuit sur place ? Comme ça, vous pourriez visiter les magasins des deux villes.

— C'est ce qu'Anna a proposé, a soupiré Jane. D'après elle, on devrait retourner à Raleigh, puis partir à Greensboro mercredi. Mais, moi, je ne veux pas te laisser en plan. Il y a encore des tas de choses à régler ici.

— Allez-y, ai-je insisté. Maintenant qu'on a le traiteur, tout va se mettre en place. Côté réception, je peux m'occuper des derniers détails, mais il n'y aura pas de mariage si Anna ne trouve pas sa robe.

Jane m'a dévisagé d'un air sceptique.

— Tu en es sûr ?

— Sûr et certain. En fait, je me disais que j'aurais peut-être même le temps de boucler deux ou trois parcours de golf.

— Ben voyons ! a-t-elle lâché en s'étranglant de rire.

— Et mon handicap alors ? ai-je rétorqué en faisant mine d'être vexé.

— Au bout de trente ans, je me dis que, si tu n'as toujours pas progressé, c'est que tu n'étais pas destiné à devenir un grand golfeur.

— Tu m'insultes, là ?

— Non, je constate. Je t'ai déjà vu jouer, tu te rappelles ?

J'ai hoché la tête : là-dessus, elle avait raison. Malgré des années passées à travailler mon swing, j'étais loin de faire des étincelles.

J'ai jeté un coup d'œil à la pendule.

— Tu veux qu'on aille manger un morceau quelque part ?

— Quoi ? Pas de bons petits plats aujourd'hui ?

— Non, à moins que tu n'aies envie de finir les restes. Je n'ai pas eu le temps de passer au supermarché.

— C'était pour rire. Je ne m'attends pas à ce que tu te mettes tous les jours aux fourneaux. Même s'il faut reconnaître que c'est bien agréable, a-t-elle ajouté en souriant. Bien sûr que je suis partante. Je commence à avoir un petit creux. Donne-moi juste une minute, le temps de me préparer.

— Mais tu es très bien ! ai-je protesté.

— Ça ne prendra qu'une minute ! m'a-t-elle lancé depuis l'escalier.

Ça ne prendrait pas une minute. Je connais Jane et, à la longue, j'ai fini par comprendre que cette « minute » de préparation dépassait souvent le bon quart d'heure. Moi, j'ai appris à l'attendre en faisant des bricoles qui me plaisent mais ne me demandent aucune concentration. Il m'arrive, par exemple, de remettre un peu d'ordre sur mon bureau. Ou de régler les haut-parleurs de la chaîne hi-fi quand les enfants viennent de l'utiliser.

Je me suis aperçu que, l'air de rien, le temps passait beaucoup plus vite. Souvent, quand j'ai fini, ma femme est derrière moi, les poings sur les hanches.

— Tu es prête ?

— Depuis un moment, grommelle-t-elle. Ça fait bien dix minutes que je t'attends.

— Oh ! Désolé. Laisse-moi vérifier que j'ai bien les clés et on y va.

— Ne me dis pas que tu les as perdues.

— Non, bien sûr que non, lui dis-je en tapotant ma poche, surpris de ne pas les y retrouver.

Puis, après avoir jeté un bref coup d'œil à la ronde, je m'empresse d'ajouter :

— Je suis sûr qu'elles ne sont pas loin. Je les avais sur moi il y a encore une minute.

Et, là, ma femme commence à me faire les gros yeux.

Ce soir-là, une fois n'est pas coutume, j'ai attrapé *Time Magazine* et je suis allé m'asseoir sur le canapé. J'avais déjà lu quelques articles quand les pas de Jane ont résonné à l'étage. Fin de la lecture. Je me suis demandé où elle aurait envie de manger et c'est là que le téléphone a sonné.

Quand j'ai entendu la voix tremblotante au bout du fil, ma bonne humeur s'est envolée, vite remplacée par un profond sentiment d'inquiétude. Au moment où j'ai raccroché, Jane descendait l'escalier.

En voyant ma mine déconfite, elle s'est figée :

— Qu'est-ce qui s'est passé ? C'était qui ?

— Kate, ai-je murmuré. Elle part pour l'hôpital.

Aussitôt, Jane a porté la main à sa bouche.

— C'est Noah, ai-je ajouté.

9.

Sur le chemin de l'hôpital, Jane avait les larmes aux yeux. D'habitude, je conduis prudemment mais, là, je n'ai pas arrêté de changer de file et, dès que le feu passait à l'orange, j'appuyais à fond sur le champignon. Chaque minute comptait.

Notre arrivée aux urgences m'a rappelé ce qui s'était passé au printemps, quand Noah avait eu son attaque. On aurait dit que rien n'avait changé en quatre mois. Les couloirs sentaient toujours l'ammoniaque et les produits antiseptiques. Quant aux néons fluorescents, ils projetaient encore leur lumière crue sur une salle d'attente bondée.

Des chaises en métal et vinyle étaient alignées le long des murs ou disposées en rangs au milieu de la pièce. La plupart des sièges étaient occupés par des groupes de deux ou trois personnes qui discutaient à voix basse, tandis qu'une file d'attente s'était formée au guichet des admissions.

La famille de Jane était agglutinée près de la porte. Pâle et inquiète, Kate ne quittait pas d'une semelle son mari, Grayson, dont la salopette et les bottes poussiéreuses trahissaient son métier d'agriculteur. Il avait aussi un visage anguleux et flétri par les ans. David, le petit dernier de la famille, était avec eux, un bras autour de sa femme, Lynn.

En nous voyant arriver, Kate s'est précipitée sur nous, le visage déjà ruisselant de larmes. Aussitôt, Jane et elle sont tombées dans les bras l'une de l'autre.

— Qu'est-ce qui s'est passé? a demandé Jane, les traits crispés d'inquiétude. Comment va-t-il?

— Il est tombé près de l'étang, a-t-elle expliqué d'une voix rauque. Personne n'a assisté à sa chute mais, quand l'infirmière l'a retrouvé, il était à peine conscient. Elle m'a dit qu'il s'était cogné la tête. L'ambulance l'a amené ici il y a une vingtaine de minutes et le docteur Barnwell est en train de l'examiner. C'est tout ce qu'on sait.

Jane a semblé s'affaisser dans les bras de sa sœur. Les mâchoires serrées, ni David ni Grayson ne pouvaient soutenir leur regard. Quant à Lynn, les bras croisés, elle se balançait d'avant en arrière sur les talons.

— Quand est-ce qu'on pourra le voir ?

Kate a secoué la tête.

— Aucune idée. Les infirmières du service nous répètent juste qu'il faut attendre le docteur Barnwell ou une autre infirmière mieux renseignée. J'imagine qu'ils nous tiendront au courant.

— Mais il va s'en remettre, hein ?

Comme Kate n'a pas répondu tout de suite, Jane a étouffé un sanglot :

— Il va s'en remettre.

— Oh, Jane…, a lâché Kate, les yeux fermés. Je n'en sais rien. Personne ne sait rien.

Pendant quelques instants, elles sont restées enlacées.

— Où est Jeff ? a repris Jane en parlant de leur frère absent. Il va venir, dis-moi ?

— J'ai enfin réussi à le prévenir, nous a expliqué David. Il passe prendre Debbie et, ensuite, ils viennent directement ici.

David s'est rapproché de ses sœurs et les trois se sont serrés très fort, comme pour essayer de rassembler les forces dont ils auraient peut-être besoin.

Cinq minutes plus tard, Jeff et Debbie sont arrivés à l'hôpital. Jeff a aussitôt rejoint ses frère et sœurs, qui l'ont vite mis au courant de la situation : les traits tirés, il avait l'air aussi inquiet qu'eux.

Lentement mais sûrement, nous nous sommes séparés en deux groupes : d'un côté, les enfants de Noah et d'Allie ; de l'autre, leurs conjoints. Bien que j'aime Noah et que Jane soit ma femme, j'ai appris qu'en certaines circonstances elle avait plus besoin de ses frères et sœur que de moi. Elle aurait besoin de moi plus tard mais, là, ce n'était pas le moment.

Lynn, Grayson, Debbie et moi avions déjà enduré ce genre d'épreuve : au printemps (quand Noah avait eu son attaque), à la mort d'Allie, mais aussi quand Noah avait eu une crise cardiaque six ans plus tôt. Alors que leur groupe a ses petits rituels (embrassades, prières et répétition en boucle des mêmes questions inquiètes), le nôtre est plus stoïque. Comme moi, Grayson n'est pas très bavard. Quand il est nerveux, il enfonce les poings dans ses poches et se met à jouer avec son trousseau de clés. Même si elles acceptent que David et Jeff aient besoin de leurs sœurs, Lynn et Debbie, elles, ont toujours l'air perdues en période de crise : ne sachant pas quoi faire, elles restent un peu à l'écart et discutent à voix basse. Moi, en revanche, je trouve toujours le moyen concret d'apporter mon aide, ce qui me permet de contrôler efficacement mes émotions.

Quand j'ai remarqué qu'il n'y avait plus de file d'attente au guichet des admissions, je me suis avancé. Quelques secondes plus tard, l'infirmière a levé le nez d'une imposante pile de formulaires. Elle avait l'air exténuée.

— Je peux vous aider ?

— Oui. Je me demandais si vous aviez des nouvelles de Noah Calhoun. Il a été amené ici il y a une demi-heure environ.

— Le médecin est passé vous voir ?

— Non mais, maintenant, la famille est au complet et ils sont tous morts d'inquiétude.

Quand j'ai hoché la tête vers eux, l'infirmière a suivi mon regard.

— Je suis sûre que le médecin ou une infirmière va bientôt venir vous parler.

— Je sais, mais vous ne pourriez pas vous renseigner pour savoir quand on aura le droit de voir notre père ? Ou s'il va s'en remettre ?

L'espace d'un instant, je me suis demandé si elle allait

nous aider mais, quand elle s'est de nouveau tournée vers la famille, je l'ai entendue pousser un long soupir.

— Donnez-moi cinq minutes, le temps de terminer quelques dossiers et, ensuite, je vais aux nouvelles, d'accord ?

Toujours les mains dans les poches, Grayson m'a rejoint au guichet.

— Tu tiens le coup ?

— J'essaie.

Sans arrêter de jouer avec ses clés, il a acquiescé d'un signe de tête.

— Je vais m'asseoir, m'a-t-il dit au bout de quelques secondes. Dieu sait combien de temps on va devoir rester ici.

Nous nous sommes installés derrière le groupe des frères et sœurs. Cinq minutes plus tard, Anna et Keith sont arrivés. Anna a rejoint les enfants de Noah, tandis que Keith s'asseyait à côté de moi. Tout de noir vêtue, Anna avait déjà l'air de revenir d'un enterrement.

Le plus dur en situation de crise, c'est l'attente, et voilà précisément pourquoi je déteste les hôpitaux. Comme il ne se passe rien, on se met à cogiter et on ressasse des pensées de plus en plus sombres en se préparant inconsciemment au pire. Dans ce silence tendu, j'entendais les propres battements de mon cœur et j'avais la gorge toute sèche.

L'infirmière n'était plus au guichet des admissions : avec un peu de chance, elle était partie se renseigner sur l'état de Noah. Du coin de l'œil, j'ai vu Jane s'approcher. Je me suis levé et j'ai écarté le bras pour qu'elle puisse s'appuyer contre moi.

— Je déteste ça, a-t-elle soufflé.

— Je sais. Moi aussi, je déteste.

Derrière nous, un jeune couple et leurs trois enfants en pleurs sont entrés aux urgences. Nous nous sommes écartés pour les laisser passer et, quand ils sont arrivés au guichet, l'infirmière revenait du fond de la salle. Elle a levé l'index pour faire signe au couple de l'attendre et s'est dirigée vers nous :

— Il a repris conscience, mais il est encore un peu sonné.

135

Ses fonctions vitales sont bonnes. Il devrait être transféré en chambre d'ici une petite heure.

— Donc, il va s'en remettre ?

— Les médecins ne prévoient pas de l'envoyer en soins intensifs, si c'est ce que vous voulez savoir, a-t-elle répondu prudemment. Il devra sans doute rester quelques jours en observation à l'hôpital.

Un murmure général de soulagement a accueilli les nouvelles de l'infirmière.

— On peut aller le voir maintenant ? a insisté Jane.

— Pas tous à la fois. Il n'y a pas assez de place et, d'après le médecin, il faut que votre père se repose un peu. Mais l'un de vous peut aller le voir dès maintenant, tant qu'il ne reste pas trop longtemps.

De toute évidence, c'était Kate ou Jane qui irait au chevet de Noah mais, avant que nous puissions prendre la parole, l'infirmière a continué :

— Lequel d'entre vous est Wilson Lewis ?

— C'est moi.

— Pourquoi ne pas m'accompagner ? On va bientôt lui mettre une perfusion et vous devriez aller le voir avant qu'il s'endorme.

J'ai senti les yeux de la famille se braquer sur moi. Je croyais savoir pourquoi il voulait me voir, mais j'ai levé les mains au ciel, comme pour en écarter la possibilité.

— Je sais, c'est moi qui suis venu vous voir, mais peut-être que Jane ou Kate seraient mieux placées, ai-je suggéré. Ce sont ses filles. Ou alors David. Ou Jeff.

L'infirmière a secoué la tête.

— C'est vous qu'il a demandé. Il m'a bien fait comprendre qu'il voulait vous voir en premier.

Malgré le petit sourire de Jane, j'ai senti qu'elle éprouvait la même chose que les autres. De la curiosité, bien sûr. Et aussi de la surprise. Mais ce qui m'a surtout frappé chez elle, c'est son impression de se sentir trahie. Comme si elle savait exactement pourquoi il m'avait choisi.

Allongé sur son lit, Noah avait deux perfusions enfoncées dans les bras et il était relié à une machine qui enregistrait les battements réguliers de son cœur. Il avait les yeux mi-clos, mais il a tourné la tête sur l'oreiller quand l'infirmière a tiré les rideaux derrière nous. Puis la jeune femme s'est éloignée et nous nous sommes retrouvés seuls.

Pâle comme un linge, Noah semblait trop petit pour le lit. Je me suis assis sur une chaise à côté de lui.

— Bonjour, Noah.

— Bonjour, Wilson, a-t-il soufflé d'une voix mal assurée. Merci d'être passé.

— Vous allez bien ?

— Ça pourrait aller mieux, a-t-il répondu avec un faible sourire. Mais ça pourrait aussi être pire.

Je lui ai pris la main.

— Qu'est-ce qui vous est arrivé ?

— Une racine. Je l'ai évitée un bon millier de fois mais, tout à l'heure, elle a surgi de terre et m'a attrapé la cheville.

— Alors vous vous êtes cogné la tête ?

— La tête, le corps. Tout. Je me suis écroulé comme un vieux sac de pommes de terre mais, Dieu merci, je n'ai rien de cassé. Juste un peu la tête qui tourne. D'après le médecin, je devrais être sur pied d'ici deux ou trois jours. Heureusement parce que, ce week-end, je dois aller à un mariage.

— Ne vous inquiétez pas pour ça. Occupez-vous plutôt de votre santé.

— Ça va aller. J'ai encore un peu de temps devant moi.

— Vous avez intérêt.

— Comment vont Kate et Jane ? Mortes d'inquiétudes, j'imagine.

— On est tous inquiets. Et moi aussi.

— Oui mais, toi, tu ne me regardes pas avec de grands yeux tristes et tu ne fonds pas en larmes chaque fois que je marmonne quelque chose.

— Si. Sauf que vous avez le dos tourné.

Son visage s'est éclairé d'un sourire.

— Ce n'est pas comme eux. Je te parie qu'ils vont passer les deux prochains jours à mon chevet, à remonter mes couvertures, à refaire mon lit et à tapoter mes oreillers. De vraies mères poules. Je sais qu'ils veulent bien faire mais, à force de me couver, ils vont me rendre fou. La dernière fois que je suis resté à l'hôpital, je ne crois pas avoir été seul plus d'une minute. Je ne pouvais même pas aller aux toilettes sans qu'on m'accompagne. Et, ensuite, ils attendaient même que j'aie terminé !

— Vous aviez besoin d'aide. Rappelez-vous, vous ne pouviez pas marcher tout seul.

— À mon âge, un homme a encore besoin de sa dignité.

Je lui ai pressé la main.

— Pour moi, vous serez toujours l'homme le plus digne du monde.

Il m'a regardé droit dans les yeux et son visage s'est radouci.

— Tu sais, dès qu'ils vont franchir le seuil de cette chambre, ils ne vont plus me lâcher. Ils vont me couver et être aux petits soins. Comme toujours.

Puis il a affiché une mine espiègle.

— Je vais peut-être m'amuser un peu avec eux.

— N'y allez pas trop fort. S'ils font ça, c'est juste parce qu'ils vous aiment.

— Je sais, mais ils n'ont pas à me traiter comme un petit garçon.

— Ça n'arrivera pas.

— Bien sûr que si. Donc, le moment venu, est-ce que tu pourras leur dire que j'ai besoin de me reposer ? Si c'est moi qui leur parle de fatigue, ils vont recommencer à s'inquiéter.

— Promis, ai-je répondu en souriant.

Nous sommes restés silencieux quelques instants. D'une monotonie plutôt apaisante, le bip-bip régulier du moniteur cardiaque résonnait dans la pièce.

— Est-ce que tu sais pourquoi j'ai demandé à te voir en premier ?

Malgré moi, j'ai hoché la tête.

— Vous voulez que j'aille à Creekside, c'est ça ? Pour nourrir le cygne, comme je l'ai fait au printemps ?

— Ça ne te dérange pas ?

138

— Pas du tout. Je serai ravi de vous rendre service.

Il s'est tu et m'a imploré d'un air fatigué :

— Tu sais que je n'aurais pas pu te le demander si les autres avaient été là. Dès que j'en parle, ils se mettent dans tous leurs états. D'après eux, c'est la preuve que je perds la tête.

— Je sais.

— Mais, toi, tu me comprends, n'est-ce pas, Wilson ?

— Oui.

— Parce que tu y crois, toi aussi. Elle était là quand je me suis réveillé, tu sais. Elle était penchée au-dessus de moi pour s'assurer que j'allais bien. L'infirmière a même été obligée de la chasser. Elle ne m'a pas quitté une seule minute.

Je savais ce qu'il voulait me faire dire mais, moi, je ne trouvais pas les mots qu'il avait envie d'entendre. Résultat : je me suis contenté de sourire.

— Du pain de mie extra, ai-je repris. Quatre tartines le matin et trois l'après-midi, c'est ça ?

Noah m'a pressé la main, ce qui m'a obligé à le regarder de nouveau dans les yeux.

— Toi, tu me crois, hein, Wilson ?

Je n'ai pas réagi tout de suite. Comme Noah me comprenait mieux que personne, je ne pouvais pas lui cacher la vérité.

— Je n'en sais rien, ai-je fini par articuler.

Quand il a entendu ma réponse, j'ai lu au fond de ses yeux une petite déception.

Une heure plus tard, Noah était transféré dans une chambre du premier étage, où toute la famille a enfin pu lui rendre visite.

Jane et Kate sont entrées en murmurant en chœur :

— Oh, papa !

Lynn et Debbie leur ont emboîté le pas, tandis que David et Jeff s'installaient de l'autre côté de leur père. Grayson, lui, s'est planté au bout du lit et, moi, je suis resté un peu en retrait.

Comme Noah l'avait prévu, ils se sont mis à le couver

immédiatement. Ils lui prenaient la main, ajustaient ses couvertures ou remontaient la tête du lit : on le scrutait, on le tripotait, on le flattait, on l'enlaçait, on l'embrassait. Ils s'agitaient tous autour de lui et le bombardaient de questions.

C'est Jeff qui a ouvert le bal :

— Tu es sûr d'aller bien ? Le médecin nous a dit que tu avais fait une mauvaise chute.

— Ça va. J'ai une petite bosse sur la tête mais, à part ça, je suis juste un peu fatigué.

— J'ai cru mourir de peur ! a lancé Jane. Mais je suis ravie que tu ailles mieux.

— Moi aussi, a renchéri David.

— Si tu ne te sentais pas bien, tu n'aurais pas dû sortir seul, l'a grondé Kate. La prochaine fois, demande à quelqu'un de t'accompagner. Comme ça, ils pourront te retrouver.

— C'est ce qu'ils ont fini par faire, a rétorqué Noah.

Jane s'est penchée derrière lui pour remonter ses oreillers.

— Tu n'es pas resté dehors trop longtemps, dis-moi ? Je ne supporterais pas l'idée qu'on ne t'ait pas secouru tout de suite.

Noah a secoué la tête.

— Pas plus de quelques heures, j'imagine.

— Quelques heures ! se sont écriées Jane et Kate, pétrifiées, avant d'échanger des regards épouvantés.

— Peut-être davantage. C'est difficile à dire parce que les nuages cachaient le soleil.

— Plus longtemps ? a demandé Jane, les poings serrés.

— Et j'avais mes vêtements tout mouillés. Je suppose qu'il a dû pleuvoir. Ou que l'arrosage automatique s'est mis en route.

— Mais tu aurais pu mourir là-bas ! s'est exclamée Kate.

— Oh ! Ce n'était pas si terrible. Un peu d'eau n'a jamais tué personne. Le pire, c'est quand le raton laveur est arrivé. Au moment où j'ai repris mes esprits, il me dévisageait fixement et je me suis dit qu'il avait peut-être la rage. Ensuite, il s'est avancé vers moi.

— Tu as été attaqué par un raton laveur ? a lancé Jane au bord de l'évanouissement.

140

— Pas vraiment attaqué. J'ai réussi à le chasser avant qu'il me morde.

— Il a essayé de te mordre ! a hurlé Kate.

— Inutile d'en faire une affaire d'État. Ça m'est déjà arrivé de repousser des ratons laveurs.

Kate et Jane se sont regardées, abasourdies, avant de se tourner vers leurs frères. Un silence consterné a envahi la chambre jusqu'à ce que Noah esquisse enfin un sourire et lance avec un clin d'œil, le doigt pointé sur eux :

— Je vous ai eus.

La main devant la bouche, j'ai essayé d'étouffer un gloussement. Un peu à l'écart, Anna faisait de son mieux pour garder son sérieux.

— Ne te moque pas de nous comme ça ! a riposté Kate en tapotant le bord du lit.

— Elle a raison, papa, a renchéri Jane. Ce n'est pas gentil.

Noah plissait les yeux de rire :

— Il le fallait bien. Vous vous étiez préparés à entendre ce genre d'histoire, mais laissez-moi vous dire une chose : ils m'ont retrouvé en quelques minutes à peine. Et je vais bien. J'ai proposé de partir à l'hôpital par mes propres moyens, mais ils ont appelé d'office une ambulance.

— Tu ne peux pas conduire. Ton permis n'est même plus valable !

— Ça ne veut pas dire que j'ai oublié comment on faisait. Et la voiture est toujours garée sur le parking de la résidence.

Même si elles n'ont pas bronché, Jane et Kate devaient se dire qu'il fallait lui retirer ses clés.

Jeff s'est raclé la gorge.

— À mon avis, on devrait t'acheter un bracelet d'alarme. Comme ça, si tu as un problème, quelqu'un viendra tout de suite t'aider.

— Pas la peine. J'ai juste trébuché sur une racine. Je n'aurais pas eu le temps d'appuyer sur le bouton pendant ma chute. Et quand j'ai repris connaissance, l'infirmière était déjà là.

— Je vais en toucher un mot au directeur, a annoncé

David. Et, s'il ne s'occupe pas de cette racine, c'est moi qui m'en chargerai. Je l'arracherai moi-même.

— Je te donnerai un coup de main, a renchéri Grayson.

— Ce n'est pas la faute du directeur si je deviens maladroit avec l'âge. Je serai sur pied d'ici un jour ou deux et, ce week-end, ce sera la grande forme.

— Ne t'inquiète pas de ça, a soufflé Anna. Contente-toi d'aller mieux, d'accord?

— Et vas-y mollo, a ajouté Kate. On se fait du souci pour toi.

— On était morts d'inquiétude, a répété Jane.

Cot cot codac. J'ai souri au fond de moi. Noah avait raison : ils se comportaient tous en vraies mères poules.

— Ça va aller, a-t-il insisté. D'ailleurs, il est hors de question d'annuler ce mariage à cause de moi. J'ai hâte d'y être. Et n'allez pas croire qu'une petite bosse sur la tête va m'empêcher d'y assister.

— Pour l'instant, ce n'est pas ça le plus important ! a rétorqué Jeff.

— Il a raison, grand-père.

— Et ne le reportez pas non plus.

— Ne dis pas de choses pareilles, papa, l'a grondé Kate. Tu vas rester ici jusqu'à ce que tu sois complètement remis.

— Ça va aller. Je veux juste entendre la promesse que la noce aura bien lieu. J'attends ce jour avec beaucoup d'impatience.

— Ne sois pas si têtu, l'a supplié Jane.

— Combien de fois faudra-t-il vous le répéter ? C'est très important pour moi. Ce n'est pas tous les jours qu'on célèbre un mariage dans cette famille.

Conscient qu'il n'arriverait pas à persuader ses propres filles, il s'est alors adressé à Anna :

— Toi, tu vois ce que je veux dire, hein ?

Anna a hésité un instant. Dans le silence de la chambre, elle m'a jeté un coup d'œil avant de se retourner vers Noah :

— Oui, bien sûr, grand-père.

— Donc tout aura lieu comme prévu, n'est-ce pas ?

D'instinct, elle a pris la main de Keith.

142

— Si c'est ce que tu veux, s'est-elle contentée de répondre.

Visiblement soulagé, Noah a souri et murmuré :

— Merci.

— Eh bien, tu vas devoir prendre soin de toi cette semaine, a repris Jane en lui remontant ses couvertures. Et te montrer un peu plus prudent à l'avenir.

— Ne t'inquiète pas, papa, a promis David. À ton retour, je me serai occupé de cette fichue racine.

La conversation a de nouveau dévié sur les circonstances de sa chute et, soudain, j'ai remarqué que tout le monde avait passé un détail sous silence : personne ne voulait dire pourquoi Noah était allé à l'étang.

En fait, personne ne voulait jamais parler du cygne.

Noah m'a raconté l'histoire du cygne il y a presque cinq ans. Allie nous avait quittés depuis un mois et, en peu de temps, Noah avait pris un sacré coup de vieux. Il quittait rarement sa chambre, même pour lire des poèmes aux autres pensionnaires. Assis à son bureau, il préférait relire les lettres qu'Allie et lui avaient échangées toute leur vie. Ou alors il se replongeait dans son exemplaire de *Feuilles d'herbe*.

Bien sûr, nous essayions tous de le sortir de sa chambre mais, ironie du sort, c'est moi qui l'ai amené près de l'étang. Et, ce matin-là, nous avons aperçu le cygne pour la première fois.

Je ne dis pas que j'ai tout de suite compris le fond de la pensée de Noah et, à l'époque, il n'a absolument pas montré qu'il y voyait un symbole quelconque. Je me souviens juste que le cygne a nagé vers nous, comme s'il venait chercher à manger.

— On aurait dû apporter du pain.

— On y pensera la prochaine fois, ai-je acquiescé machinalement.

Quand je lui ai rendu visite le surlendemain, j'ai été étonné de ne pas le trouver dans sa chambre. L'infirmière m'a dit où il était. Je suis allé à l'étang et je l'ai vu assis sur le banc. À côté de lui, un morceau de pain de mie extra. Lorsque je me suis approché, j'ai eu l'impression que le cygne me regardait, mais il n'avait pas l'air d'avoir peur.

— On dirait que vous vous êtes fait un ami! ai-je lancé.

— Apparemment.

— Du pain de mie extra?

— C'est celui qu'elle préfère.

— Comment savez-vous que c'est une femelle?

Noah a souri.

— Je le sais, c'est tout.

Et voilà comment tout a commencé.

Depuis ce jour-là, il nourrit régulièrement le cygne et va le voir par tous les temps. Il s'assied sous la pluie ou dans la chaleur accablante de l'été et, au fil des ans, il s'est mis à passer de plus en plus d'heures sur son banc, à regarder le cygne en lui parlant à voix basse. Aujourd'hui, il peut rester des journées entières au bord de l'étang.

Quelques mois après sa rencontre avec l'oiseau, je lui ai demandé pourquoi il passait tant de temps là-bas. Moi, je pensais qu'il trouvait l'endroit paisible et qu'il aimait parler à quelqu'un – ou à quelque chose – sans devoir attendre de réponse.

— Je viens ici parce qu'elle me le demande.

— Le cygne?

— Non. Allie.

Quand Noah a prononcé son nom, j'ai senti mon estomac se nouer, mais je ne voyais pas où le vieil homme voulait en venir.

— Allie veut que vous nourrissiez le cygne?

— Oui.

— Comment le savez-vous?

Il a poussé un soupir et levé les yeux vers moi.

— C'est elle.

— Qui?

— Le cygne.

J'ai secoué la tête, perplexe.

— Je ne suis pas sûr de bien vous comprendre.

— Allie, a-t-il répété. Elle a réussi à revenir vers moi, exactement comme elle me l'avait promis. Tout ce que j'avais à faire, c'était la trouver.

Et voilà pourquoi les médecins disent que Noah a des hallucinations.

Nous sommes encore restés une demi-heure à l'hôpital. Le docteur Barnwell a promis de nous tenir au courant le lendemain matin, après sa tournée des patients. C'est un proche de la famille et il s'occupe de Noah comme de son propre père : nous avons toute confiance en lui. Fidèle à ma promesse, j'ai suggéré que Noah avait l'air fatigué et qu'il ferait mieux de se reposer. Avant de quitter l'hôpital, nous nous sommes arrangés entre nous pour les visites et nous nous sommes dit au revoir sur le parking. Quelques minutes plus tard, Jane et moi regardions les autres partir.

Les yeux dans le vague et les épaules basses, Jane avait l'air épuisée. Comme moi.

— Ça va ?

— Oui, je crois, a-t-elle soupiré. Je sais qu'il paraît en forme, mais il n'a pas l'air de se rendre compte qu'il a presque quatre-vingt-dix ans. Il ne va pas se rétablir aussi vite qu'il l'imagine.

Elle a fermé les yeux quelques secondes. Sans doute s'inquiétait-elle aussi de l'organisation du mariage.

— Tu ne penses pas demander à Anna de repousser la cérémonie, hein ? Pas après ce que Noah a dit ?

Jane a secoué la tête.

— J'aurais bien essayé. Seulement, il s'est montré si inflexible. J'espère juste qu'il n'insiste pas parce qu'il sait…

Sa voix s'est brisée, mais j'étais certain de ce qu'elle allait dire.

— Parce qu'il sait qu'il n'en a plus pour longtemps, a-t-elle repris. Et que ce sera son dernier grand événement.

— Tu te fais des idées. Et il a encore de bonnes années devant lui.

— Tu en as l'air si sûr.

— Mais j'en suis sûr. Pour son âge, il est plutôt en forme. Surtout comparé aux autres pensionnaires de sa génération à Creekside. Ces gens-là ne quittent presque jamais leur chambre et ils se contentent de regarder la télévision du matin au soir.

— Oui et, lui, tout ce qu'il fait, c'est aller voir ce stupide cygne dans son étang. La belle affaire !

— Ça le rend heureux.

— Mais il se trompe ! Tu ne vois pas ça ? Maman nous a quittés. Ce cygne n'a rien à voir avec elle.

Comme je ne savais pas quoi répondre, je n'ai rien dit.

— Enfin, quoi, c'est dingue ! Le nourrir, d'accord. Mais croire que l'esprit de maman s'est réincarné dans cette bestiole, c'est absurde ! s'est-elle exclamée avant de croiser les bras. Je l'ai déjà entendu lui parler, tu sais, quand je vais lui rendre visite. Il lui tient une vraie conversation, comme s'il était convaincu que le cygne le comprenait. Kate et David s'en sont également aperçus. Et je sais que, toi aussi, tu l'as déjà entendu, a-t-elle ajouté en me lançant un regard accusateur.

— Oui, c'est vrai.

— Et ça ne te dérange pas ?

Mal à l'aise, je me suis balancé d'un pied sur l'autre.

— À mon avis, ai-je prudemment répondu, Noah a encore besoin de croire que c'est possible.

— Mais pourquoi ?

— Parce qu'il l'aime. Elle lui manque.

Aussitôt, sa mâchoire s'est mise à trembler.

— À moi aussi, elle me manque.

Seulement, nous savions bien tous les deux que ce n'était pas la même chose.

Malgré la fatigue, nous ne nous voyions pas rentrer directement à la maison après les moments difficiles passés à l'hôpital. Quand Jane m'a soudain confié qu'elle « mourait de faim », nous avons décidé d'aller dîner au Chelsea.

Avant même de franchir la porte du restaurant, j'ai entendu le piano de John Peterson résonner dans la salle. De passage à New Bern, il jouait là-bas tous les week-ends mais, en semaine, il lui arrivait parfois de venir à l'impro-

146

viste. Comme ce soir-là. Les tables installées autour du piano ne désemplissaient pas. Quant au bar, il était bondé.

Nous nous sommes installés à l'étage, à l'écart de la musique et de la foule. Seules quelques tables étaient occupées. À mon grand étonnement, Jane a commandé un deuxième verre de vin avec son hors-d'œuvre, ce qui a détendu un peu l'atmosphère.

— Qu'est-ce que papa t'a dit quand vous étiez tous les deux ? m'a-t-elle lancé en retirant délicatement une arête de son poisson.

— Pas grand-chose. Je lui ai demandé comment il allait, ce qui s'était passé. Ça rejoignait en grande partie ce qu'il vous a raconté quelques minutes plus tard.

— En grande partie ? a-t-elle répété, intriguée. Qu'est-ce qu'il t'a dit d'autre ?

— Tu veux vraiment le savoir ?

Elle a reposé ses couverts en argent.

— Il t'a encore demandé de nourrir le cygne, hein ?

— Oui.

— Et tu vas y aller ?

— Oui.

Quand j'ai vu sa réaction, je me suis dépêché d'enchaîner :

— Mais, avant que tu montes sur tes grands chevaux, souviens-toi que je ne le fais pas en croyant que c'est Allie. Si je le fais, c'est parce qu'il me l'a demandé et parce que je ne veux pas que le cygne meure de faim. Cet oiseau ne sait sans doute plus s'alimenter tout seul.

Jane m'a jeté un regard sceptique.

— Maman détestait le pain de mie extra, tu sais. Elle n'en aurait jamais avalé une bouchée. Elle préférait cuire son pain elle-même.

Par chance, l'arrivée du serveur m'a permis d'éviter une discussion embarrassante. Quand il nous a demandé si on appréciait les hors-d'œuvre, Jane a voulu savoir si ces plats figuraient sur le menu traiteur.

Une question qui lui a aussitôt mis la puce à l'oreille :

— C'est vous qui organisez le mariage ? Ce week-end, dans l'ancienne maison des Calhoun ?

147

— Exact, a répondu Jane, radieuse.

— C'est bien ce que je me disais. Je crois que la moitié du personnel y travaille d'arrache-pied, nous a expliqué le serveur, tout sourire. Eh bien, je suis ravi de vous rencontrer. Laissez-moi vous resservir un verre et, en même temps, je vous apporte la carte complète du menu traiteur.

Il avait à peine tourné les talons que Jane s'est penchée au-dessus de la table.

— Voilà qui répond à une de mes questions. Enfin, à propos du service.

— Je t'avais dit de ne pas t'inquiéter.

Elle a vidé son verre de vin.

— Est-ce qu'ils vont installer une tente ? Vu qu'on mange dehors ?

— Pourquoi ne pas utiliser la maison ? De toute façon, je serai là-bas pour les jardiniers, alors on pourrait essayer d'engager une équipe de nettoyage. Il nous reste plusieurs jours. Je suis sûr que je peux trouver quelqu'un.

— On peut tenter le coup, j'imagine.

Au fond d'elle, elle devait repenser à la dernière fois qu'elle avait franchi le seuil de cette maison.

— Enfin, tu sais, c'est plutôt sale là-dedans. Je crois que personne n'y a fait le ménage depuis des années.

— D'accord, mais ce n'est qu'un peu de poussière. Je vais passer quelques coups de fil. Allez, laisse-moi voir ce que je peux faire.

— Tu n'arrêtes pas de me répéter la même chose.

— Je n'arrête pas d'avoir des trucs à faire, ai-je rétorqué.

Et Jane s'est mise à rire de bon cœur.

Par-dessus son épaule, j'ai vu que la fenêtre donnait sur le cabinet d'avocats : la lampe de Saxon était encore allumée. Sans doute devait-il régler une affaire urgente, parce qu'il n'était pas du genre à passer ses soirées au bureau. C'est alors que Jane a surpris mon regard.

— Ton travail te manque déjà ?

— Non, c'est agréable de lever le pied un moment.

Elle m'a dévisagé avec attention.

— Tu penses vraiment ce que tu dis ?

148

— Bien sûr. Ça fait du bien de laisser son costume au placard pendant la semaine, ai-je répondu en lui montrant mon polo.

— Je parie que tu avais oublié comment c'était. Tu n'avais pas pris de vacances depuis… quoi? Huit ans?

— Non, pas depuis si longtemps.

Après mûre réflexion, Jane a hoché la tête.

— Tu a pris deux ou trois jours par-ci par-là, mais ta dernière vraie semaine de congés, ça remonte à 1995. Tu te rappelles? Quand on a emmené les enfants en Floride? C'était juste avant que Joseph entre à l'université.

Elle avait raison mais, moi qui me vantais autrefois d'être un bourreau de travail, je me sentais à présent très coupable.

— Désolé.

— De quoi?

— De ne pas avoir pris plus de vacances. Ce n'était pas juste. Ni pour toi ni pour les enfants. J'aurais dû essayer d'être plus présent.

— Ne t'inquiète pas, a-t-elle répondu en agitant sa fourchette. Ça n'a pas d'importance.

— Mais si.

Même si elle s'était habituée à mon ardeur au travail et qu'elle l'acceptât désormais comme faisant partie intégrante de ma personnalité, je savais qu'elle en avait toujours souffert. Conscient qu'elle était tout ouïe, j'ai enchaîné:

— Ça a toujours eu de l'importance, mais je ne suis pas seulement désolé pour ça. Je suis désolé pour tout. Désolé d'avoir laissé mon travail empiéter sur ma vie quand les enfants étaient petits. À certaines fêtes d'anniversaire, par exemple. Je ne me rappelle même pas combien j'en ai manqué à cause de réunions tardives que je refusais de repousser. Sans oublier tout ce que j'ai raté d'autre: les parties de volley-ball, les compétitions d'athlétisme, les concerts de piano, les pièces de théâtre… C'est un miracle que les enfants m'aient pardonné. Et encore plus incroyable qu'ils semblent tenir à moi.

Jane a acquiescé en silence mais, en fait, il n'y avait rien à dire. Prenant mon courage à deux mains, j'ai décidé de me lancer :

— Je sais que je n'ai pas non plus été le meilleur des maris. Parfois, je me demande pourquoi tu me supportes depuis si longtemps.

Perplexe, elle a haussé les sourcils.

— Je sais que tu as passé trop de soirées et de week-ends toute seule. Que je me suis reposé sur toi pour l'éducation des enfants. Ce n'était pas juste. Et, même quand tu me disais n'avoir qu'une seule envie, passer du temps avec moi, je ne t'écoutais pas. Rappelle-toi ce qui s'est passé le jour de tes trente ans.

Je me suis tu quelques instants, histoire de bien enfoncer le clou. De l'autre côté de la table, les yeux de Jane brillaient au souvenir de cet anniversaire, exemple type d'un passé raté que j'essayais d'oublier.

À l'époque, elle m'avait demandé quelque chose de très simple. Submergée par ses nouvelles charges de mère de famille, elle voulait se sentir à nouveau femme – au moins l'espace d'une soirée – et elle avait semé quelques indices sur sa vision d'un tête-à-tête romantique : une robe posée sur le lit, des fleurs, une limousine qui nous déposerait devant un petit restaurant intime, une table avec une jolie vue, une conversation feutrée sans devoir se soucier de rentrer en quatrième vitesse à la maison. J'avais déjà compris que c'était important pour elle et je me rappelle avoir dressé la liste de toutes ses envies. Seulement, au bureau, je me suis retrouvé si empêtré dans un dossier de succession que son anniversaire est arrivé avant que je puisse organiser la soirée. Résultat : à la dernière minute, j'ai demandé à ma secrétaire de m'acheter un splendide bracelet et, sur le chemin de la maison, je me suis convaincu qu'un bijou hors de prix lui ferait tout autant plaisir. Quand Jane a ouvert son cadeau, je lui ai juré de nous organiser une merveilleuse soirée, plus belle encore que dans ses rêves. Des paroles en l'air qui, finalement, sont venues grossir une longue série de promesses non tenues. D'ailleurs, avec le recul, je crois que Jane avait vu clair dès le début.

Accablé par le souvenir cuisant de ce fiasco, je n'ai pas continué. Je me suis gratté le front en silence, j'ai repoussé mon assiette et, tandis que mon passé douloureux me minait le moral, j'ai senti les yeux de Jane rivés sur moi. Surprise : elle a posé sa main sur la mienne.

— Wilson ? Tu vas bien ?

Sa voix trahissait une tendre inquiétude que je n'ai pas vraiment comprise.

— Oui, ça va.

— Je peux te poser une question ?

— Bien sûr.

— Pourquoi tant de regrets ce soir ? Papa t'a dit quelque chose ?

— Non.

— Alors pourquoi ressasser tous ces souvenirs ?

— Je n'en sais rien. C'est peut-être à cause du mariage, ai-je ajouté avec un faible sourire. J'y repense beaucoup depuis quelques jours.

— Ça ne te ressemble pas.

— Non, ai-je reconnu. Mais c'est pourtant la vérité.

Jane a relevé la tête.

— Je n'ai pas été non plus une épouse parfaite, tu sais.

— Mais tu t'es montrée bien plus attentionnée que moi.

— Bon, ça, c'est vrai.

Malgré moi, j'ai laissé échapper un petit rire : l'atmosphère était un peu moins lourde.

— D'accord, tu as beaucoup travaillé. Sans doute trop. Mais j'ai toujours su que c'était pour entretenir notre famille. Il ne faut pas l'oublier. Moi, grâce à ça, j'ai pu rester à la maison pour m'occuper des enfants. Ce qui était essentiel à mes yeux.

J'ai souri en entendant les paroles indulgentes de Jane : j'avais vraiment de la chance.

Je me suis penché au-dessus de la table.

— Tu sais ce qui me trotte aussi dans la tête ?

— Il y a autre chose ?

— Je voudrais comprendre pourquoi tu as accepté de m'épouser.

Son visage s'est adouci.

— Ne sois pas si dur envers toi-même. Je ne t'aurais pas épousé si je n'en avais pas eu envie.

— Pourquoi t'être mariée avec moi ?

— Parce que je t'aimais.

— Oui, mais pourquoi ?

— Il y avait des tas des raisons.

— Lesquelles ?

— Tu veux des détails ?

— Fais-moi plaisir. Je viens de te confier tous mes secrets.

Elle a souri devant tant d'insistance.

— D'accord. Pourquoi je t'ai épousé… Eh bien, tu étais un garçon gentil, honnête, travailleur. Tu étais poli, patient et bien plus mûr que mes anciens petits amis. En plus, quand on était ensemble et que tu m'écoutais, j'avais l'impression d'être seule au monde. Tu étais ma moitié et je trouvais que passer du temps avec toi, c'était « comme une évidence ».

Elle s'est tue un instant.

— Mais ce n'était pas qu'une question de sentiments. Plus j'apprenais à te connaître, plus j'étais sûre que tu ferais ton possible pour subvenir aux besoins de ta famille. Ce que je trouvais fondamental. À l'époque, les gens de notre âge voulaient surtout changer le monde. Même s'il s'agissait d'un combat très noble, moi, je voulais quelque chose de plus traditionnel. Je voulais une famille comme celle de mes parents et j'avais envie de me concentrer sur mon petit coin de paradis. Je voulais un homme qui ait envie de vivre avec une épouse et une mère. Quelqu'un qui respecterait mes choix.

— Et j'y suis arrivé ?

— En grande partie.

Je me suis mis à rire.

— Je vois que tu ne parles pas de mon charme ravageur. Ni de mon incroyable personnalité.

— Tu voulais la vérité, non ? m'a-t-elle taquiné.

Nouvel éclat de rire.

— Je plaisante, a-t-elle repris en me pressant la main.

152

J'adorais te voir enfiler ton costume le matin. Tu étais grand et mince. Un jeune battant prêt à affronter le monde pour nous rendre la vie plus belle. Tu étais très séduisant.

Ses mots m'ont réchauffé le cœur. Pendant l'heure qui a suivi, tandis que nous étudiions le menu traiteur autour d'un café et au son étouffé du piano, Jane m'a lancé quelques regards inhabituels qui m'ont fait doucement tourner la tête. Peut-être se rappelait-elle pourquoi elle m'avait épousé et, même si je ne pouvais pas en avoir la certitude, son regard laissait penser que, de temps en temps, elle se réjouissait encore de m'avoir dit oui.

10.

Le mardi matin, j'ai ouvert les yeux avant l'aube et je me suis faufilé hors du lit en essayant de ne pas réveiller Jane. Une fois habillé, je suis sorti de la maison à pas de loup. Le ciel était noir, les oiseaux dormaient toujours mais il faisait doux et, comme il avait plu cette nuit-là, la route était encore luisante. Déjà, l'air était moite et je me suis réjoui d'être dehors à la première heure.

Après quelques minutes de marche tranquille, j'ai accéléré le pas à mesure que mon corps se réchauffait. Finalement, j'appréciais ces petites sorties matinales plus que je ne l'aurais cru. Il y a un an, je pensais m'arrêter après avoir retrouvé la ligne. Au lieu de quoi, j'ai rallongé mon parcours en prenant soin de noter chaque fois mon heure de départ et mon heure d'arrivée.

En fait, j'adore la sérénité du matin. À ce moment de la journée, il n'y a pas beaucoup de circulation et j'ai l'impression que tous mes sens sont en éveil. Je m'entends respirer, je sens la pression de mes pieds sur l'asphalte, je regarde le soleil se lever : ça commence par une faible clarté à l'horizon, une lueur orangée au-dessus des arbres, puis le noir cède doucement la place au gris. Même quand le temps est maussade, j'ai toujours hâte d'entamer ma promenade et je me demande bien pourquoi je n'ai pas commencé avant.

J'ai l'habitude de marcher trois quarts d'heure et, vers la fin, je ralentis un peu pour reprendre mon souffle. Ce matin-là, une fine pellicule de sueur me recouvrait le front, mais ça faisait du bien. Quand j'ai vu qu'il y avait de la lumière dans la cuisine, j'ai remonté l'allée de la maison, le sourire aux lèvres.

Dès que j'ai poussé la porte d'entrée, j'ai senti une bonne odeur de bacon s'échapper de la cuisine. Ce délicieux fumet m'a rappelé notre vie d'avant. Quand les enfants vivaient encore sous notre toit, Jane nous préparait un vrai petit-déjeuner mais, depuis quelques années, nous n'avons plus les mêmes horaires et la tradition s'est perdue. Encore un changement qui a mis à mal notre vie de couple.

Tandis que je traversais sans bruit le séjour, Jane a passé la tête à la porte. Déjà habillée, elle portait un tablier.

— Comment s'est passée ta promenade ?

— Je me suis trouvé plutôt en forme. Enfin, pour un vieux monsieur, ai-je ajouté avant de la rejoindre à la cuisine. Tu t'es levée tôt.

— Je t'ai entendu sortir de la chambre et, comme je savais que je n'arriverais pas à me rendormir, j'ai décidé de me lever. Tu veux du café ?

— Je crois que je vais d'abord boire un peu d'eau. Qu'est-ce qu'il y a pour le petit-déjeuner ?

— Des œufs au bacon, m'a-t-elle répondu en prenant un verre. J'espère que tu as faim. Même si on a dîné très tard hier soir, moi, j'avais un petit creux ce matin.

Elle a rempli mon verre d'eau du robinet et me l'a tendu.

— Ça doit être les nerfs, a-t-elle ajouté, pleine d'entrain.

Quand j'ai pris le verre, les doigts de Jane ont effleuré les miens. Ce n'était peut-être que le fruit de mon imagination, mais ses yeux ont semblé s'attarder sur moi plus longtemps que d'habitude.

— Laisse-moi prendre une douche et enfiler des vêtements propres. Le petit-déjeuner est bientôt prêt ?

— Il te reste quelques minutes. Je m'occupe des toasts.

Le temps que je redescende, Jane remplissait déjà les assiettes. Je me suis assis à côté d'elle.

— J'hésite toujours à passer la nuit là-bas, m'a-t-elle annoncé.

155

— Et?

— Ça dépendra de ce que le docteur Barnwell va nous dire au téléphone. S'il trouve papa en forme, je pourrai faire un saut à Greensboro. Enfin, à supposer qu'on n'ait toujours pas de robe. Si ça ne va pas mieux, il faudra y aller demain de toute façon mais, en cas de problème, j'aurai mon téléphone portable.

J'ai croqué un morceau de bacon.

— Je pense que tu n'en auras pas besoin. Si l'état de Noah avait empiré, le docteur Barnwell nous aurait déjà prévenus. Tu sais bien qu'il le considère comme son propre père.

— Je vais quand même attendre son coup de fil.

— Bien sûr. Et moi, dès le début des visites, j'irai voir Noah.

— Il va jouer les grincheux, tu sais. Il déteste les hôpitaux.

— Comme tout le monde. À moins d'avoir un bébé, personne n'aime aller là-bas.

Jane a commencé à beurrer son toast.

— Qu'est-ce que tu comptes faire avec la maison ? Tu crois vraiment qu'elle sera assez grande ?

J'ai acquiescé d'un signe de tête.

— Si on enlève les meubles, il devrait y avoir pas mal de place. Je me suis dit qu'on pourrait les entreposer quelques jours dans la grange.

— Et tu vas engager quelqu'un pour tout déménager ?

— S'il le faut. Mais je crois que ce ne sera pas nécessaire. Le jardinier a réquisitionné beaucoup de monde. Je suis sûr que ça ne le dérangera pas si ses ouvriers viennent me donner un coup de main.

— Ça va faire vide, non ?

— Pas une fois qu'on aura rentré les tables. J'ai pensé qu'on pourrait installer le buffet de mariage près des fenêtres et aménager une piste de danse devant la cheminée.

— Quelle piste de danse ? On n'a rien prévu pour la musique.

— En fait, c'était inscrit à mon programme de la journée.

156

Sans oublier que je dois aussi contacter une équipe de nettoyage et déposer le menu au Chelsea.

Jane m'a dévisagé d'un air perplexe.

— On dirait que tu as déjà tout organisé.

— Tu crois que je faisais quoi ce matin pendant mon footing ?

— Que tu tirais la langue. Que tu soufflais comme un bœuf. La routine, quoi.

J'ai éclaté de rire.

— Mais je suis plutôt en forme, tu sais. J'ai doublé quelqu'un aujourd'hui.

— Encore le vieux monsieur au déambulateur ?

— Ha ! Ha ! Très drôle.

À vrai dire, j'appréciais sa bonne humeur. Est-ce que c'était lié à la façon dont Jane m'avait regardé la veille ? En tout cas, je savais que je n'étais pas en train de rêver.

— Au fait, merci d'avoir préparé le petit-déjeuner.

— C'était la moindre des choses. Tu m'as vraiment bien aidée cette semaine. Et puis tu t'es mis aux fourneaux deux jours d'affilée.

— Eh oui ! J'ai été un véritable saint.

— Je n'irais pas jusque-là ! a-t-elle rétorqué en riant.

— Non ?

— Non mais, sans ton aide, je serais sans doute devenue folle à l'heure qu'il est.

— Et tu serais morte de faim.

Son visage s'est éclairé d'un sourire.

— J'ai besoin de ton avis. Qu'est-ce que tu penses d'une robe sans manches pour ce week-end ? Avec une taille cintrée et une petite traîne ?

Le temps de réfléchir, je me suis gratté le menton.

— Ça me paraît bien, mais je crois que le smoking m'irait mieux.

Elle m'a lancé un regard exaspéré, auquel j'ai répondu en levant les bras d'un air faussement innocent :

— Ah ! Tu veux dire, pour « Anna » !

Et je lui ai répété ce que Noah m'avait dit deux jours plus tôt :

— Quoi qu'elle porte, je suis sûr que ce sera elle la plus jolie.

— Mais tu ne veux pas me donner ton avis ?

— Je ne sais même pas ce que c'est, une taille cintrée.

— Ah ! les hommes, a-t-elle soupiré.

— Je sais, ai-je répondu en imitant son soupir. On se demande déjà par quel miracle on arrive à se tenir en société.

Le docteur Barnwell nous a téléphoné peu après huit heures. Noah se portait bien et il pourrait quitter l'hôpital le soir même. Ou le lendemain au plus tard. Soulagé, j'ai passé le combiné à Jane pour que le médecin la rassure à son tour. Elle a ensuite téléphoné à Noah, qui l'a poussée à accompagner Anna à Greensboro.

— On dirait bien que je peux faire ma valise ! m'a-t-elle lancé après avoir raccroché.

— On dirait bien.

— Si on a de la chance, on trouvera quelque chose aujourd'hui.

— Sinon, amuse-toi bien avec les filles. Ça n'arrive qu'une fois dans la vie.

— On a encore deux enfants à marier ! a-t-elle riposté, toute joyeuse. Ce n'est que le début !

— J'espère, ai-je soufflé, un sourire aux lèvres.

Une heure plus tard, Keith déposait Anna à la maison avec sa petite valise. Tandis que Jane rassemblait encore quelques affaires à l'étage, j'ai ouvert la porte d'entrée au moment où ma fille remontait l'allée. Surprise ! Elle était tout en noir.

— Bonjour, papa !

— Bonjour, ma chérie. Comment ça va ?

Après avoir posé sa valise devant la porte, elle s'est approchée de moi et m'a pris dans ses bras.

— Bien. En fait, je m'amuse comme une petite folle. Je n'étais pas très convaincue au début mais, jusqu'ici, tout se passe à merveille. Et maman est déchaînée. Tu devrais la voir. Il y a un bout de temps que je ne l'avais pas trouvée aussi excitée.

— Je suis ravi de l'entendre.

Quand elle m'a souri, j'ai de nouveau été frappé par sa maturité d'adulte. J'avais l'impression qu'hier encore, c'était une petite fille. Comment les années avaient-elles pu filer si vite ?

— J'ai hâte d'être à ce week-end, a-t-elle murmuré.

— Moi aussi.

— Tu auras le temps de préparer toute la maison ?

Je l'ai rassurée d'un signe de tête.

Elle a jeté un coup d'œil autour d'elle. En voyant son visage, je savais déjà ce qu'elle allait me demander.

— Ça va, maman et toi ?

La première fois qu'elle s'en était inquiétée, c'était quelques mois après le départ de Leslie. Depuis un an, elle me posait la question plus souvent, mais jamais quand Jane était dans les parages. Au début, ça m'avait intrigué. Ces derniers temps, j'attendais presque sa question.

— Ça va.

De toute façon, c'était ce que je lui répondais invariablement, même si je savais qu'Anna ne me croyait pas toujours.

Cette fois-ci, pourtant, elle m'a dévisagé et – surprise ! – elle m'a de nouveau serré dans ses bras. Très fort.

— Je t'aime, papa, a-t-elle chuchoté. Je te trouve fantastique.

— Moi aussi, je t'aime, ma chérie.

— Maman a de la chance. N'oublie jamais ça.

— Bon, a lâché Jane dans l'allée. Je crois que ça y est.

Anna l'attendait à l'intérieur de la voiture.

— Tu m'appelles, d'accord ? Enfin, s'il arrive « quoi que ce soit ».

— Promis. Et dis bonjour à Leslie de ma part.

Quand j'ai ouvert la portière à Jane, le soleil matinal me chauffait déjà les épaules. Dans l'atmosphère lourde et étouffante, les maisons du quartier semblaient presque floues. Nouvelle journée de canicule en perspective.

— Amuse-toi bien, lui ai-je lancé, même si elle me manquait déjà.

Après m'avoir répondu d'un signe de tête, Jane s'est dirigée vers la voiture. En la voyant comme ça, j'ai su qu'elle pouvait encore faire tourner la tête de n'importe quel homme. Comment avais-je pu vieillir de trente ans alors que, sur elle, le temps n'avait pas eu la moindre prise ? Je n'en savais rien et je m'en fichais. Avant de pouvoir m'en empêcher, j'avais déjà murmuré :

— Tu es belle.

Un peu étonnée, Jane s'est retournée vers moi : elle devait se demander si elle avait bien entendu. J'imagine que j'aurais pu attendre sa réponse, mais j'ai fait ce qui me semblait le plus naturel du monde. Je me suis approché avant qu'elle détourne la tête et je l'ai embrassée délicatement, ses lèvres douces contre les miennes.

Ça n'avait rien à voir avec les baisers, fugaces et machinaux, que nous échangions ces derniers temps comme deux vieilles connaissances qui se saluent. Je ne me suis pas écarté. Elle non plus. Et notre baiser s'est mis à exister par lui-même. Quand nous avons fini par nous séparer et que j'ai vu le sourire de Jane, j'ai eu la certitude d'avoir fait exactement ce qu'il fallait.

11.

Toujours envoûté par notre baiser dans l'allée, j'ai sorti la voiture et entamé ma journée. Après un petit crochet par l'épicerie, je suis arrivé à Creekside mais, au lieu de me rendre directement à l'étang, je suis passé chez Noah.

Comme toujours, il régnait dans la résidence une forte odeur d'antiseptiques. Le carrelage multicolore et les larges couloirs me rappelaient l'hôpital. En longeant la salle de détente, j'ai vu que seules quelques places étaient occupées. Deux hommes faisaient une partie de dames, tandis que d'autres pensionnaires regardaient la télévision. Quant à l'infirmière, penchée au-dessus de son bureau, elle n'a même pas remarqué ma présence.

Le bruit de la télévision m'a accompagné jusqu'au bout du couloir et ç'a été un soulagement d'entrer chez Noah. Contrairement à la majorité des résidents, dont les chambres se ressemblent toutes plus ou moins, Noah a réussi à se recréer un petit univers personnel. Pendu au-dessus du rocking-chair, un tableau impressionniste d'Allie représente un étang au milieu d'un jardin en fleurs. Des dizaines de photos d'Allie et des enfants garnissent les étagères. D'autres sont accrochées au mur. Ce jour-là, le gilet bleu était posé au bout du lit. Dans un coin, on retrouve aussi le vieux bureau à cylindre qui était au fond de leur ancien salon. À l'origine, ce bureau appartenait au père de Noah et son âge se reflète bien dans les entailles, les rayures ou encore les taches d'encre des stylos plume que Noah affectionne particulièrement.

Je sais qu'il s'y installe souvent le soir, car les tiroirs du meuble abritent ses biens les plus précieux : le carnet manuscrit qui raconte son histoire d'amour avec Allie, ses journaux intimes reliés de cuir et jaunis par le temps, les centaines de lettres qu'il a envoyées à sa bien-aimée et le dernier billet qu'elle lui ait jamais écrit. Sans oublier quelques autres souvenirs : des fleurs séchées, des coupures de presse sur les expositions d'Allie, des cadeaux de ses enfants ou encore *Feuilles d'herbe* de Walt Whitman, l'édition qu'il avait emportée pendant la Seconde Guerre mondiale.

Par déformation professionnelle peut-être, je me demande ce qu'il adviendra de ces biens après la disparition de Noah. Comment distribuer ces trésors à ses quatre enfants ? La solution de facilité serait de les répartir équitablement entre les héritiers mais, là aussi, ça poserait des problèmes. Qui, par exemple, allait garder le fameux carnet chez lui ? Quel tiroir accueillerait les lettres ou les journaux intimes ? D'accord, on peut se partager les grands biens matériels, mais le cœur, lui, comment le diviser ?

Les tiroirs du bureau n'étaient pas fermés à clé. Même si Noah devait retrouver sa chambre un ou deux jours plus tard, j'ai emporté quelques petites choses qui lui manquaient sûrement à l'hôpital.

Comparé à l'air conditionné du bâtiment principal, la chaleur étouffante qui régnait dehors m'a aussitôt mis en sueur. La cour était déserte, comme d'habitude. En longeant l'allée de gravier, j'ai cherché la racine qui avait provoqué la chute de Noah, mais je ne l'ai pas trouvée tout de suite : tel un petit serpent qui s'étirait au soleil, elle dépassait du chemin, au pied d'un imposant magnolia.

Le ciel se reflétait dans le miroir de l'étang saumâtre et, pendant quelques instants, j'ai regardé les nuages dériver lentement à la surface de l'eau. Quand je me suis assis sur le banc, une légère odeur salée m'a envahi les narines. Très vite, le cygne est apparu au bout de l'étang et s'est approché de moi.

Après avoir ouvert le paquet de pain de mie extra, j'ai fait comme Noah : j'ai déchiqueté une tartine. En lançant un premier morceau dans l'eau, je me suis demandé si le vieil homme m'avait dit la vérité à l'hôpital. Est-ce que le cygne était resté à ses côtés pendant qu'il était à terre ? D'accord, il avait vu l'oiseau au moment de reprendre conscience : l'infirmière pouvait en témoigner. Mais de là à penser que le cygne avait veillé sur lui tout ce temps… Impossible d'en avoir la certitude mais, au fond de moi, j'y croyais.

En revanche, je n'étais pas prêt à sauter le pas comme lui. À mon avis, le cygne était resté parce que Noah s'en occupait et lui donnait à manger : l'animal sauvage était presque devenu un oiseau de compagnie. Rien à voir avec Allie ni avec son esprit. Moi, je n'arrivais pas à admettre ce genre de phénomène.

Le cygne ne prêtait aucune attention à mon bout de pain : il se contentait de me dévisager. Bizarre. Quand je lui en ai lancé un autre, il y a jeté un bref coup d'œil avant de recommencer à m'observer.

— Mange. Je n'ai pas que ça à faire, moi.

Ses pattes s'agitaient doucement dans l'eau, juste assez pour rester sur place.

— Allez ! ai-je murmuré avec insistance. Avant, tu mangeais ce que je te donnais.

J'ai lancé un troisième morceau à quelques centimètres à peine de l'animal. *Ploc !* Toujours aucune réaction du cygne.

— Tu n'as pas faim ?

Derrière moi, le système d'arrosage automatique s'est mis à pulvériser de l'eau à intervalles réguliers. Par-dessus mon épaule, j'ai jeté un œil à la chambre de Noah, mais un soleil aveuglant se reflétait dans ses fenêtres. Impuissant, j'ai lancé un quatrième morceau de pain. Sans plus de succès.

— Il m'a demandé de venir ici.

L'oiseau a tendu le cou vers moi, les plumes toutes hérissées. Soudain, je me suis aperçu que j'étais en train d'imiter le comportement inquiétant de Noah : je m'adressais à un cygne en partant du principe qu'il me comprenait.

En imaginant que c'était Allie ?

Bien sûr que non, me suis-je repris. Les gens parlent aux chiens et aux chats, ils parlent aux plantes, ils hurlent parfois devant un match à la télévision. Finalement, Jane et Kate ne devraient pas se faire autant de souci. Noah passe ses journées près de l'étang, alors que ce qui aurait dû les inquiéter, c'est qu'il ne se mette pas à parler au cygne.

Enfin bon… Parler, d'accord, mais croire qu'il s'agit d'Allie, ça, c'est autre chose. Et Noah, lui, en était intimement persuadé.

Les morceaux de pain que j'avais lancés avaient désormais disparu. Gorgés d'eau, ils s'étaient dissous dans l'étang mais le cygne, lui, continuait à m'observer. Allez ! Encore un bout de pain. Comme l'animal restait impassible, j'ai jeté un œil à la ronde pour vérifier que personne ne regardait. *Et pourquoi pas ?* ai-je fini par me dire, avant de me pencher vers lui :

— Il va bien. Je l'ai vu hier et j'ai parlé au médecin ce matin. Il rentre demain.

Le cygne a semblé réfléchir à ce que je lui expliquais et, quelques secondes plus tard, j'ai senti les poils de ma nuque se dresser quand l'oiseau a commencé à manger.

À l'hôpital, j'ai cru que je m'étais trompé de chambre.

Depuis que je connaissais Noah, je ne l'avais jamais vu regarder la télévision. Même s'ils avaient un poste chez eux, c'était surtout pour les enfants quand ils étaient petits et, à l'époque où je suis entré dans leur vie, ce téléviseur n'était pas souvent allumé. En fait, la famille préférait passer ses soirées sur le perron, à se raconter des histoires. Parfois, ils entonnaient une chanson, que Noah reprenait à la guitare. Sinon, ils se contentaient de discuter au son tranquille des criquets et des cigales. Quand les soirées commençaient à fraîchir, Noah allumait un feu de cheminée et les conversations repartaient de plus belle au salon. Les autres soirs, ils se plongeaient juste dans un bon livre, blottis au fond d'un canapé ou d'un rocking-chair. Pendant des heures, seul le bruissement des pages tournées venait troubler le silence : chacun s'évadait dans un univers différent même si, matériellement, ils n'étaient qu'à quelques centimètres les uns des autres.

On se croyait revenus à une époque révolue, au temps où la vie de famille comptait plus que tout et, moi, j'adorais participer à ce genre de soirée. Ça me rappelait les heures passées auprès de mon père quand il fabriquait ses maquettes de bateaux. Les gens considèrent la télévision comme un mode d'évasion mais, à vrai dire, elle n'a rien de serein ni d'apaisant. Noah, lui, s'était toujours débrouillé pour ne pas la regarder. Jusqu'à ce matin-là.

Quand j'ai poussé la porte de sa chambre, j'ai été assailli par le vacarme des haut-parleurs. Noah était assis sur son lit, les yeux rivés à l'écran. Moi, j'avais apporté les quelques affaires prises dans les tiroirs de son bureau.

— Bonjour, Noah.

Au lieu de me lancer sa réponse habituelle, il s'est tourné vers moi, le visage incrédule :

— Entre. Tu ne croiras jamais ce qu'ils sont en train de nous montrer.

Je me suis avancé dans la pièce.

— Qu'est-ce que vous regardez ?

— Aucune idée, a-t-il soufflé sans quitter l'écran des yeux. Une espèce de talk-show. J'ai cru que ce serait bon enfant, comme dans les émissions de Johnny Carson, mais ça n'a rien à voir. Tu ne devineras jamais de quoi ils parlent.

Aussitôt, j'ai pensé à une série de programmes racoleurs, le type d'émission qui me pousse toujours à me demander comment leurs producteurs réussissent encore à dormir la nuit. De toute évidence, Noah était tombé sur un de ces programmes-là. Inutile de connaître le thème du débat pour savoir ce qu'il avait vu : le plus souvent, on nous rabâche les mêmes sujets écœurants, racontés le plus trivialement possible par des invités dont le seul but doit être de passer à la télévision, quelle que soit la mauvaise image qu'on leur colle.

— Pourquoi avoir choisi une émission pareille ?

— Je ne savais même pas que ça avait commencé, m'a-t-il expliqué. Je voulais écouter les informations, il y a eu une page de publicité et, ensuite, ça. Quand j'ai vu ce qui se passait, je n'ai pas pu m'empêcher de regarder. Comme les badauds qui regardent un accident sur le bord de l'autoroute.

Je me suis assis sur le lit.

— À ce point ?

— Disons juste que je n'aimerais pas être jeune aujourd'hui. Notre société dégringole à vitesse grand V et, par bonheur, je ne serai plus là pour la voir s'écraser.

— Vous parlez comme les gens de votre âge, Noah, lui ai-je fait remarquer en souriant.

— Peut-être, mais ça ne veut pas dire que j'aie tort.

Désabusé, il a pris la télécommande. Quelques secondes plus tard, la chambre avait retrouvé sa sérénité.

J'ai posé sur le lit ce que je lui avais rapporté de Creekside.

— J'ai pensé que vous pourriez en avoir envie pour passer le temps. À moins, bien sûr, que vous ne préfériez regarder la télévision.

Quand Noah a vu la pile de lettres et le *Feuilles d'herbe* de Walt Whitman, son visage s'est radouci. À force d'être manipulées, les pages du recueil semblaient presque gonflées. Du bout du doigt, il en a caressé la couverture élimée.

— Tu es quelqu'un de bien, Wilson. J'imagine que tu reviens de l'étang.

— Quatre tartines ce matin.

— Comment allait-elle, aujourd'hui ?

Mal à l'aise, je ne savais pas quoi répondre.

— Je crois que vous lui manquez, ai-je fini par articuler.

Après avoir hoché la tête d'un air satisfait, il s'est redressé sur son lit.

— Alors Jane est de sortie avec Anna ?

— Elles doivent encore être sur la route. Il y a à peine une heure qu'elles sont parties.

— Et Leslie ?

— Elle les rejoint à Raleigh.

— Ça va vraiment être quelque chose. Enfin, je parle du week-end. Comment ça se passe de ton côté ? Avec la maison ?

— Pour l'instant, ça va. J'espère que tout sera prêt d'ici jeudi mais, *a priori*, ça devrait aller.

166

— Tu as prévu quoi aujourd'hui ?

Je lui ai expliqué mon programme de la journée, ce qui lui a tiré un sifflement d'approbation :

— Eh bien, on dirait que tu as du pain sur la planche.

— Je crois. Mais, jusqu'ici, j'ai eu de la chance.

— Exact. Sauf avec moi, bien sûr. Mon petit accident aurait pu tout gâcher.

— Quand je vous dis que j'ai eu de la chance...

Il a relevé le menton.

— Et ton anniversaire de mariage ?

Aussitôt, j'ai repensé aux dizaines d'heures passées à organiser cet anniversaire : tous les coups de téléphone, les allers-retours à la boîte postale et dans les différentes boutiques de la ville. J'avais préparé mon cadeau pendant mes moments perdus au bureau et à l'heure du déjeuner. J'avais longuement réfléchi à la meilleure façon de l'offrir à Jane. Mes collègues étaient au courant de mes projets, mais ils avaient juré de garder le secret. Et, surtout, ils m'avaient été d'une aide incroyable : jamais je n'aurais pu préparer ça tout seul.

— Je pensais à jeudi soir, ai-je annoncé. Apparemment, ce sera notre unique chance. Aujourd'hui, Jane n'est pas là. Demain, elle voudra sans doute vous rendre visite et, vendredi, Joseph et Leslie arrivent à la maison. Quant à samedi, c'est hors de question, bien sûr.

Je me suis tu un instant.

— J'espère juste que ça va lui plaire.

— Moi, à ta place, je ne me ferais aucun souci, m'a-t-il répondu en souriant. Même si tu avais été l'homme le plus riche du monde, tu n'aurais pas pu lui trouver de plus beau cadeau.

— J'espère que vous avez raison.

— Mais oui. À mon avis, le week-end ne pourrait pas mieux commencer.

Sa sincérité m'a mis du baume au cœur. J'étais ému de le voir aussi affectueux, malgré nos caractères si différents.

— C'est vous qui m'en avez donné l'idée, lui ai-je rappelé.

Noah a secoué la tête.

— Non, c'est toi qui as tout fait. Pour les cadeaux du cœur, seul celui qui les offre peut s'en attribuer le mérite.

Il a posé la main sur son cœur, histoire de bien insister là-dessus.

— Allie aurait adoré ce que tu as préparé. Elle versait toujours sa petite larme pour ce genre de chose.

J'ai croisé les mains sur mes genoux.

— J'aurais aimé qu'elle soit des nôtres ce week-end.

Noah a jeté un coup d'œil au paquet de lettres. J'ai compris qu'il pensait à Allie et, pendant un bref instant, il m'a paru étrangement plus jeune.

— Moi aussi, a-t-il soufflé.

Quand j'ai retraversé le parking, j'ai eu l'impression que la chaleur de l'asphalte me brûlait la plante des pieds. Au loin, les immeubles semblaient s'être liquéfiés et ma chemise trempée de sueur me collait à la peau.

Une fois au volant, j'ai pris la clé des champs par de petites routes désormais aussi familières que les rues de mon propre quartier. Dans la beauté austère de la campagne côtière, j'ai longé des fermes et des granges à tabac qui semblaient presque à l'abandon. Les exploitations étaient délimitées par des rangées de pins. Au loin, un tracteur soulevait derrière lui un nuage de terre et de poussière.

Depuis la route, on voyait parfois les eaux calmes de la Trent clapoter au soleil. Les berges étaient plantées de chênes ou de cyprès, dont les troncs blancs et les racines noueuses projetaient des ombres déformées. Leurs branches étaient parasitées par des paquets de mousse espagnole et, à mesure que les exploitations agricoles étaient mangées par la forêt, je me disais que ces arbres tentaculaires avaient déjà vu défiler les soldats de la guerre de Sécession.

À l'horizon, les rayons du soleil se sont reflétés sur un toit en tôle. Ensuite, j'ai aperçu la maison et, quelques minutes plus tard, j'étais chez Noah.

À l'observer depuis la route bordée d'arbres, la maison avait l'air abandonnée. Sur le côté : une grange, où Noah stockait son bois et ses outils. La peinture rouge des murs était défraîchie, il y avait des trous un peu partout et les tôles du toit avaient rouillé. Cet atelier, où Noah passait autrefois la majeure partie de son temps, se trouvait juste derrière la maison. Les portes battantes étaient de travers et les fenêtres disparaissaient presque sous les couches de poussière. Quelques mètres plus loin s'étalait la roseraie, désormais aussi touffue que les berges de la rivière. Le gardien n'avait pas tondu depuis un moment et l'ancienne pelouse avait pris des airs de prairie sauvage.

Une fois la voiture garée à côté de la maison, j'ai observé les lieux un instant, puis j'ai sorti les clés de ma poche et j'ai ouvert la porte. Aussitôt, les rayons du soleil ont envahi l'entrée.

Comme les fenêtres étaient bardées de planches, il faisait encore très sombre et je me suis promis de mettre en route le générateur avant de partir. Quand mes yeux se sont enfin habitués à l'obscurité, j'ai aperçu l'intérieur de la maison. Juste en face de moi, l'escalier qui conduit aux chambres à coucher. À gauche, une immense salle de séjour qui s'étend jusqu'à la terrasse de derrière. C'était sans doute là qu'on installerait les tables du dîner : il y aurait facilement de la place pour tout le monde.

La maison sentait la poussière et j'en voyais des traces sur les draps qui recouvraient le mobilier. Il faudrait rappeler aux ouvriers que chaque meuble était une pièce d'antiquité datant de l'époque où la maison a été construite. La cheminée était d'ailleurs incrustée de céramiques peintes à la main. Un jour, Noah m'avait raconté qu'au moment de remplacer les carreaux abîmés il avait été soulagé d'apprendre que le fabricant était toujours en activité. Dans un coin du salon, un piano, lui aussi recouvert d'un drap, avait fait la joie des enfants de Noah et celle de ses petits-enfants.

Il y a trois fenêtres de chaque côté de la cheminée. J'ai essayé de me représenter la pièce une fois terminée. En vain. J'avais imaginé à quoi je voulais la voir ressembler, j'en avais même parlé à Jane, mais entrer dans cette maison m'avait rappelé des souvenirs qui m'empêchaient de la voir aménagée autrement.

Combien de soirées Jane et moi avions passées là-bas avec Noah et Allie ? Impossible à calculer. En me concentrant, j'entendais presque nos rires et la douce mélodie de nos conversations.

Pourquoi étais-je allé chez Noah ? Sans doute parce que les événements de la matinée avaient ravivé en moi une impression déjà tenace, un mélange d'envie et de nostalgie. Même à cet instant-là, je sentais la douceur des lèvres de Jane contre les miennes, je savourais le goût de son rouge à lèvres. Les choses avaient-elles vraiment commencé à changer entre nous ? Moi, je voulais désespérément y croire, mais est-ce que je ne projetais pas sur Jane mes propres sentiments ? En fait, je n'étais certain que d'une chose : pour la première fois depuis longtemps, il y avait eu un moment, très bref, où Jane m'avait semblé aussi heureuse avec moi que, moi, je l'étais avec elle.

12.

J'ai passé le reste de la journée dans ma tanière, à téléphoner à droite et à gauche. J'ai appelé la société de nettoyage qui s'occupe de notre maison et je me suis arrangé avec eux pour qu'ils viennent récurer celle de Noah le jeudi. J'ai contacté l'homme qui avait décapé notre ponton au karcher : il viendrait le même jour, vers midi, histoire de redonner un coup de jeune à la façade. Quant à l'électricien, il vérifierait que le générateur, les prises de courant de la maison et les projecteurs de la roseraie étaient toujours en état de marche. J'ai aussi téléphoné à l'entreprise qui avait repeint les bureaux du cabinet un an plus tôt et ils m'ont promis d'envoyer une équipe pour rafraîchir les murs des pièces, ainsi que la clôture de la roseraie. Une société de location fournirait la tente et les tables, des chaises pour la cérémonie, le linge de maison, les verres et l'argenterie, le tout devant être livré le jeudi matin. Quelques employés du restaurant arriveraient un peu plus tard pour aménager la salle, ce qui nous laissait pas mal de temps avant le jour J. Nathan Little, lui, avait hâte d'entamer les transformations du jardin et, quand je l'ai eu au téléphone, j'ai appris qu'il avait déjà chargé sur son camion les plantes commandées à la pépinière. Il a aussi accepté que son personnel m'aide à entreposer dans la grange les meubles inutiles. Enfin, j'ai réglé le problème de la musique, que ce soit à la cérémonie ou à la réception : rendez-vous était pris le jeudi avec un accordeur de pianos.

Tout organiser en si peu de temps n'a pas été aussi compliqué qu'on aurait pu l'imaginer. Non seulement je connaissais bien la majorité des gens à contacter mais, en plus, j'avais déjà relevé ce genre de défi. À plus d'un titre, cette course effrénée me rappelait les travaux de la première maison que nous avions achetée, Jane et moi, après notre mariage. Loin d'être épargnée par les outrages du temps, cette vieille bâtisse mitoyenne avait besoin d'être rénovée de fond en comble, ce qui expliquait d'ailleurs pourquoi nous avions eu les moyens de nous l'offrir. Nous avons commencé le gros œuvre nous-mêmes mais, très vite, il a fallu nous en remettre au savoir-faire des menuisiers, des plombiers et des électriciens.

En attendant, nous n'avions pas perdu de temps à essayer de fonder une famille.

Nous étions tous les deux vierges le jour de notre mariage : moi, j'avais vingt-six ans et Jane vingt-trois. À la fois innocents et passionnés, nous avons découvert ensemble les plaisirs de l'amour et, petit à petit, nous avons appris à nous satisfaire l'un l'autre. En ce temps-là, même morts de fatigue, nous aimions passer nos soirées tendrement enlacés.

Nous n'avons jamais pris de précautions pour éviter une éventuelle grossesse. Moi, je croyais que Jane allait se retrouver tout de suite enceinte et, prévoyant, j'ai commencé à mettre de l'argent de côté. Pourtant, elle n'est pas tombée enceinte le premier mois de notre mariage. Ni le deuxième ni le troisième.

Au bout de six mois environ, elle a demandé conseil à Allie et, le soir même, quand je suis rentré du bureau, elle m'a dit que nous devions avoir une petite conversation. Comme la première fois, je l'ai rejointe sur le canapé et elle m'a expliqué ce qu'elle attendait de moi. Ce jour-là, au lieu de me demander de l'accompagner à l'église, elle voulait que je prie avec elle et c'est ce que j'ai fait. D'ailleurs, au fond de moi, je savais que c'était la bonne solution. Nous avons commencé à nous adresser ensemble au Seigneur et, plus nous priions, plus j'avais envie de prier. Pourtant, les mois passaient et Jane n'était toujours pas enceinte. J'ignore si elle craignait vraiment de ne pas pouvoir avoir d'enfant, mais je sais que ça la travaillait jour et nuit. À vrai dire, moi aussi, je finissais par me poser des questions. C'était un mois avant notre premier anniversaire de mariage.

Même si, au départ, je voulais demander des devis aux entrepreneurs et les rencontrer un par un pour décider lesquels termineraient la maison, je savais que Jane commençait à se lasser. Notre appartement était des plus étriqués et, comme l'excitation des projets de rénovation était retombée, je me suis fixé un but secret : emménager là-bas avec Jane avant notre premier anniversaire.

Ironie du sort, j'ai alors entrepris des démarches que j'allais répéter presque trente ans plus tard : j'ai passé des dizaines de coups de fil, j'ai supplié les gens de me rendre service et j'ai fait le nécessaire pour que tout soit prêt à temps. J'ai engagé du personnel, j'allais voir la maison midi et soir afin de suivre l'avancée des travaux et, au bout du compte, mon budget initial a littéralement explosé. Pourtant, j'étais émerveillé de voir à quelle vitesse la maison prenait forme. Les ouvriers allaient et venaient. Ils posaient les planchers. Ils installaient les placards, les éviers et les appareils ménagers. Ils remplaçaient les systèmes d'éclairage, ils posaient du papier peint et, moi, je voyais approcher lentement la date de notre anniversaire.

Une semaine avant le jour J, j'ai commencé à imaginer toutes sortes d'excuses pour tenir Jane à l'écart du chantier, car c'est dans la dernière ligne droite qu'une maison cesse d'être une coquille vide et se transforme en véritable foyer. Je voulais que ma femme se rappelle cette surprise jusqu'à la fin de sa vie.

— Je ne vois pas pourquoi on irait voir la maison ce soir, lui disais-je. Quand j'y suis passé aujourd'hui, l'entrepreneur n'était même pas là.

Ou encore :

— J'ai une tonne de travail à terminer et je préférerais me détendre ici avec toi.

Je ne sais pas si elle me croyait vraiment – et, à bien y réfléchir, je suis sûr qu'elle devait se douter de quelque chose –, mais elle n'insistait pas. Le jour de notre anniversaire, après un petit dîner romantique en ville, j'ai fait un crochet par notre nouvelle maison au lieu de rentrer directement à l'appartement.

Il était tard. C'était la pleine lune. Les cigales avaient entamé leur chant nocturne et l'air résonnait de leurs stridulations. Vue de l'extérieur, la maison n'avait pas changé. Des tonnes de débris envahissaient toujours le jardin, des pots de peinture s'entassaient près de la porte et le perron était gris de poussière. Jane a jeté un œil à la maison avant de se retourner vers moi, perplexe.

— Je veux juste vérifier les travaux, lui ai-je expliqué.

— Ce soir ?

— Pourquoi pas ?

— Eh bien, déjà, il fait noir là-dedans. On ne verra rien du tout.

— Allez ! ai-je insisté en sortant la torche électrique que j'avais cachée sous le siège. On ne restera pas longtemps si tu n'en as pas envie.

Une fois sorti de la voiture, j'ai aidé Jane à descendre. Après l'avoir guidée prudemment entre les tas de gravats et jusqu'au perron, j'ai ouvert la porte.

Malgré l'obscurité, l'odeur de moquette neuve était reconnaissable entre mille et, quelques secondes plus tard, quand j'ai allumé ma torche pour éclairer le séjour et la cuisine, Jane en est restée bouche bée. D'accord, tout n'était pas complètement terminé mais, de là où nous étions, on voyait déjà très bien que la maison était devenue habitable.

Jane était clouée sur place. Je lui ai pris la main.

— Bienvenue chez nous.

— Oh, Wilson !

— Joyeux anniversaire, ai-je murmuré.

Quand elle s'est tournée vers moi, son visage exprimait un mélange d'espoir et de confusion.

— Mais comment… Enfin, la semaine dernière, c'était encore loin de…

— Je voulais te faire la surprise. Mais, viens, j'ai encore quelque chose à te montrer.

174

Je l'ai emmenée à l'étage. Jusqu'à la grande chambre à coucher. Après avoir poussé la porte, j'ai braqué le faisceau de ma torche à l'intérieur et je me suis écarté pour que Jane puisse mieux voir.

La pièce abritait l'unique meuble que j'aie jamais acheté seul : un lit ancien à baldaquin. Comme à l'auberge de Beaufort, où nous avions passé notre lune de miel.

Jane est restée silencieuse et, soudain, j'ai eu peur d'avoir commis une erreur.

— Je n'en reviens pas, a-t-elle fini par bredouiller. C'est toi qui as eu cette idée ?

— Tu n'aimes pas ?

Son visage s'est illuminé de joie.

— J'adore, a-t-elle chuchoté. Mais je n'arrive pas à croire que tu y aies pensé. C'est presque… « romantique ».

Soyons franc, je n'avais pas vu les choses de cette manière : nous avions juste besoin d'un bon lit et, moi, j'avais choisi le seul style de mobilier qui lui plairait à coup sûr. Toutefois, en entendant le compliment, j'ai haussé le sourcil, comme pour lui dire : *Qu'est-ce que tu croyais ?*

Elle s'est approchée du lit, l'a caressé du bout du doigt. Puis elle s'est assise sur le rebord et, d'une petite tape sur le matelas, elle m'a invité à la rejoindre :

— Il faut qu'on parle.

En avançant vers elle, je n'ai pas pu m'empêcher de me rappeler les deux fois où elle avait prononcé la même phrase. Je croyais qu'elle allait me demander une autre faveur mais, quand je me suis assis, elle s'est penchée vers moi et m'a embrassé :

— Moi aussi, j'ai une surprise et j'attendais le bon moment pour te l'annoncer.

— Quoi ?

C'est à peine si elle a hésité une fraction de seconde :

— Je suis enceinte.

Je n'ai pas compris tout de suite mais, quand j'ai repris mes esprits, j'ai eu la certitude que sa surprise était encore meilleure que la mienne.

En début de soirée, alors que le soleil commençait à décliner et que la chaleur accablante de la journée se dissipait peu à peu, Jane a téléphoné à la maison. Après avoir demandé des nouvelles de Noah, elle m'a annoncé qu'Anna n'avait toujours pas trouvé sa robe et qu'elles passeraient donc la nuit à l'hôtel. J'ai eu beau lui dire que je m'y attendais, j'ai senti dans sa voix une pointe de frustration. En fait, elle semblait moins contrariée qu'exaspérée, ce qui m'a plutôt amusé : comment Jane arrivait-elle encore à s'étonner du comportement d'Anna ?

Après avoir raccroché, je suis allé à Creekside pour donner au cygne ses trois tartines de pain et, sur le chemin du retour, j'ai fait un saut au bureau.

Je me suis garé devant le cabinet, à ma place habituelle. Le Chelsea se trouve juste à quelques mètres de là. En face, il y a un petit square qui, chaque hiver, accueille le village du père Noël. Même si je travaille dans cet immeuble depuis trente ans, je n'en reviens toujours pas d'avoir sous les yeux tous les fondements historiques de notre État. Moi qui ai toujours été très attaché au passé, j'adore l'idée qu'en quelques pâtés de maisons, je puisse admirer la première église catholique construite en Caroline du Nord, visiter la première école publique pour découvrir l'éducation des colons, ou encore arpenter le Tryon Palace – ancienne résidence du gouverneur colonial –, qui se flatte aujourd'hui de posséder un des plus beaux jardins à la française du sud des États-Unis. Je ne suis pas le seul à être fier de ma ville : l'Association locale de défense du patrimoine est l'une des plus actives du pays et, presque à chaque coin de rue, des panneaux rappellent aux passants le rôle capital de New Bern aux premières heures de la nation.

Mes associés et moi possédons les murs du cabinet juridique mais, à mon grand regret, il n'existe aucune anecdote intéressante sur le passé de l'immeuble. Érigé vers la fin des années cinquante, à une époque où l'architecture se voulait juste fonctionnelle, le bâtiment est tout ce qu'il y a de plus terne. Un simple parallélépipède en brique construit sur un seul niveau. On y trouve les bureaux des quatre associés et de leurs quatre collaborateurs, trois salles de conférence, une pièce réservée aux archives et un hall d'accueil pour les clients.

Quand j'ai tourné la clé dans la serrure, une sonnerie m'a averti que l'alarme se déclencherait au bout d'une minute. J'ai composé le code qui désactivait le système et, après avoir allumé la lampe du hall, je suis allé à mon bureau.

Comme mes associés, je lui ai donné le petit côté formel auquel nos clients semblent s'attendre : une table en merisier foncé, une belle lampe en cuivre, un mur rempli de livres de droit et deux gros fauteuils en cuir devant le bureau.

En tant qu'expert en successions, j'ai parfois l'impression d'y avoir rencontré tous les spécimens de couples au monde. D'accord, la plupart d'entre eux sont très normaux, mais j'en ai déjà vu se battre comme des chiffonniers et, un jour, une femme a même versé du café bouillant sur les genoux de son mari. Plus d'une fois, j'ai eu la surprise de voir un homme m'entraîner à l'écart pour me demander si la loi l'obligeait à léguer quelque chose à sa femme ou s'il pouvait la déshériter complètement au profit de sa maîtresse. En fait, ces couples-là sont souvent bien habillés et je dois dire qu'au début du rendez-vous, je les trouve plutôt ordinaires mais, quand ils quittent le cabinet, je me demande ce qui peut bien se passer une fois qu'ils referment la porte de chez eux.

Muni de la bonne clé, j'ai ouvert le tiroir de mon bureau et j'ai sorti le cadeau de Jane pour le contempler quelques instants. Comment allait-elle réagir ? Moi, je pensais que ça lui ferait plaisir mais, plus que tout, je voulais qu'elle en comprenne la signification : une volonté sincère – bien que tardive – de m'excuser pour l'homme que j'avais été pendant une bonne partie de notre mariage.

Seulement, comme je l'avais déjà déçue à d'innombrables reprises, je ne pouvais pas m'empêcher de m'interroger sur sa réaction dans l'allée ce matin-là. Est-ce que ça n'avait pas été... disons, magique ? Ou alors est-ce que ce serait juste le fruit de mon imagination ?

J'ai jeté un coup d'œil à la fenêtre, sans trouver tout de

suite la réponse à ma question, mais, d'un seul coup, j'ai su que je n'avais pas rêvé. Non, d'une manière ou d'une autre, et peut-être même sans le faire exprès, je venais de retrouver ce qui m'avait aidé à la courtiser plus de trente ans auparavant. Moi, j'avais été le même depuis un an – un homme profondément amoureux de sa femme et bien décidé à tout tenter pour la garder –, mais un seul petit changement avait été décisif.

Cette semaine-là, je n'avais pas été obnubilé par mes problèmes. Je n'avais pas tenté l'impossible pour les résoudre. Non, depuis quelques jours, c'est à elle que j'avais pensé : je la soulageais de certaines responsabilités familiales, je l'écoutais d'une oreille attentive et tous nos sujets de discussion me paraissaient nouveaux. J'avais ri à ses plaisanteries, je l'avais épaulée dans les moments difficiles, je m'étais excusé de mes erreurs et je lui avais donné les preuves d'affection qu'elle recherchait, mais aussi qu'elle méritait. Bref, j'avais été l'homme qu'elle avait toujours voulu, l'homme que j'avais été autrefois et, comme si je redécouvrais les plaisirs d'une vieille habitude, je comprenais à présent qu'il me fallait juste ça pour que nous aimions à nouveau être ensemble.

13.

Quand je suis arrivé chez Noah le lendemain matin, j'ai eu la surprise de constater que les camions de la pépinière étaient déjà stationnés dans l'allée. Trois d'entre eux étaient remplis d'arbustes et de plantes, tandis qu'un quatrième était chargé de sacs d'aiguilles de pin à répandre sur les massifs de fleurs, au pied des arbres et le long de la clôture. Un semi-remorque transportait l'ensemble du matériel. Quant aux plantes à fleurs, il avait fallu trois pick-up entiers pour charger les plateaux.

Devant les camions, les ouvriers s'étaient rassemblés par groupes de cinq ou six. D'un rapide coup d'œil, j'ai vu qu'une quarantaine de personnes avait été mobilisée – et non trente, comme déjà promis par Little. Malgré la chaleur, tout le monde portait un jean et une casquette de baseball. Quand je suis descendu de voiture, Little s'est approché de moi, le sourire aux lèvres.

— Parfait. Tu es là ! m'a-t-il lancé en posant la main sur mon épaule. On n'attendait plus que toi. Maintenant, on peut commencer, hein ?

En quelques minutes, ils ont sorti les tondeuses, les outils et, très vite, l'air a résonné du ronflement des machines qui sillonnaient le jardin. Quelques ouvriers ont commencé à décharger les plantes, les massifs et les arbres, qu'ils entassaient dans des brouettes avant de les déposer aux emplacements prévus.

Pourtant, c'est la roseraie qui retenait surtout l'attention.

Un sécateur à la main, Little est allé rejoindre la dizaine d'employés qui l'attendait déjà là-bas. Pour moi, embellir ce jardin, c'était l'exemple type d'un travail qu'on ne sait pas par quel bout commencer mais Little, lui, s'est contenté d'attaquer le premier rosier en expliquant ce qu'il faisait. Autour de lui, les jardiniers l'ont regardé tailler l'arbuste, ils ont échangé quelques mots en espagnol puis, quand ils ont compris ce que leur patron voulait, ils se sont dispersés. Au fil des heures, la couleur naturelle des roses s'est retrouvée habilement mise en valeur à mesure qu'ils taillaient la masse des buissons. Comme Little avait exigé de détruire le moins de fleurs possibles, il a fallu beaucoup de ficelle pour tirer, attacher, plier et orienter les tiges dans le bon sens.

Étape suivante : la tonnelle. Une fois bien installé, Little a commencé à retailler les rosiers grimpants. Quand je lui ai montré où seraient placées les chaises des invités, il m'a répondu avec un clin d'œil :

— Des impatiens le long de l'allée centrale, c'est ça ?

J'avais à peine approuvé d'un signe de tête qu'il sifflait déjà entre ses doigts. Aussitôt, on a apporté des brouettes remplies de fleurs et, deux heures plus tard, j'admirais le résultat : un autel splendide, digne de figurer dans les magazines.

Pendant la matinée, le reste de la propriété a commencé à prendre forme. Une fois la pelouse tondue et les arbustes taillés, les ouvriers se sont attaqués aux piquets de clôture, aux allées et à la maison elle-même. L'électricien est venu brancher le générateur, tester les prises de courant et contrôler les projecteurs de la roseraie. Une heure plus tard, les peintres sont arrivés : six hommes en salopette de travail ont surgi d'une vieille camionnette et ils ont aidé l'équipe de jardiniers à entreposer les meubles dans la grange. À son tour, le ravaleur de façades s'est garé près de ma voiture. Le temps de décharger le matériel et, quelques minutes plus tard, un premier jet d'eau à haute pression s'écrasait sur le mur. Résultat : lentement mais sûrement, chaque planche de bois est passée du gris au blanc.

Une fois toutes les équipes en route, je suis allé prendre une échelle dans l'atelier : il fallait enlever les lattes qui empêchaient d'ouvrir les fenêtres, alors je me suis mis au travail. Il n'y avait pas de quoi s'ennuyer et la journée est passée très vite.

Vers quatre heures de l'après-midi, les jardiniers ont rechargé leurs camions avant de rentrer chez eux. Le ravaleur de façades et les peintres terminaient eux aussi ce qu'ils étaient en train de faire. Moi, j'avais retiré presque toutes les lattes de protection : il en restait encore quelques-unes à l'étage, mais je savais que je pourrais m'en occuper le lendemain matin.

Le temps que je stocke les planches à la cave, la maison était redevenue étrangement silencieuse et j'ai décidé de faire le tour du propriétaire.

Comme n'importe quel chantier en cours, tout avait l'air pire qu'avant le début des travaux. Le jardin était jonché d'outils. Des pots de fleurs vides étaient empilés par-ci par-là. Que ce soit à l'intérieur ou à l'extérieur de la maison, seule la moitié des murs avaient été nettoyés, ce qui m'a rappelé les réclames où un détergent promet toujours de laver plus blanc que son concurrent. Les déchets verts s'entassaient près de la clôture et, même si les cœurs externes de la roseraie étaient terminés, le centre du parterre était encore en friche.

Pourtant, je me sentais curieusement soulagé. Après cette bonne journée de travail, j'étais sûr que tout serait prêt à temps. Jane n'allait pas en croire ses yeux et, sachant qu'elle devait être sur le chemin du retour, j'ai décidé moi aussi de rentrer à la maison. Au même moment, j'ai aperçu Harvey Wellington, le pasteur, accoudé à la clôture qui séparait les deux propriétés. J'ai ralenti le pas pour aller le saluer. Le front luisant comme de la loupe d'acajou, il avait ses lunettes posées sur le bout du nez. Lui aussi, il avait l'air d'avoir passé la journée à travailler dehors. Quand je me suis approché, il a hoché la tête vers la maison.

— À ce que je vois, on se prépare pour le grand week-end.

— J'essaie.

— Pas mal de gens y travaillent en tout cas. Aujourd'hui,

on se serait cru sur un parking de supermarché. Vous avez embauché quoi ? Cinquante personnes ?

— À peu près.

Il a poussé un petit sifflement et on s'est serré la main.

— Ça va faire un sacré trou dans le porte-monnaie, non ?

— J'ai presque peur de recevoir les factures.

Il s'est mis à rire.

— Alors vous attendez combien d'invités ce week-end ?

— Une petite centaine, je crois.

— Belle fête en perspective. Je sais qu'Alma a hâte d'y être. Depuis quelques jours, elle n'arrête pas de parler de ce mariage. On trouve merveilleux que vous vouliez ainsi marquer le coup.

— C'est le moins que je puisse faire.

Pendant de longues secondes, il m'a regardé droit dans les yeux. Sans me répondre. Même si nous ne nous connaissions pas très bien, j'avais l'étrange impression qu'il me comprenait parfaitement. C'était un peu déconcertant, mais j'imagine que je n'aurais pas dû être surpris. Avec son métier de pasteur, on vient souvent lui demander conseil. Il a la gentillesse d'un homme qui a appris à écouter les gens et à compatir à leurs malheurs. Des centaines de fidèles doivent sans doute voir en lui un ami très cher.

Comme s'il savait à quoi je pensais, il a esquissé un sourire.

— Alors, à huit heures du soir ?

— Si on organisait ça plus tôt, je crois qu'il ferait trop chaud.

— De toute façon, il fera chaud, mais je ne crois pas que les gens y verront une différence.

D'un geste de la main, il m'a montré la maison.

— Je suis ravi que vous ayez enfin décidé de la rénover. C'est un endroit merveilleux. Depuis toujours.

— Je sais.

Il a enlevé ses lunettes pour en essuyer les verres sur un pan de sa chemise.

— Moi, je vais vous dire, j'avais mal au cœur de voir ce

qu'elle était devenue depuis quelques années. Tout ce qu'il lui fallait, c'était quelqu'un qui la reprenne en main.

Après avoir rechaussé ses lunettes, il m'a lancé un petit sourire.

— C'est drôle, mais vous avez déjà remarqué que, plus on tient à quelque chose, plus ça nous semble acquis ? Comme si on était sûr que les choses n'allaient jamais changer. C'est exactement ce qui est arrivé à cette maison. Si on lui avait accordé le peu d'attention qu'elle demandait, elle n'aurait jamais commencé à se détériorer.

Quand je suis repassé chez moi, il y avait deux messages sur le répondeur : l'un du docteur Barnwell, m'informant que Noah était rentré à Creekside, et l'autre de Jane, qui me donnait rendez-vous là-bas vers sept heures du soir.

Le temps que j'arrive à Creekside, tout le monde ou presque était reparti. Seule Kate était restée au chevet de son père. Quand je suis entré dans la chambre, elle a posé l'index sur sa bouche et s'est levée pour me dire bonjour.

— Il vient de s'endormir, a-t-elle chuchoté. Il devait être épuisé.

Surpris, j'ai jeté un coup d'œil à Noah. Depuis que je le connaissais, je ne l'avais jamais vu faire la sieste en pleine journée.

— Il va bien ?

— Il a un peu ronchonné, le temps qu'on le réinstalle ici, mais, sinon, ça avait l'air d'aller.

Puis Kate a gentiment tiré sur ma chemise.

— Alors dis-moi… Comment ça s'est passé à la maison aujourd'hui ? Je veux tout savoir.

Je lui ai raconté en détail l'avancée des travaux. Les yeux étincelants, elle devait essayer de s'imaginer le résultat.

— Jane va adorer, a-t-elle soufflé. Tiens, d'ailleurs, je l'ai eue au téléphone tout à l'heure. Elle voulait avoir des nouvelles de papa.

— Elles ont trouvé les robes ?

— Ça, je la laisse te l'annoncer en personne… Mais elle était surexcitée au bout du fil.

Kate a attrapé son sac à main, qu'elle avait pendu au dossier de la chaise.

— Écoute, il vaudrait mieux que j'y aille. J'ai passé l'après-midi ici et Grayson m'attend, a-t-elle expliqué en m'embrassant sur la joue. Prends bien soin de papa, mais essaie de ne pas le réveiller, d'accord? Il a besoin de dormir.

— Je ne ferai pas de bruit, lui ai-je promis.

J'allais m'asseoir près de la fenêtre quand j'ai entendu un murmure éraillé :

— Bonjour, Wilson. Merci d'être passé.

Quand je me suis retourné vers Noah, il m'a lancé un clin d'œil.

— Je croyais que vous dormiez.

— Eh non! m'a-t-il répondu avant de se redresser sur son lit. J'ai été obligé de jouer la comédie. Toute la journée, elle m'a traité comme un vrai bébé. Elle a même recommencé à me suivre aux toilettes.

J'ai éclaté de rire.

— Ce n'est pas ce que vous vouliez? Vous faire dorloter par votre fille chérie?

— Ah oui! C'est exactement ce qu'il me fallait. On me tournait moins autour quand j'étais à l'hôpital. À la voir aussi protectrice, on dirait que j'ai un pied dans la tombe et l'autre sur une peau de banane.

— Eh bien, vous tenez une forme olympique aujourd'hui. Vous devez vous sentir comme neuf, j'imagine?

— Ça pourrait aller mieux, a-t-il répondu en haussant les épaules. Mais ça pourrait aussi être pire. Disons que ma tête va bien, si c'est ce que tu veux savoir.

— Pas de vertiges? Pas de migraines? Peut-être que vous devriez quand même vous reposer un peu. Si vous voulez que je vous donne votre yaourt à la petite cuillère, n'hésitez pas.

Il a agité un doigt vers moi.

— Ah! Ne commence pas. J'ai de la patience, mais je ne suis pas un saint. Et je ne me sens pas d'humeur. Je suis resté cloîtré là-bas plusieurs jours sans pouvoir prendre l'air.

Il m'a montré son placard.

— Tu veux bien me donner mon gilet ?

J'avais déjà deviné où il avait envie d'aller.

— Il fait encore chaud dehors, vous savez.

— Donne-moi juste mon gilet. Et, si tu me proposes de m'aider à l'enfiler, je te préviens, tu pourrais bien te retrouver avec un œil au beurre noir.

Quelques minutes plus tard, nous avons quitté la chambre, un pain de mie sous le bras. À chaque pas, Noah semblait se détendre un peu plus. Pour nous, Creekside resterait toujours un endroit impersonnel mais Noah, lui, y avait fait son petit nid et, à l'évidence, il s'y sentait bien. On voyait clairement qu'il avait aussi manqué aux autres pensionnaires : devant chaque porte ouverte, il adressait un bref salut à ses amis et promettait de revenir leur lire un peu de poésie.

Comme il avait refusé que je lui prenne le bras, je marchais juste à côté de lui. Sa foulée n'était pas aussi assurée que d'habitude et j'ai attendu qu'on soit dehors pour le juger capable de se débrouiller seul. À la vitesse où nous allions, nous avons quand même mis un moment à rejoindre l'étang et j'ai eu tout le loisir de vérifier que la racine avait bien été enlevée. Kate avait-elle dû le rappeler à un de ses frères ou est-ce qu'il s'en était souvenu lui-même ?

Une fois assis sur le banc, nous avons scruté l'étang. Pas de cygne à l'horizon. Supposant qu'il devait se cacher dans les herbes, je me suis calé au fond de mon siège. Noah, lui, a commencé à déchiqueter une première tartine.

— Je t'ai entendu parler de la maison à Kate. Comment vont mes roses ?

— Ce n'est pas encore fini, mais vous allez adorer le travail des jardiniers.

Il empilait les morceaux de pain sur ses genoux.

— Cette roseraie me tient beaucoup à cœur. Elle a presque ton âge.

— Ah bon ?

— J'ai planté les premiers pieds en avril 1951. Bien sûr, il a fallu en remplacer la plupart au fil des ans, mais c'est à cette époque-là que j'en ai eu l'idée et que j'ai commencé à l'aménager.

— Jane m'a dit que vous en aviez fait la surprise à Allie. Pour lui montrer à quel point vous l'aimiez.

— Là, tu n'as que la moitié de l'histoire, a-t-il grogné. Mais ça ne m'étonne pas que Jane voie les choses de cette manière. J'ai l'impression qu'aux yeux de mes filles, j'ai passé ma vie à être fou amoureux d'Allie.

— Vous voulez dire que ce n'est pas vrai ? ai-je lancé d'un air faussement choqué.

Il a éclaté de rire.

— Presque. On se disputait de temps en temps, comme tous les couples. Sauf que, nous, on était très doués pour la réconciliation. Enfin, en ce qui concerne la roseraie, disons qu'elles ont à moitié raison. Au moins sur le début.

Il a posé ses bouts de pain à côté de lui.

— Je l'ai plantée à l'époque où Allie attendait Jane. Pendant sa grossesse, elle était tout le temps malade. Je croyais que ça passerait au bout de deux ou trois semaines, mais non. Certains jours, elle pouvait à peine sortir du lit et, avec l'été qui approchait, la situation ne pouvait qu'empirer. J'ai donc décidé de lui offrir un joli spectacle qu'elle puisse contempler depuis sa fenêtre.

Il a levé les yeux vers les rayons aveuglants du soleil.

— Tu savais qu'au départ, il n'y avait pas cinq cœurs mais un seul ?

— Ah bon ?

— Ce n'était pas prévu, bien sûr, mais, à la naissance de Jane, j'ai commencé à me dire que le premier cœur avait vraiment l'air maigrichon. Il fallait planter d'autres rosiers pour l'étoffer un peu, mais j'en avais tellement bavé la première fois que je n'ai pas arrêté de remettre ça à plus tard. Le temps que je me décide enfin, Allie était retombée enceinte. Quand elle m'a vu faire, elle l'a associé à l'arrivée de notre deuxième enfant et elle a trouvé que c'était le plus beau des cadeaux. Alors, après ça, impossible d'arrêter. Voilà où je veux en venir quand je te dis qu'elles ont à moitié raison. Le premier cœur est peut-être parti d'une intention romantique mais, au dernier, c'était plutôt devenu une corvée. Non seulement pour les planter, mais aussi pour les entre-

186

tenir. Les rosiers, ce n'est pas une partie de plaisir. Quand ils sont jeunes, ils poussent comme des champignons, mais il faut sans cesse les tailler de manière à leur donner la bonne forme. Chaque fois qu'ils commençaient à fleurir, je devais ressortir mon sécateur pour réussir à les domestiquer et, pendant longtemps, j'ai eu l'impression que ce bout de jardin ne ressemblerait jamais à rien. En plus, ça faisait mal. Les rosiers avaient de sacrées épines. J'ai passé des années les mains bandées comme une momie.

— Moi, je parie qu'Allie était ravie du résultat, ai-je répondu en souriant.

— Ah oui ! Enfin, au début. Jusqu'à ce qu'elle me demande de tout arracher.

J'ai d'abord cru que j'avais mal entendu mais, à voir le visage de Noah, je ne m'étais pas trompé et je me suis rappelé la mélancolie qui se dégageait parfois des tableaux de ce jardin.

— Pourquoi ?

Après avoir levé les yeux au ciel, Noah a laissé échapper un soupir :

— Même si elle adorait la roseraie, elle me disait que c'était trop dur de l'avoir sous les yeux. Dès qu'elle regardait par la fenêtre, elle fondait en larmes. Quelquefois, sans avoir l'air de pouvoir s'arrêter.

Au bout de quelques secondes, j'ai enfin compris pourquoi.

— À cause de John, ai-je murmuré.

Leur cinquième enfant était mort d'une méningite à l'âge de quatre ans. Comme Noah, Jane ne m'en parlait presque jamais.

— Sa disparition a failli la tuer… Et elle a failli me tuer moi aussi. C'était un garçon si adorable. À cet âge-là, il commençait à découvrir le monde. Tout était nouveau et excitant. Même si c'était le dernier de la famille, il essayait toujours de suivre les grands. Il leur courait après dans le jardin. Et il avait une santé de fer. Avant de tomber malade, il n'avait guère eu qu'une otite ou un gros rhume. C'est pour ça qu'on a été si choqués. Un jour, il jouait encore dehors et, la semaine suivante, on allait à son enterrement.

187

Allie ne pouvait rien avaler, ni fermer l'œil. Et, quand elle ne pleurait pas, elle errait comme une âme en peine. Moi, j'ignorais si elle allait pouvoir s'en remettre. C'est à cette époque-là qu'elle m'a demandé d'arracher la roseraie…

Sa voix s'est brisée. Je n'ai pas répondu tout de suite. Comment imaginer la douleur de perdre un enfant ?

— Pourquoi ne pas l'avoir fait ?

— J'ai pensé qu'elle avait dit ça sous le coup du chagrin, a-t-il murmuré. Et je n'étais pas sûr qu'elle en ait vraiment envie. Peut-être juste que, ce jour-là, la douleur était trop insupportable. Alors j'ai attendu. Si elle me l'avait redemandé, j'aurais obéi. Ou je lui aurais proposé d'enlever seulement le dernier cœur, au cas où elle aurait voulu garder le reste. Mais, en fin de compte, elle ne m'en a plus reparlé. Après ? Eh bien, elle s'est beaucoup inspirée de la roseraie dans sa peinture, mais ce n'était plus pareil. Quand John nous a quittés, ce jardin n'a plus jamais été une source de bonheur. Même quand Kate s'y est mariée, Allie éprouvait des sentiments partagés.

— Vos enfants savent pourquoi il y a cinq cœurs ?

— Au fond d'eux, peut-être. Auquel cas, ils ont fait le rapprochement tout seuls. Ni Allie ni moi n'aimions parler de ça. Après la mort de John, c'était plus facile de considérer la roseraie comme un seul cadeau, plutôt qu'une série de cinq. Et c'est ce qui est arrivé. Les enfants ont grandi et, quand ils ont commencé à nous poser des questions, Allie leur a juste raconté que je l'avais plantée pour elle. Donc, à leurs yeux, ça restera toujours un geste romantique.

Du coin de l'œil, j'ai vu le cygne apparaître et glisser vers nous. Bizarre qu'il ne soit pas venu plus tôt. Où avait-il bien pu passer ? J'ai cru que Noah allait tout de suite lui jeter un bout de pain. Au lieu de quoi, il s'est contenté de le regarder approcher. Arrivé à notre hauteur, le cygne a nagé sur place un court instant puis, à mon grand étonnement, il est monté sur la berge.

Quelques secondes plus tard, il se dandinait vers nous. Noah a tendu la main et l'oiseau s'est laissé caresser. Tandis qu'il lui parlait doucement, j'ai soudain compris que le vieil homme avait aussi manqué au cygne.

Noah lui a donné à manger et, ensuite, je suis resté bouche bée quand j'ai vu le cygne se blottir à ses pieds. Exactement comme il me l'avait raconté un jour.

Une heure plus tard, les nuages se sont amoncelés. Lourds et compacts, ils annonçaient le genre d'orage d'été qui éclate souvent par ici : vingt minutes de pluie battante, avant que le ciel s'éclaircisse peu à peu. Le cygne avait replongé dans l'étang et j'allais proposer à Noah de rejoindre la résidence quand la voix d'Anna a retenti derrière nous :

— Bonjour, grand-père ! Bonjour, papa ! Comme vous n'étiez pas dans la chambre, on s'est dit que vous seriez sans doute ici.

Quand je me suis retourné, j'ai vu arriver une Anna toute guillerette. Jane, elle, traînait les pieds quelques mètres plus loin, le sourire un peu forcé. En fait, l'étang était le seul endroit où elle redoutait de trouver son père.

— Bonjour, ma chérie, ai-je répondu.

Je me suis levé et Anna m'a serré très fort dans ses bras.

— Comment ça s'est passé aujourd'hui ? Tu as ta robe ?

Incapable de contenir son enthousiasme, elle a relâché son étreinte.

— Tu vas l'adorer ! s'est-elle exclamée en me pressant le bras. Elle est parfaite.

Entre-temps, Jane nous avait rejoints et, après Anna, j'ai enlacé ma femme le plus naturellement du monde. Elle avait la peau douce et tiède – comme une présence rassurante à mes côtés.

— Viens par ici, Anna ! a lancé Noah. Raconte-moi en détail tous les préparatifs du week-end.

Anna s'est assise à ses côtés et lui a pris la main.

— C'est fantastique ! Je n'aurais jamais cru que je m'amuserais autant. On a dû retourner une dizaine de boutiques. Et tu devrais voir Leslie ! Elle aussi, on lui a trouvé une robe à tomber par terre.

J'ai emmené Jane à l'écart, tandis qu'Anna racontait à

Noah le tourbillon des deux derniers jours. À mesure qu'elle passait d'une histoire à l'autre, elle lui donnait des petits coups de coude espiègles ou elle lui pressait la main. Malgré les soixante ans qui les séparaient, leur complicité sautait aux yeux. Même si les grands-parents entretiennent souvent des relations privilégiées avec leurs petits-enfants, Noah et Anna étaient manifestement amis et mon orgueil de père s'est senti flatté par la jeune femme qu'Anna était devenue. Au regard attendri de Jane, je voyais bien qu'elle était du même avis et, moi qui ne l'avais pas fait depuis des années, j'ai lentement passé mon bras autour de sa taille.

Je ne savais pas trop à quoi m'attendre (l'espace d'une seconde, Jane a presque eu l'air surprise) mais, quand je l'ai sentie se détendre, j'ai eu l'impression que tout était pour le mieux dans le meilleur des mondes. Avant, je ne trouvais jamais mes mots dans ce genre de circonstances. Au fond de moi, je craignais peut-être d'atténuer la force de mes sentiments en les exprimant à voix haute. Seulement, là, j'ai vu combien j'avais eu tort de me taire et, au creux de son oreille, je lui ai murmuré ce que je n'aurais jamais dû garder pour moi :

— Je t'aime, Jane, et, avec toi, je suis l'homme le plus heureux du monde.

Même si ma femme n'a pas soufflé mot, sa façon de se blottir contre moi a répondu à sa place.

Une demi-heure plus tard, l'écho puissant du premier coup de tonnerre a presque fait vibrer le ciel. Après avoir reconduit Noah à sa chambre et dit au revoir à Anna sur le parking, je suis rentré à la maison avec Jane.

Derrière le pare-brise, le soleil réussissait encore à percer la masse des nuages : il dessinait les ombres du centre-ville et donnait à la rivière des reflets dorés. Le regard perdu à l'horizon, Jane était d'un silence étonnant et je me suis surpris à l'observer du coin de l'œil. Elle avait les cheveux sagement placés derrière les oreilles et son chemisier rose donnait à sa peau un éclat juvénile. À son doigt brillait la

190

bague qu'elle portait depuis presque trente ans, une bague de fiançailles en diamants jumelée à un petit anneau d'or.

Nous sommes arrivés dans notre quartier. Quelques minutes plus tard, j'ai garé la voiture devant la maison et Jane est sortie de sa torpeur, un faible sourire aux lèvres :

— Désolée de ne pas avoir fait la conversation. Je crois que je suis un peu fatiguée.

— Aucun problème. Je sais que la semaine est plutôt chargée.

Je me suis occupé de sa valise. Jane a lâché son sac à main sur la table de l'entrée.

— Un verre de vin ?

Elle a étouffé un bâillement :

— Non, pas ce soir. Je crois que, si j'avale une goutte d'alcool, je vais m'endormir sur-le-champ. En revanche, je boirais bien un peu d'eau.

Je suis allé au réfrigérateur pour nous remplir deux verres d'eau et de glaçons. Après en avoir avalé une longue gorgée, Jane s'est adossée au plan de travail, la jambe calée – comme d'habitude – contre le placard de la cuisine :

— J'ai les pieds en compote. On n'a presque pas arrêté de la journée. Anna a bien dû regarder deux cents robes avant de trouver la bonne. D'ailleurs, c'est Leslie qui a déniché cette perle rare. Je crois qu'elle commençait à désespérer. Anna doit être l'une des personnes les plus indécises que j'aie jamais vues.

— Parle-moi de la robe.

— Oh ! Tu devrais la voir sur Anna. Une vraie robe de sirène, qui met parfaitement sa silhouette en valeur. Il faut encore quelques retouches, mais Keith va adorer.

— Je parie qu'Anna est ravissante là-dedans.

— Ah, ça oui.

À en croire son visage songeur, elle revoyait sa fille en future mariée.

— Je te la montrerais bien, mais Anna ne veut pas que tu la voies avant ce week-end. Elle a envie de te faire la surprise.

Jane s'est tue un instant.

— Et toi de ton côté ? Est-ce que quelqu'un est venu à la maison ?

— Tout le monde, ai-je répondu avant de lui raconter ma journée en détail.

— Incroyable, a-t-elle soufflé en se resservant un verre d'eau. Enfin, quand on pense que ça s'est décidé à la dernière minute…

Derrière les baies vitrées, on apercevait le ponton. Sous un ciel assombri de gros nuages, les premières gouttes de pluie ont commencé à frapper les carreaux. Doucement au début. La rivière était grise et menaçante. Quelques secondes plus tard, un éclair a déchiré le ciel, le tonnerre a suivi et il s'est mis à pleuvoir pour de bon. Jane s'est tournée vers la fenêtre tandis que, dehors, l'orage se déchaînait.

— Tu sais s'il va pleuvoir samedi ?

Jane avait l'air étrangement serein alors que, moi, je m'attendais à la voir plus inquiète. J'ai repensé à son calme dans la voiture et je me suis aperçu qu'elle n'avait rien dit sur la présence de Noah à l'étang. À bien la regarder, j'avais la curieuse impression qu'Anna y était pour quelque chose.

— Normalement non. La météo prévoit du beau temps. Après ce soir, on devrait être tranquilles.

Sans dire un mot, nous avons regardé la pluie tomber. Mis à part le crépitement des gouttes d'eau, tout était silencieux. Les yeux dans le vague, Jane a esquissé un sourire.

— Charmant, non ? De regarder la pluie ? On le faisait souvent chez mes parents, tu te rappelles ? Quand on s'asseyait sur le perron ?

— Je me souviens.

— C'était agréable, hein ?

— Très.

— Ça ne nous était pas arrivé depuis des années.

— Non.

Elle avait l'air perdue dans ses pensées et j'ai prié le ciel que cette impression de calme retrouvé ne se transforme pas en une mélancolie tristement familière. Par chance, son visage est resté le même et, au bout d'un moment, elle m'a jeté un bref coup d'œil avant de baisser à nouveau la tête.

— Il s'est passé autre chose, aujourd'hui.

— Oui?

En relevant le menton, elle a croisé mon regard. Ses yeux semblaient étinceler de larmes.

— Je ne pourrai pas m'asseoir à côté de toi au mariage.

— Ah bon?

— Impossible. Je serai devant avec Anna et Keith.

— Pourquoi?

Jane a posé la main sur son verre.

— Parce qu'Anna m'a demandé d'être son témoin.

Sa voix tremblait un peu.

— Elle m'a dit que j'étais la personne la plus proche d'elle, que j'avais fait tant de choses pour elle et pour le mariage...

Après un petit battement de cils, elle a reniflé discrètement.

— D'accord, c'est idiot mais, quand elle m'a posé la question, j'ai été si surprise que j'ai à peine su quoi répondre. L'idée ne m'avait même pas effleurée. Anna était si adorable quand elle me l'a demandé. Ça avait l'air vraiment important pour elle.

Elle a essuyé une larme et, moi, j'ai senti ma gorge se serrer. Dans le Sud, il arrive assez souvent qu'un père soit le témoin du marié, mais il est bien plus rare qu'une mère se voit accorder le même privilège.

— Oh, ma chérie, ai-je murmuré. C'est merveilleux. Je suis si heureux pour toi.

Un autre éclair. Un autre coup de tonnerre. Sauf que nous nous en sommes à peine rendu compte. D'ailleurs, l'orage était fini depuis longtemps que nous étions encore dans la cuisine, à partager notre joie en silence.

Quand la pluie a cessé pour de bon, Jane a rouvert les baies vitrées et elle est sortie dans le jardin. Tandis que les rambardes et les gouttières dégoulinaient encore un peu, de petits nuages de vapeur s'élevaient du ponton.

Au moment de lui emboîter le pas, j'avais le dos et les bras tout endoloris par les efforts de la journée. J'ai roulé un peu les épaules pour essayer de les assouplir.

— Tu as dîné? m'a demandé Jane.

— Pas encore. Tu veux qu'on sorte manger un morceau ?

Elle a refusé d'un signe de tête :

— Pas vraiment. Je suis plutôt sur les rotules.

— Et si on se faisait livrer pour fêter ça ? Un truc simple ? Quelque chose de… marrant.

— Comme quoi ?

— Pourquoi pas une pizza ?

Jane a planté les poings sur les hanches.

— On n'a pas commandé de pizza depuis que Leslie a déménagé.

— Je sais, mais ça m'a l'air d'être une bonne idée, non ?

— C'est toujours une bonne idée. Sauf qu'à chaque fois, tu attrapes une indigestion.

— Tu as raison mais, ce soir, j'ai envie de vivre dangereusement.

— Tu ne préfères pas que je nous prépare un petit quelque chose ? Je suis sûre qu'il doit rester de quoi au congélateur.

— Allez ! ai-je insisté. Ça fait des années qu'on n'a pas partagé de pizza. Enfin, rien qu'à deux. On va s'installer sur le canapé, on mangera directement dans la boîte. Tu sais ? Comme avant. Ce sera marrant.

Elle m'a lancé un regard perplexe.

— Tu as envie de faire un truc… marrant.

C'était moins une question qu'une constatation.

— Oui.

— Alors tu commandes ou tu préfères que je m'en charge ?

— Je m'en occupe. Tu veux quoi comme garniture ?

Elle y a réfléchi quelques instants.

— Et si on prenait la pizza du chef ?

— Pourquoi pas ?

La pizza est arrivée une demi-heure plus tard. Entre-temps, Jane avait enfilé un jean et un tee-shirt sombre. Nous avons avalé notre pizza comme au bon vieux temps de l'université. Alors qu'elle avait refusé de prendre un verre de vin, on a fini par se partager une bière bien fraîche.

Pendant le repas, elle a continué à me raconter sa journée. Elles avaient passé la matinée à chercher les robes des demoiselles d'honneur parce que, même si Jane pensait « s'acheter un petit truc tout simple », Anna, elle, s'était montrée catégorique : Jane et Leslie devaient se choisir une toilette de rêve… qu'elles pourraient remettre facilement.

— Leslie a trouvé une tenue très élégante qui lui arrive au genou. Une sorte de robe de cocktail. C'était si joli sur sa sœur qu'Anna a aussi voulu l'essayer, juste pour s'amuser.

Jane a laissé échapper un soupir :

— Nos filles sont vraiment devenues de belles jeunes femmes.

— Elles ont hérité ça de toi, ai-je répondu, très sérieux.

La bouche pleine, Jane s'est contentée de rire en me faisant un signe de la main.

Quand la nuit est tombée, le ciel a pris des reflets bleu indigo et, au clair de lune, les nuages se sont bordés de fils d'argent. À la fin du dîner, nous sommes restés assis à écouter le carillon tinter dans la brise d'été. Jane a renversé la tête sur le canapé, ses yeux mi-clos posés sur moi, le regard étrangement aguichant.

— C'était une bonne idée. J'avais plus faim que je ne croyais.

— Tu n'as pas mangé tant que ça.

— Mais il faut encore que je rentre dans ma robe ce week-end.

— Moi, à ta place, je ne me ferais aucun souci. Tu es aussi belle que le jour de notre mariage.

Devant son sourire crispé, j'ai vite compris que j'avais eu une parole malheureuse. D'un seul coup, Jane s'est tournée vers moi :

— Wilson ? Je peux te poser une question ?

— Bien sûr.

— Je veux savoir la vérité.

— Qu'y a-t-il ?

Elle a hésité un instant :

— C'est à propos de ce qui s'est passé à l'étang aujourd'hui. *Le cygne,* ai-je aussitôt pensé mais, avant de pouvoir lui expliquer que Noah m'avait demandé de l'emmener là-bas (et qu'il y serait allé avec ou sans moi), elle a continué :

— Tu pensais à quoi quand tu m'as dit ce que tu m'as dit ?

J'ai froncé les sourcils, perplexe :

— Je ne suis pas certain d'avoir bien compris.

— Quand tu m'as dit que tu m'aimais et que tu étais l'homme le plus heureux du monde.

Abasourdi, je l'ai dévisagée un moment.

— Je pensais ce que je disais.

— C'est tout ?

— Mais oui, ai-je soufflé, incapable de dissimuler mon trouble. Pourquoi ?

— J'essaie de comprendre ce qui t'a pris, m'a-t-elle répondu d'une voix blanche. Ça ne te ressemble pas d'être aussi spontané.

— Eh bien, j'ai juste eu l'impression que c'était le bon moment de le dire.

En entendant mon explication, elle a pincé les lèvres, le visage de plus en plus fermé. Après avoir levé les yeux au ciel, comme pour se donner du courage, elle m'a regardé bien en face.

— Est-ce que tu as une maîtresse ?

J'ai cligné les paupières.

— Quoi ?

— Tu m'as très bien entendue.

Je me suis soudain rendu compte qu'elle ne plaisantait pas. Elle essayait de lire sur mon visage le degré de sincérité de ma réponse. Aussitôt, j'ai pris sa main entre les miennes.

— Non, lui ai-je assuré, les yeux dans les yeux. Je n'ai pas de maîtresse. Je n'en ai jamais eu et je n'en aurai jamais. D'ailleurs, je n'en ai jamais eu envie.

Après m'avoir scruté attentivement, elle a hoché la tête :

— D'accord.

— Je suis très sérieux, ai-je renchéri.

Un sourire aux lèvres, elle m'a pressé la main.

— Je te crois. Je pensais bien que tu étais fidèle, mais il fallait que je te pose la question.

196

— Comment l'idée a-t-elle même pu te traverser l'esprit ? ai-je soufflé, estomaqué.

— À cause de toi. De ton comportement.

— Je ne comprends pas.

Elle m'a lancé un regard clairement inquisiteur.

— D'accord, mets-toi à ma place. D'abord, tu reprends le sport et tu perds du poids. Ensuite, tu décides de faire la cuisine et tu veux que je te raconte mes journées. Comme si ça ne suffisait pas, tu m'as été d'une aide incroyable cette semaine. À tous points de vue. Et voilà que tu commences à me dire des choses inhabituellement gentilles. Au début, j'ai pensé à une simple lubie. Ensuite, je me suis dit que c'était à cause du mariage. Mais là, eh bien, on dirait que, d'un seul coup, tu es devenu quelqu'un d'autre. Enfin, quoi… T'excuser de ne pas avoir été assez présent ? Me dire de but en blanc que tu m'aimes ? M'écouter parler de mes achats pendant des heures ? Commander une pizza pour faire un truc « marrant » ? D'accord, c'est génial, mais je voulais juste m'assurer que ça n'avait rien à voir avec de la culpabilité. Moi, je ne comprends toujours pas ce qui t'arrive.

J'ai secoué la tête.

— Non, je ne me sens pas coupable. Si ce n'est de trop travailler. Ça, ça me rend franchement malade. Mais, en ce qui concerne mon comportement, c'est juste que…

Quand je me suis arrêté au milieu de ma phrase, Jane s'est penchée vers moi.

— Juste que quoi ? a-t-elle insisté.

— Comme je te l'ai dit avant-hier, je n'ai pas été le meilleur des maris et… je ne sais pas… Je crois que j'essaie de changer.

— Pourquoi ?

Parce que je veux que tu recommences à m'aimer, ai-je aussitôt songé. Sans oser le dire à voix haute.

— Parce que, les enfants et toi, vous êtes les personnes les plus importantes de ma vie. Vous l'avez toujours été. Et moi, j'ai perdu trop de temps à agir comme si ce n'était pas le cas. Je sais que je ne peux pas changer le passé, mais je peux changer l'avenir. Je peux changer moi aussi. Et c'est ce que je ferai.

Elle a froncé les sourcils.

— Tu veux dire que tu vas arrêter de travailler si dur ?

En la voyant aussi sceptique, j'ai vraiment regretté l'homme que j'étais devenu.

— Si tu me demandais de prendre ma retraite sur-le-champ, ce serait d'accord.

Aussitôt, son regard s'est remis à briller.

— Tu vois ce que je veux dire ? Tu n'es pas toi-même en ce moment.

Même si elle me taquinait et qu'elle hésitait peut-être encore à me croire, j'ai su que mon discours lui avait fait plaisir.

— Et maintenant, ai-je repris, est-ce que je peux te poser une question moi aussi ?

— Pourquoi pas ?

— Anna va chez les parents de Keith demain soir. Leslie et Joseph arrivent vendredi. Alors je me disais que, demain, on pourrait peut-être s'organiser une petite soirée à nous.

— Comme quoi ?

— Et si… tu me laissais te faire la surprise ?

Jane m'a gratifié d'un gentil sourire.

— Tu sais que j'adore les surprises.

— Oui, je sais.

— Ce serait génial, m'a-t-elle répondu avec une joie non dissimulée.

14.

Le jeudi matin, je suis arrivé de bonne heure chez Noah, le coffre plein à ras bord. Comme la veille, la propriété était déjà envahie de camionnettes et, à l'autre bout du jardin, mon ami Nathan Little m'a fait signe qu'il viendrait me voir bientôt.

Après avoir garé la voiture à l'ombre, je me suis mis tout de suite au travail. Perché sur mon échelle, j'ai dégagé les fenêtres encore barricadées pour que le ravaleur de façades y ait libre accès.

Ensuite, j'ai porté les planches à la cave. J'avais à peine terminé qu'une équipe de nettoyage a envahi la maison. Comme les peintres avaient déjà investi le rez-de-chaussée, les cinq membres de l'équipe (armés de seaux, de serpillières, de chiffons et de produits ménagers) ont récuré la cuisine, l'escalier, les salles de bains, les fenêtres et les chambres. Du bon travail. Rapide et efficace. Ils ont aussi refait les lits avec les draps et les couvertures propres que je leur avais apportés. Pendant ce temps-là, Nathan disposait des bouquets de fleurs fraîches dans chaque pièce de la maison.

Une heure plus tard : arrivée de l'entreprise de location. Les livreurs ont déchargé des chaises pliantes blanches, qu'ils ont placées sur plusieurs rangs. Près de la tonnelle, on a creusé des trous afin d'y installer des pots de glycine. Les grappes de fleurs violettes ont été enroulées autour du treillage avant d'y être solidement attachées. Derrière la tonnelle, la roseraie autrefois en friche éclatait de couleurs vives.

Même si la météo prévoyait un ciel dégagé le jour de la cérémonie, j'avais loué une grande tente blanche pour que les invités soient protégés de la chaleur du soleil. Une fois la tente dressée, les jardiniers y ont planté d'autres pieds de glycine, qu'ils ont enroulés autour des piquets et tressés avec des guirlandes lumineuses.

Entre-temps, le spécialiste du nettoyage à haute pression a décrassé la fontaine de la roseraie. Peu après le déjeuner, j'ai ouvert le robinet et l'eau est tombée en douce cascade sur les trois niveaux de pierre.

L'accordeur est arrivé à son tour : il lui a fallu trois heures pour remettre en état un piano qui n'avait plus servi depuis des années. Ensuite, nous avons posé une série de micros spéciaux qui retransmettraient la musique jusqu'à l'autel et pendant la réception. Un autre jeu de haut-parleurs et de micros permettrait au pasteur d'être entendu durant l'office et diffuserait de la musique à travers toute la maison.

Installées dans la grande salle (sauf devant la cheminée, réservée à la piste de danse), les tables ont été drapées de nappes en lin. Des bougies neuves et des bouquets ont ensuite surgi comme par magie, si bien qu'à l'arrivée des serveurs du restaurant, il ne restait plus qu'à plier les serviettes en forme de cygne pour apporter la touche finale.

J'ai aussi rappelé à tout le monde que je voulais une petite table sur le perron et, en quelques minutes, c'était prêt.

Ultime raffinement : des pots d'hibiscus ornés de guirlandes lumineuses sont venus fleurir les quatre coins de la pièce.

Vers le milieu de l'après-midi, les choses ont commencé à se décanter. Les ouvriers rechargeaient leur matériel au fond des camions et l'équipe de nettoyage avait presque fini de déblayer le jardin. Pour la première fois depuis le lancement du projet, j'avais la maison à moi tout seul. Je me sentais bien. Même menées tambour battant, ces deux journées de travaux s'étaient déroulées sans heurt et, malgré l'absence de meubles, la propriété avait pris une allure régalienne qui me rappelait l'époque où elle était encore habitée.

Tandis que les camions quittaient un à un l'allée, je me suis dit que, moi aussi, je ferais mieux de rentrer. Après avoir passé la matinée chez la couturière et couru les magasins de chaussures, Jane et Anna avaient rendez-vous chez la manucure dans l'après-midi.

Est-ce que Jane repensait à notre petit rendez-vous du soir ? Vu l'excitation ambiante, c'était peu probable et, comme ma femme me connaissait par cœur, elle ne devait pas s'attendre à la surprise du siècle... malgré tout ce que je lui avais laissé entendre la veille. Ces dernières années, j'avais toujours eu le don de mettre la barre très bas, mais je ne pouvais pas m'empêcher d'espérer que ça rendrait ma surprise d'autant plus magique.

Quand j'ai regardé la maison, je me suis rendu compte que les mois passés à préparer notre anniversaire de mariage allaient bientôt porter leurs fruits. Ça n'avait pas été une mince affaire de garder le secret mais, à quelques heures à peine de la soirée, j'avais compris une chose : presque tout ce que je voulais pour Jane et moi s'était déjà produit. J'avais pensé que mon cadeau serait le signe d'un nouveau départ mais, à présent, il marquait surtout la fin d'un long voyage d'un an.

Une fois les ouvriers partis, j'ai refait le tour de la maison avant de reprendre ma voiture. Je suis passé à l'épicerie et je me suis encore arrêté plusieurs fois en route, le temps de récupérer ce dont j'avais encore besoin. Quand je suis arrivé à la maison, il était presque cinq heures. Après avoir remis un peu d'ordre, j'ai vite sauté sous la douche pour me débarrasser de la saleté de la journée.

Sachant que le temps m'était compté, je n'ai pas arrêté une minute pendant l'heure qui a suivi. Conformément à la liste que j'avais faite au bureau, je me suis attelé aux derniers préparatifs de la soirée. Une soirée à laquelle je pensais depuis des mois. Petit à petit, tout s'est mis en place. J'avais demandé à Anna de me prévenir dès la fin de leurs courses, histoire que je sache à peu près combien de temps il me restait. Quand elle m'a téléphoné, j'ai appris que Jane était à peine à un quart d'heure de la maison. Après avoir vérifié que tout était en ordre, j'ai terminé en collant un petit mot sur la porte d'entrée. Jane ne pouvait pas le rater :

— Bienvenue à la maison, chérie. Ta surprise t'attend à l'intérieur…

Puis j'ai pris ma voiture et je suis parti.

15.

Presque trois heures plus tard, j'ai regardé par la fenêtre de chez Noah et j'ai vu approcher les phares d'une voiture. Un coup d'œil à ma montre. Jane était pile à l'heure.

Tout en tirant sur les pans de ma veste, j'ai essayé de deviner l'état d'esprit de ma femme. Je n'avais pas accueilli Jane à la maison, mais j'ai tenté d'imaginer la scène. Est-ce qu'elle avait été étonnée de ne pas voir ma voiture dans l'allée ? Elle avait sans doute remarqué que les rideaux étaient tirés et elle s'était peut-être figée quelques instants, perplexe ou même intriguée.

Je la voyais descendre de voiture les bras chargés de paquets : si elle n'avait pas encore trouvé sa robe, elle aurait au moins rapporté ses nouvelles chaussures. En tout cas, elle n'avait pas pu rater mon petit mot en haut des marches. Ses yeux avaient dû briller de curiosité.

Comment avait-elle réagi en lisant ce bout de papier ? Ça, je n'en savais rien. Un sourire déconcerté peut-être ? Elle devait se sentir d'autant plus perplexe que je n'étais pas à la maison.

Et qu'avait-elle pensé au moment d'ouvrir la porte, quand elle avait entendu le son plaintif de Billie Holiday et découvert un salon à peine éclairé par la lumière douce des bougies ? Combien de temps lui avait-il fallu pour remarquer le chemin de pétales de rose qui traversait la pièce et conduisait en haut de l'escalier ? Ou le deuxième mot que j'avais fixé à la rampe :

Ma chérie, cette soirée est la tienne, mais je te demande juste d'accepter les règles d'un petit jeu : je vais te donner une liste d'instructions, que tu devras exécuter au fur et à mesure.

La première consigne est simple : souffle les bougies du rez-de-chaussée et suis les pétales de rose jusqu'à la chambre. D'autres instructions t'attendent là-bas.

Est-ce qu'elle est restée bouche bée de surprise ? Est-ce qu'elle a lâché un petit rire incrédule ? Ça, je ne pouvais pas le savoir mais, connaissant Jane, j'étais sûr qu'elle aurait envie de jouer le jeu. Quand elle est arrivée à la chambre, sa curiosité a dû être piquée au vif.

Dans la pièce, elle aussi remplie de bougies, s'égrenait doucement une ballade de Chopin. Un bouquet de trente roses était posé sur le lit. De chaque côté du bouquet : un joli paquet accompagné de son petit mot. L'enveloppe de gauche disait : « À ouvrir maintenant » et celle de droite : « À ouvrir à huit heures ».

Jane a dû s'avancer lentement vers le lit, approcher le bouquet de son visage pour en respirer le parfum capiteux et, quand elle a déplié la carte de gauche, voici ce qu'elle a lu :

Tu as eu une journée épuisante, alors je me suis dit que tu aimerais te détendre un peu avant notre rendez-vous de ce soir. Ouvre le cadeau attaché à la carte et emportes-en le contenu à la salle de bains. D'autres instructions t'attendent là-bas.

Si elle a jeté un coup d'œil par-dessus son épaule, elle a vu d'autres bougies briller dans la salle de bains mais, si elle a préféré ouvrir tout de suite son cadeau, elle y a trouvé un ensemble d'huiles parfumées, plusieurs lotions pour le corps et un peignoir en soie.

J'imagine qu'elle a joué avec le paquet de droite, celui qu'elle n'avait pas le droit d'ouvrir avant huit heures. Est-ce qu'elle s'était demandé si elle allait ou non suivre mes instructions ? Est-ce qu'elle avait caressé l'emballage et reposé la boîte sur le lit ? Ça, j'en étais presque sûr mais je savais

204

qu'en fin de compte, elle avait poussé un soupir et était partie à la salle de bains.

Un autre mot était affiché sur le vanity-case :

Qu'y a-t-il de mieux qu'un long bain chaud après une dure journée ? Prends l'huile parfumée de ton choix, ajoute du bain moussant et remplis la baignoire d'eau chaude. Juste à côté, tu trouveras une bouteille de ton vin préféré, bien fraîche et déjà débouchée. Verse-t'en un verre. Puis déshabille-toi, plonge dans la baignoire, renverse la tête en arrière et détends-toi. Quand tu seras prête à sortir, sèche-toi et utilise une des lotions que je viens de t'offrir. Ne t'habille pas. Enfile plutôt ton nouveau peignoir et assieds-toi sur le lit pour ouvrir le deuxième cadeau.

L'autre boîte contenait une robe de cocktail et une paire d'escarpins noirs, le tout acheté d'après la taille des vêtements qu'elle avait déjà dans ses placards. La carte qui accompagnait sa tenue de soirée était très simple :

Tu as presque terminé. Ouvre la boîte et mets ce que je t'ai acheté. Si tu en as envie, tu peux porter les boucles d'oreilles que je t'ai offertes à Noël le jour de notre premier rendez-vous. Ne traîne pas, mon amour : il te reste exactement quarante-cinq minutes pour te préparer. Souffle ensuite toutes les bougies, vide la baignoire et éteins la musique. À neuf heures moins le quart, descends sur le perron. Verrouille la porte derrière toi, ferme les yeux et reste dos à la rue. Quand tu te retourneras, ouvre les yeux, car notre soirée pourra alors commencer…

Dehors, une limousine l'attendait. Le chauffeur, à qui j'avais confié un autre paquet, avait consigne de dire :

— Madame Lewis ? Je vais vous conduire auprès de votre mari. Il veut que vous ouvriez ce cadeau dès que vous serez montée en voiture. Il vous a aussi laissé quelque chose à l'intérieur.

Le coffret qu'il lui avait remis contenait une bouteille de parfum, ainsi qu'un petit mot :

J'ai choisi ce parfum exprès pour l'occasion. Quand tu seras bien installée à l'arrière de la voiture, mets-en un peu et ouvre l'autre paquet. De nouvelles instructions te diront comment procéder.

Cette boîte-là servait d'écrin à un long foulard noir. Nichée dans un pli du tissu, la carte disait :

On va te conduire à l'endroit où je te retrouverai, mais je veux que ce soit une surprise. Sers-toi du foulard comme d'un bandeau et surtout, rappelle-toi, n'essaie pas de tricher. Le trajet durera moins d'un quart d'heure et le chauffeur démarrera dès que tu lui diras : « Je suis prête. » Au moment où la voiture s'arrêtera, il viendra t'ouvrir la portière. Garde ton bandeau et demande au chauffeur de t'aider à descendre.

Je t'attendrai là-bas.

16.

Quand la limousine s'est arrêtée devant la maison, j'ai pris une grande respiration. Une fois sorti de la voiture, le chauffeur a hoché la tête pour m'indiquer que tout s'était bien passé et, à mon tour, j'ai acquiescé nerveusement.

Depuis plusieurs heures, j'oscillais entre excitation et terreur à l'idée que Jane ait pu trouver tout ça… disons, stupide. Quand le chauffeur s'est dirigé vers la portière arrière, j'ai soudain senti ma gorge se serrer. Pourtant, les bras croisés, je me suis adossé à la rambarde du perron en essayant de prendre un air détaché. Sous le clair de lune laiteux, les criquets n'arrêtaient pas de chanter.

Le chauffeur a ouvert la portière. Jane a d'abord sorti une jambe puis, presque au ralenti, elle a émergé de la voiture, le bandeau toujours posé sur les yeux.

Moi, j'étais tout simplement fasciné. À la lumière de la lune, je l'ai vue esquisser un léger sourire. J'avais devant moi un mélange parfait d'exotisme et d'élégance. D'un geste de la main, j'ai indiqué au chauffeur qu'il pouvait s'en aller.

Pendant que la voiture s'éloignait, je me suis approché de Jane et j'ai pris mon courage à deux mains.

— Tu es ravissante, lui ai-je murmuré à l'oreille.

Elle s'est tournée vers moi, le sourire désormais plus franc :
— Merci.

Elle attendait que j'ajoute quelque chose mais, voyant que je ne disais rien, elle a commencé à se balancer d'un pied sur l'autre.

— Je peux enlever le bandeau maintenant ?

J'ai jeté un coup d'œil à la ronde : ça allait, rien ne clochait.

— Oui.

Elle a tiré sur le foulard, qui, aussitôt, s'est desserré et a glissé de son visage. Il lui a fallu quelques secondes pour retrouver ses marques : d'abord, elle m'a regardé, puis elle a levé les yeux vers la maison, avant de me dévisager à nouveau. Moi aussi, j'étais tiré à quatre épingles : mon smoking flambant neuf était parfaitement ajusté. Elle a cligné les paupières, comme si elle venait de se réveiller d'un rêve.

— Je me suis dit que tu voudrais voir à quoi ça ressemblerait ce week-end.

Elle a lentement pivoté sur les talons. Même de loin, la propriété semblait enchantée. Sous un ciel noir d'encre, la tente de réception éclatait de blancheur et les spots du jardin projetaient des ombres élancées tout en faisant ressortir les couleurs vives des roses. L'eau de la fontaine étincelait dans le clair de lune.

— Wilson… c'est… incroyable, a-t-elle bredouillé.

Je lui ai pris la main. Elle portait son nouveau parfum et ses boucles d'oreilles en diamant. Un trait de rouge à lèvres foncé soulignait sa bouche charnue.

Elle m'a dévisagé d'un air interrogateur.

— Mais comment ? Enfin, quoi, tu n'as eu que quelques jours.

— Je t'avais promis que ce serait magnifique. Comme l'a dit Noah, ce n'est pas tous les jours qu'on célèbre un mariage dans cette famille.

Quand Jane a enfin remarqué ma tenue, elle a reculé d'un pas.

— Tu portes un smoking…

— Je l'ai acheté pour ce week-end, mais je me suis dit qu'il fallait bien l'étrenner.

— Tu es… splendide, a-t-elle reconnu en me toisant de la tête aux pieds.

— Tu as l'air surprise.

— C'est vrai, a-t-elle lâché avant de se reprendre. Enfin,

208

je ne suis pas surprise que tu sois aussi beau. C'est juste que je ne m'attendais pas à te voir sur ton trente et un.

— Je le prends comme un compliment.

Elle s'est mise à rire.

— Allez ! a-t-elle lancé en me tirant par la main. Je veux voir de près tout ce que tu as fait.

Il faut l'admettre : la vue était vraiment magnifique. Posée entre les chênes et les cyprès, la tente de tissu léger resplendissait à la lumière des projecteurs. Placées en demi-cercle comme dans une fosse d'orchestre, les chaises blanches rappelaient la courbe du jardin en toile de fond. Quant à la tonnelle, elle brillait sous les guirlandes lumineuses et le feuillage coloré. En plus, il y avait des fleurs partout.

Jane a commencé à descendre lentement l'allée centrale : elle devait sans doute se représenter la foule des invités, l'arrivée d'Anna, ce qu'elle verrait depuis sa place de choix sous la tonnelle. Quand elle s'est retournée vers moi, elle semblait à la fois éblouie et incrédule :

— Je n'aurais jamais imaginé un tel résultat.

— Ils ont fait du bon travail, hein ?

Elle a secoué la tête d'un air grave.

— Non, pas eux. Toi.

En haut de l'allée, Jane a lâché ma main et s'est approchée de la tonnelle. Moi, un peu en retrait, je l'ai regardée caresser le bois sculpté et les guirlandes de lumière. Puis ses yeux se sont posés sur la roseraie.

— C'est exactement comme avant ! s'est-elle extasiée.

Tandis que Jane contournait la tonnelle, moi, j'ai admiré sa robe, parfaitement ajustée aux courbes que je connaissais si bien. Quel était le secret de cette femme pour réussir encore à me couper le souffle ? Sa personnalité ? Notre vie à deux ? Malgré les nombreuses années qui nous séparaient de notre première rencontre, Jane me faisait de plus en plus d'effet.

Une fois entrés dans la roseraie, nous avons longé le premier cœur concentrique. Derrière nous, l'éclat de la tente faiblissait peu à peu. La fontaine murmurait comme un ruisseau de montagne. Jane, elle, ne disait pas un mot : elle s'imprégnait juste du décor en jetant des petits coups d'œil par-dessus son épaule pour vérifier que je n'étais pas loin. Quand nous sommes arrivés au bout du jardin, nous ne voyions plus que le sommet de la tente. Jane s'est arrêtée devant les rosiers et les a passés au crible pour finir par cueillir une fleur rouge. Elle en a retiré les épines, s'est approchée de moi et l'a épinglée au revers de ma veste. Après l'avoir redressée jusqu'à ce qu'elle en soit pleinement satisfaite, elle m'a tapoté le torse en relevant la tête vers moi.

— C'est encore mieux avec une fleur à la boutonnière.

— Merci.

— Je t'ai dit que tu étais beau habillé comme un prince ?

— Je pense que tu as utilisé le mot... « splendide ». Mais n'hésite pas à le répéter autant de fois que tu voudras.

Elle a posé la main sur mon bras :

— Merci pour tout ce que tu as fait ici. Anna ne va vraiment pas en croire ses yeux.

— Je t'en prie.

Penchée vers moi, elle m'a ensuite murmuré à l'oreille :

— Et merci d'avoir organisé cette soirée. C'était... un petit jeu très agréable.

Autrefois, j'en aurais profité pour la presser de questions et m'assurer que je n'avais pas commis d'erreur mais, là, je lui ai juste pris la main.

— J'ai encore quelque chose à te montrer.

— Ne me dis pas qu'une calèche tirée par des chevaux blancs va sortir de la grange, m'a-t-elle taquiné.

J'ai secoué la tête.

— Non, mais si tu trouves que c'est une bonne idée, je peux essayer de m'arranger.

Elle a éclaté de rire et, quand elle s'est approchée de moi, j'ai senti la chaleur terriblement excitante de son corps.

— Alors qu'est-ce que tu voulais me montrer ? m'a-t-elle lancé d'un air espiègle.

— Une autre surprise.

— Je ne sais pas si mon cœur pourra tenir le coup.

— Viens, c'est par ici.

Une fois sortis de la roseraie, nous avons longé une allée

de gravier qui conduisait à la maison. Au-dessus de nous, les étoiles scintillaient sur un ciel sans nuages, tandis que la lune se reflétait dans les eaux lointaines de la rivière. Des arbres chargés de mousse lançaient leurs branches de tous côtés, comme les doigts difformes d'un fantôme. Il flottait autour de nous une odeur familière de pin et d'iode, très caractéristique des régions de basses terres. Dans le silence du jardin, je sentais le pouce de Jane caresser le mien.

Apparemment, elle n'était pas pressée et nous avons pris le temps d'apprécier tous les petits bruits du soir : le chant des criquets et des cigales, le bruissement des feuilles dans les arbres, le crissement du gravier sous nos pas.

Jane ne quittait pas des yeux la maison. Par sa silhouette qui se détachait sur les arbres, la bâtisse renvoyait une sorte d'image intemporelle et les colonnes blanches du perron lui donnaient presque de l'opulence. Les tôles du toit, qui avaient foncé au fil des ans, se confondaient presque avec le ciel nocturne tandis que la lueur jaune des bougies dansait derrière les fenêtres.

Quand nous sommes entrés dans la maison, un courant d'air a fait vaciller les flammes. Jane est restée sur le seuil, fascinée par la salle à manger. Nettoyé et ciré, le piano brillait à la douce lumière des bougies. Devant la cheminée, le parquet, qui servirait de piste de danse à Keith et Anna, brillait comme un sou neuf. Les tables, dont les serviettes blanches pliées en forme de cygne venaient relever l'éclat du cristal et de la porcelaine, rappelaient les photos des restaurants les plus chics. Devant chaque assiette, des coupes en argent scintillaient au moins autant que des décorations de Noël. Sur le mur du fond, les consoles qui accueilleraient le buffet de mariage semblaient disparaître sous les gerbes de fleurs et les plats de service.

— Oh, Wilson…

— Samedi, ce sera différent avec tous les invités, mais je voulais que tu voies à quoi ça ressemblait sans la foule.

Elle a lâché ma main et s'est mise à déambuler dans la pièce en observant chaque petit détail.

Moi, je suis allé ouvrir une bouteille de vin à la cuisine et je nous ai servi un verre. D'un bref coup d'œil, j'ai aperçu Jane de trois quarts : elle contemplait le piano.

— Qui va jouer ?

J'ai esquissé un sourire.

— Si tu avais eu le choix, tu aurais demandé qui ?

— John Peterson ? m'a-t-elle lancé, les yeux pleins d'espoir.

J'ai acquiescé d'un signe de tête.

— Mais comment ? Il ne joue pas au Chelsea ?

— Tu sais bien qu'il a un faible pour Anna et toi. Le temps d'un soir, le Chelsea réussira à survivre sans lui.

Toujours aussi émerveillée par la salle, elle s'est approchée de moi.

— Je ne comprends vraiment pas comment tu as fait en si peu de temps… Enfin, quoi, je suis venue ici il y a encore quelques jours.

Je lui ai tendu son verre.

— Donc tu aimes ?

— Si j'aime ? a-t-elle répété avant de déguster une gorgée de vin. Je crois que la maison n'a jamais été aussi belle.

La flamme des bougies dansait au fond de ses yeux.

— Tu as faim ?

Ma question a presque eu l'air de la déstabiliser.

— À vrai dire, je n'y pensais même pas. Je crois que je vais savourer mon vin et jeter un dernier coup d'œil avant de partir.

— On ne va nulle part. J'avais prévu de dîner ici.

— Mais comment ? Les placards sont vides.

— Laisse-moi faire. Pourquoi ne pas aller te détendre un peu pendant que je m'occupe de tout ?

Je l'ai quittée pour retourner en cuisine. Les préparatifs de mon petit dîner raffiné étaient déjà bien avancés. Comme la sole farcie au crabe était prête à cuire, j'ai réglé le four à la bonne température. J'avais aussi pesé et mis de côté les ingrédients de la sauce hollandaise : il ne restait plus qu'à tout verser dans la casserole. Quant aux salades, elles étaient déjà mélangées et la vinaigrette était faite.

De temps en temps, je relevais le nez pour voir Jane se promener à travers la grande salle. Bien que les tables soient

212

dressées à l'identique, elle s'arrêtait devant chacune d'elles, imaginant sans doute l'invité de marque qui y serait assis. D'un air distrait, elle replaçait un couvert en argent ou elle tournait un vase mais, le plus souvent, elle finissait par tout remettre comme avant. Jane affichait une satisfaction calme, presque radieuse, que je trouvais étrangement émouvante. À vrai dire, depuis quelques jours, presque tout en elle m'attendrissait.

Dans le silence de la pièce, je me suis rappelé les péripéties qui nous avaient conduits jusque-là. Je savais d'expérience que le temps pouvait ternir même les souvenirs les plus précieux, mais je refusais d'oublier un seul instant de la semaine que nous venions de passer ensemble. Et, naturellement, je voulais que ma femme se souvienne aussi des moindres détails.

— Jane ?

Comme elle n'était plus dans mon champ de vision, je me suis dit qu'elle devait s'être approchée du piano.

Elle a surgi du coin de la pièce. Même de loin, son visage resplendissait.

— Oui ?

— Tu veux bien me rendre un service pendant que je prépare le dîner ?

— Bien sûr. Tu as besoin d'un coup de main en cuisine ?

— Non, j'ai laissé mon tablier à l'étage. Ça t'ennuierait d'aller me le chercher ? Il est sur le lit de ton ancienne chambre.

— Aucun problème.

Quelques instants plus tard, elle disparaissait en haut de l'escalier. Une chose était sûre : je ne la reverrais pas avant que le dîner soit presque prêt.

Le temps de rincer les asperges, je me suis mis à fredonner en imaginant sa réaction lorsqu'elle découvrirait le cadeau qui l'attendait là-haut.

— Joyeux anniversaire, ai-je murmuré.

Quand l'eau a commencé à bouillir, j'ai glissé le poisson au four et je suis sorti par la porte de derrière. Sur le perron, les traiteurs avaient dressé une table pour deux. J'ai bien pensé ouvrir le champagne mais, finalement, j'ai décidé d'attendre Jane. En poussant un long soupir, j'ai essayé de m'éclaircir les idées.

À l'heure qu'il était, Jane avait sans doute trouvé ce que je lui avais laissé sur le lit. Cousu main et relié de cuir gravé, l'album était splendide, mais j'espérais surtout qu'elle serait émue par son contenu. Voilà le cadeau que je lui avais confectionné, grâce à beaucoup de gens, pour notre trentième anniversaire. Comme les autres paquets qu'elle avait reçus ce soir-là, il était accompagné d'un mot : la lettre que j'avais tenté de lui écrire des années plus tôt, en vain. Celle que Noah m'avait un jour suggérée. Même si, autrefois, je m'en étais senti incapable, les événements des douze derniers mois, et surtout ceux de la dernière semaine, avaient donné à mes mots une grâce inhabituelle.

Une fois la lettre terminée, je l'avais lue et relue. Même encore ce soir-là, les mots étaient aussi clairs dans ma tête qu'ils l'étaient sur le papier que Jane avait entre les mains.

Ma chérie,

La nuit est tombée depuis longtemps et, moi, je suis assis à mon bureau. Le silence de la maison n'est troublé que par le tic-tac de l'horloge. Tu es endormie là-haut et, même si je brûle de sentir la douceur de ton corps contre le mien, une force inconnue me pousse à t'écrire cette lettre, sans que je sache bien par où commencer. Je m'aperçois aussi que je ne sais pas trop quoi te dire, mais je ne peux pas m'empêcher de penser qu'après tout ce temps, c'est quelque chose que je dois faire, non seulement pour toi, mais aussi pour moi. Après trente ans de mariage, c'est bien la moindre des choses.

Ça fait vraiment aussi longtemps ? Je sais que oui, mais je n'arrive pas à y croire. En fin de compte, certains détails ne changent jamais. Le matin, par exemple, ma première pensée est – et a toujours été – pour toi. Souvent, je reste allongé à te regarder, tes cheveux étalés sur l'oreiller, un bras replié au-dessus de la tête, la poitrine animée de légers soubresauts. Parfois, quand tu dors à poings fermés, je m'approche de toi en espérant m'inviter dans tes rêves. Voilà ce que je ressens pour toi. Depuis le début de notre mariage, tu es mon rêve et je n'oublierai jamais le bonheur qui m'a envahi dès le premier jour où nous avons marché ensemble sous la pluie.

Je repense souvent à ce jour-là. L'image ne m'a jamais quitté et, au fond de moi, j'éprouve toujours une impression de déjà-vu quand je regarde un éclair fendre le ciel. Dans ces moments-là, on dirait que notre histoire recommence à nouveau et je sens palpiter mon cœur de jeune homme, un homme qui venait d'apercevoir son avenir et ne pouvait plus imaginer sa vie sans toi.

Chaque souvenir réveille en moi le même sentiment. Quand je songe à Noël, je te revois, assise sous le sapin, en train de distribuer joyeusement les cadeaux aux enfants. Si je repense aux soirs d'été, je sens ta main dans la mienne, comme à l'époque où nous nous promenions sous les étoiles. Même au bureau, il m'arrive souvent de regarder l'heure et de me demander ce que tu peux bien faire à cet instant précis. Des choses très simples : j'imagine une trace de terre sur ta joue quand tu jardines ou la façon dont, adossée au bar de la cuisine, tu te passes une main dans les cheveux pendant que tu téléphones. Ce que j'essaie de te dire, c'est que tu es là, dans tout ce que je suis, dans tout ce que j'ai jamais fait, et, avec le recul, je sais que j'aurais dû t'avouer combien tu es chère à mon cœur.

J'en suis désolé – comme je suis désolé de t'avoir déçue autant de fois. J'aurais voulu effacer le passé, mais nous savons bien tous les deux que c'est impossible. Seulement, je crois aujourd'hui que, si le passé est définitif, nos souvenirs, eux, sont malléables et c'est ici que l'album entre en jeu.

À l'intérieur, tu trouveras des dizaines de photos. Certaines sont tirées de nos propres archives, mais la plupart sont inédites. J'ai demandé à la famille et aux amis de m'envoyer les clichés qu'ils avaient de nous deux et, pendant un an, j'en ai reçu de tout le pays. Tu trouveras une photo que Kate avait du baptême de Leslie. Ou encore une autre de Joshua Tundle à un pique-nique du cabinet il y a vingt-cinq ans. Noah m'a donné un portrait de nous deux pris par une journée pluvieuse de Thanksgiving, quand tu étais enceinte de Joseph, et, si tu la regardes de près, tu verras l'endroit où, pour la première fois, j'ai compris que j'étais tombé amoureux de toi. Anna, Leslie et Joseph ont aussi apporté leur contribution.

À mesure que les photos arrivaient, j'ai essayé de me rappeler le *moment où elles avaient été prises. Au début, mon souvenir ressemblait au cliché lui-même – une image brève et unique – mais, quand j'ai commencé à fermer les yeux et à me concentrer, j'ai réussi à remonter le temps. À chaque fois, je me suis souvenu de ce que j'avais pensé.*

Et voici donc la seconde partie de l'album. En face de chaque photo, j'ai écrit ce qu'elle m'évoquait et, plus précisément, ce qu'elle m'évoquait à propos de toi.

J'ai intitulé l'album « Ce que j'aurais dû te dire ».

Un jour, j'ai prêté serment devant toi, sur les marches d'un tribunal, et, après trente ans de mariage, il est temps que je te fasse un autre serment : à partir d'aujourd'hui, je te promets de devenir l'homme que j'aurais toujours dû être. Je serai plus romantique et je profiterai au mieux de notre avenir à deux. À chaque instant, j'espère que je saurai dire ou faire le nécessaire pour te prouver que tu es la femme de ma vie.

Avec tout mon amour,
Wilson

Quand j'ai entendu du bruit sur le palier, j'ai relevé la tête. Jane était en haut des marches : les lampes du couloir la faisaient apparaître à contre-jour. Après avoir posé la main sur la rampe, elle a commencé à descendre.

Les flammes des bougies l'éclairaient petit à petit : d'abord ses jambes, puis sa taille et, enfin, son visage. Quand elle s'est arrêtée à mi-chemin, son regard a croisé le mien et, même à l'autre bout de la pièce, j'ai bien vu qu'elle pleurait.

— Joyeux anniversaire, ai-je soufflé d'une voix qui a résonné à travers la pièce.

Les yeux toujours rivés sur moi, elle est arrivée au bas des marches. Un léger sourire aux lèvres, elle a traversé la salle et, soudain, j'ai su exactement quoi faire.

Les bras grands ouverts, je l'ai attirée vers moi. Son corps était doux et tiède. Sa joue humide se pressait contre la mienne. Et là, chez Noah, deux jours avant notre trentième anniversaire de mariage, je l'ai serrée très fort en espérant de tout mon cœur que le temps s'arrêterait. Pour toujours.

216

Nous sommes restés enlacés de longues secondes, puis Jane s'est un peu écartée. Les bras toujours enroulés autour de ma taille, elle me dévisageait. Ses joues humides brillaient à la faible lueur des bougies.

— Merci, a-t-elle murmuré.

Je lui ai doucement pressé le bras.

— Viens. Je veux te montrer quelque chose.

Nous avons retraversé la grande salle, j'ai ouvert la porte de derrière et nous sommes sortis sur le perron.

Malgré le clair de lune, la Voie lactée s'étalait encore au-dessus de nous comme une traînée de pierres précieuses. L'étoile du berger s'était levée au sud. L'air avait un peu fraîchi et, dans la brise nocturne, j'ai respiré le parfum de Jane.

— Je me suis dit qu'on pourrait dîner ici. En plus, je n'avais pas envie de déranger la salle de réception.

Le bras serré autour du mien, elle a contemplé la table :

— C'est merveilleux, Wilson.

Je me suis éloigné d'elle à regret, le temps d'allumer quelques bougies et d'attraper la bouteille.

— Une coupe de champagne ?

Au début, j'ai cru qu'elle ne m'avait pas entendu. Sa robe flottant légèrement au vent, elle ne quittait pas des yeux la rivière.

— Avec plaisir.

J'ai sorti la bouteille du seau à glaçons, enlevé le muselet en métal et tourné le bouchon. *Pop !* Après nous être servi deux coupes, j'ai attendu que la mousse redescende un peu pour les remplir jusqu'en haut. Jane s'est approchée de moi.

— Depuis combien de temps est-ce que tu prépares ça ?

— Un an. Après le fiasco du dernier anniversaire, c'était bien la moindre des choses.

Elle a secoué la tête et m'a obligé à la regarder dans les yeux.

— Je n'aurais pas pu rêver d'une plus belle soirée.

Elle s'est tue un instant.

— Enfin, quand j'ai trouvé l'album, la lettre et tout ce

217

que tu as écrit... Eh bien, c'est le cadeau le plus extraordinaire que tu m'aies jamais fait.

J'ai commencé à lui répéter que c'était la moindre des choses, mais elle m'a gentiment coupé la parole :

— Je suis sérieuse. Je ne trouve même pas les mots pour te dire à quel point je suis touchée.

Puis elle a caressé le revers de ma veste et m'a lancé un clin d'œil complice.

— Ce smoking vous va à merveille, bel inconnu.

Voyant que la tension émotionnelle était un peu retombée, j'ai laissé échapper un petit rire :

— Sur ce, ça m'ennuie beaucoup de devoir t'abandonner...

— Mais ?

— Mais il faut que j'aille vérifier le dîner.

Elle a acquiescé en silence. Si belle. Si sensuelle.

— Tu as besoin d'un coup de main ?

— Non, j'ai presque fini.

— Ça te dérange si je reste dehors ? Tout est si paisible ici.

— Pas de problème.

En cuisine, les asperges vapeur avaient refroidi, donc je les ai remises sur le feu. La sauce hollandaise s'était un peu figée mais, en la remuant, j'ai pu lui redonner un bel aspect. Troisième étape : le poisson. J'ai ouvert le four pour tester la cuisson avec une fourchette. Encore quelques minutes et c'était prêt.

La radio de la cuisine diffusait de grands standards de jazz. J'allais couper le son quand la voix de Jane a retenti derrière moi :

— N'éteins pas.

J'ai relevé la tête.

— Je croyais que tu voulais profiter du jardin ?

— Oui mais, sans toi, ce n'est plus la même chose.

Elle s'est adossée au plan de travail. La jambe repliée, comme d'habitude.

— Tu leur as aussi demandé de diffuser exprès ce genre de musique ? m'a-t-elle taquiné.

218

— L'émission dure déjà depuis plusieurs heures. Je crois que c'est leur programme de la nuit.

— Ça, ça me rappelle des souvenirs. Papa écoutait tout le temps les grands orchestres de jazz.

Replongée des années en arrière, elle a passé lentement la main dans ses cheveux.

— Tu savais qu'il dansait souvent avec maman au milieu de la cuisine ? Ils pouvaient être en train de faire la vaisselle et, d'un seul coup, ils s'enlaçaient et se mettaient à tourner au rythme de la musique. La première fois que je les ai vus, je devais avoir six ans et ça ne m'a fait ni chaud ni froid. Plus tard, Kate et moi, on en rigolait. On les montrait du doigt, on se moquait mais, eux, ils en riaient et ils continuaient à danser comme s'ils étaient seuls au monde.

— Je ne savais pas.

— La dernière fois que je les ai vus danser, c'était une semaine avant leur départ à Creekside. J'étais passée prendre de leurs nouvelles. Au moment de me garer, je les ai aperçus par la fenêtre de la cuisine et j'ai tout simplement fondu en larmes. Je savais que je ne les reverrais plus jamais danser ici et, ça, ça me brisait le cœur.

Elle s'est tue, perdue dans ses pensées, puis elle a secoué la tête.

— Désolée. Ça gâche un peu l'ambiance, non ?

— Ne t'inquiète pas. Tes parents font partie de notre vie et c'est leur maison. Pour être franc, j'aurais surtout été choqué que tu n'y penses pas. En plus, c'est une façon merveilleuse de se souvenir d'eux.

Pendant quelques instants, elle a semblé méditer mes paroles. Sans ajouter un mot, j'ai sorti la sole du four et j'ai posé le plat sur la cuisinière.

— Wilson ? a-t-elle repris d'une voix douce.

Je me suis retourné vers elle.

— Quand tu me promets dans ta lettre que, dorénavant, tu vas essayer d'être plus romantique, tu le penses vraiment ?

— Oui.

— Ça veut dire qu'il y aura d'autres soirées comme celle-ci ?

— Si tu en as envie.

Elle a posé l'index sur son menton.

— Seulement, ça va être plus difficile de me surprendre. Tu vas encore devoir innover.

— À mon avis, ce ne devrait pas être si compliqué.

— Non ?

— S'il le fallait, je pourrais sans doute trouver quelque chose sur-le-champ.

— Comme quoi ?

En croisant son regard de défi, j'ai tout de suite su que je ne voulais pas la décevoir. Après une brève hésitation, j'ai éteint la cuisinière et mis les asperges de côté. Jane me suivait des yeux avec intérêt. Puis, après avoir rajusté les pans de ma veste, j'ai traversé la cuisine et tendu la main.

— Voulez-vous m'accorder cette danse ?

Rouge de plaisir, Jane a pris ma main et enroulé son bras autour de ma taille. Quand je l'ai attirée fermement contre moi, j'ai senti son corps se coller au mien. Nous avons commencé à tourner en petits cercles lents tandis que la musique envahissait la pièce. Je respirais le parfum de son shampoing à la lavande. Ses jambes frôlaient les miennes.

— Tu es magnifique, ai-je murmuré.

En guise de réponse, Jane a caressé du pouce le dos de ma main.

À la fin de la chanson, nous sommes restés enlacés jusqu'au début de la suivante. Nous dansions lentement, enivrés par le rythme subtil de nos pas. Après avoir relevé les yeux vers moi en souriant, Jane a posé la main sur ma joue. Ses caresses étaient douces et, comme si je redécouvrais un vieux réflexe, je me suis penché vers elle.

Après un baiser qui ressemblait presque à un souffle, nous avons cédé à tout ce que nous ressentions, à tout ce nous voulions. Je l'ai serrée contre moi pour l'embrasser à nouveau, conscient de son désir et du mien. Quand j'ai plongé la main dans ses cheveux, elle a laissé échapper un faible gémissement. Le son était à la fois familier et excitant, nouveau et ancien. Un miracle au plus beau sens du terme.

Sans un mot, je me suis écarté pour la contempler un

instant, puis je l'ai entraînée hors de la cuisine. Le temps d'éteindre les bougies de toutes les tables, je sentais son pouce me caresser le dos de la main.

Dans la pénombre accueillante, je l'ai accompagnée à l'étage. Le clair de lune filtrait à la fenêtre de son ancienne chambre et, pendant de longues secondes, nous sommes restés enlacés, baignés d'ombre et de lumière laiteuse. Nous nous embrassions à n'en plus finir. Jane a laissé courir ses mains sur mon torse tandis que j'attrapais la fermeture Éclair de sa robe. Quand j'ai commencé à l'ouvrir, j'ai entendu un léger soupir.

Après avoir glissé sur sa joue et son cou, mes lèvres ont goûté la courbe de son épaule. Jane a tiré sur ma veste, qui s'est retrouvée par terre en même temps que sa robe, et, quand nous nous sommes laissés tomber sur le lit, j'ai senti le contact de sa peau tiède.

Nous avons fait l'amour lentement et tendrement. Notre passion réciproque était une redécouverte à la fois troublante et excitante de nouveauté. J'aurais voulu suspendre le temps. Je la couvrais de baisers en lui susurrant des mots d'amour. Ensuite, épuisés, nous sommes restés lovés l'un contre l'autre. Du bout des doigts, je caressais le corps de Jane, endormie à mes côtés, et j'essayais de prolonger le silence parfait de l'instant.

Quand elle s'est réveillée peu après minuit, elle s'est rendu compte que je la regardais. Dans l'obscurité, je lui ai juste vu un petit air espiègle, comme si elle était à la fois indignée et transportée par ce qui était arrivé.

— Jane ?

— Oui ?

— Je voudrais savoir une chose.

Un sourire satisfait aux lèvres, elle a attendu ma question et, après quelques secondes d'hésitation, je me suis lancé :

— Si tu devais tout recommencer, en sachant comment les choses allaient tourner entre nous, est-ce que tu accepterais encore de m'épouser ?

Elle n'a pas répondu tout de suite, le temps de bien réfléchir à ma demande. Puis, après m'avoir tapoté la poitrine, elle a levé vers moi un visage apaisé.

— Oui, s'est-elle contentée de souffler. Bien sûr.

Voilà les mots que je brûlais d'entendre par-dessus tout. Je l'ai attirée contre moi pour couvrir de baisers son cou et ses cheveux. Si seulement le temps avait pu s'arrêter…

— Je t'aime plus que tu ne le sauras jamais, ai-je murmuré.

Elle m'a embrassé le torse.

— Je sais. Moi aussi, je t'aime.

17.

Quand les rayons du matin ont commencé à envahir la chambre, nous nous sommes réveillés, l'un contre l'autre, et nous avons refait l'amour avant de nous séparer et de nous préparer à la longue journée qui nous attendait.

Après le petit déjeuner, nous avons remis la maison en ordre pour le jour de la cérémonie. Nous avons remplacé les bougies de la salle à manger, nous avons débarrassé la table du perron, nous l'avons rangée dans la grange et, un peu déçu, j'ai jeté à la poubelle notre dîner de la veille.

Une fois satisfaits du résultat, nous sommes rentrés à la maison. Leslie devait arriver vers 16 heures. Joseph avait pu réserver un vol plus tôt et il serait là vers 17 heures. Sur le répondeur, un message d'Anna nous annonçait qu'elle s'occuperait des derniers préparatifs avec Keith. Autrement dit, après avoir vérifié que sa robe était prête, elle allait surtout s'assurer qu'aucune entreprise n'annulerait à la dernière minute. Elle nous promettait aussi d'aller chercher la robe de Jane et de la lui rapporter le soir, quand Keith et elle viendraient dîner à la maison.

Jane et moi avons préparé un bœuf miroton, qui mijoterait tout l'après-midi dans sa cocotte. Pendant que nous nous affairions en cuisine, nous parlions des détails logistiques du mariage mais, de temps en temps, Jane m'adressait un petit sourire complice, signe qu'elle se rappelait notre soirée de la veille.

Conscients que la journée allait devenir de plus en plus

chargée, nous sommes partis en ville pour déjeuner tranquillement tous les deux. Après avoir acheté des sandwiches chez un traiteur de Pollock Street, nous nous sommes promenés jusqu'aux jardins de l'église épiscopale, où nous avons mangé à l'ombre des magnolias.

Ensuite, nous avons marché main dans la main jusqu'à Union Point, sur les berges de la Neuse. Les eaux étaient calmes mais envahies de bateaux de toutes sortes. Une foule d'enfants profitaient des derniers jours de vacances avant la rentrée des classes. Pour la première fois de la semaine, Jane avait l'air totalement détendue et, quand je l'ai prise par la taille, j'ai eu l'étrange impression de revivre notre premier rendez-vous d'amoureux. Voilà des années que nous n'avions pas connu de journée aussi parfaite et j'étais aux anges… enfin, jusqu'à ce que nous rentrions à la maison et que nous écoutions le répondeur.

C'était Kate, qui appelait à propos de Noah :

— Il vaudrait mieux venir. Je ne sais plus quoi faire.

À notre arrivée à Creekside, Kate nous attendait dans le couloir.

— Il refuse de discuter, a-t-elle annoncé d'une voix angoissée. Il ne quitte pas l'étang des yeux. Quand j'ai essayé de lui parler, il m'a même envoyée promener en disant que, comme je n'y croyais pas, je ne pouvais pas comprendre. Il n'a pas arrêté de répéter qu'il voulait avoir la paix et il a fini par me mettre à la porte de sa chambre.

— Mais, physiquement, il va bien ? s'est inquiétée Jane.

— Oui, je crois. Il n'a pas voulu de son déjeuner, ça l'a même rendu furieux mais, sinon, il a l'air en forme. Le problème, c'est qu'il est dans tous ses états. La dernière fois que j'ai voulu entrer, il m'a crié de m'en aller.

J'ai jeté un œil à la porte fermée. Depuis le temps que je connaissais Noah, je ne l'avais jamais entendu élever la voix.

Kate triturait nerveusement son foulard en soie.

— Il n'a voulu parler ni à Jeff ni à David. Ils viennent juste de partir. Je crois que sa réaction les a plutôt blessés.

— Et il refuse de me voir moi aussi ? lui a demandé Jane.

— Oui, a-t-elle soupiré d'un air impuissant. Comme je le disais dans mon message, je ne suis pas sûre qu'il veuille parler à qui que ce soit. Le seul qui pourrait trouver grâce à ses yeux, c'est toi, m'a-t-elle annoncé, sceptique.

J'ai hoché la tête. J'avais peur que Jane le prenne mal (comme le jour où Noah avait voulu me voir à l'hôpital), mais elle m'a regardé et m'a pressé la main en signe d'encouragement :

— Tu devrais aller voir comment il va.

— Oui, je crois.

— Je t'attends ici avec Kate. Essaie de lui faire manger quelque chose.

— Promis.

Après avoir frappé deux petits coups, j'ai entrouvert la porte de la chambre.

— Noah ? C'est moi, Wilson. Je peux entrer ?

Assis près de la fenêtre, il ne m'a pas répondu. J'ai attendu quelques secondes et je suis entré. Sur le lit : un plateau-repas auquel il n'avait pas touché.

— Kate et Jane se sont dit que vous auriez peut-être envie de me parler, lui ai-je expliqué, une fois la porte refermée.

Ses épaules se sont soulevées, le temps d'un long soupir. Avec ses cheveux blancs étalés sur le col de son gilet, il paraissait tout petit au fond de son rocking-chair.

— Elles sont encore dehors ?

Sa voix était si douce qu'on l'entendait à peine.

— Oui.

Noah n'a rien répondu. Je suis allé m'asseoir en silence sur le lit. Bien que le vieil homme me tourne le dos, je voyais les marques de fatigue sur son visage.

— J'aimerais savoir ce qui s'est passé, ai-je murmuré.

Après avoir baissé la tête un instant, il s'est remis à fixer la fenêtre.

— Elle est partie. Quand je suis sorti ce matin, elle n'était plus là.

J'ai tout de suite compris de quoi il voulait parler.

— Et si elle se cachait dans un autre coin de l'étang ? ai-je suggéré. Elle ne savait peut-être pas que vous étiez là.

— Elle est partie, m'a-t-il répondu d'une voix blanche. Je l'ai su dès que je me suis réveillé. Ne me demande pas comment, mais je le savais. J'ai eu l'intuition qu'elle était partie et, sur le chemin de l'étang, mes craintes n'ont fait qu'augmenter. Pourtant, je ne voulais pas y croire et j'ai essayé de l'appeler pendant une heure. Elle n'est jamais venue.

Il a tressailli et s'est redressé sur son fauteuil, les yeux toujours rivés à la fenêtre.

— Alors j'ai fini par laisser tomber.

Dehors, l'étang étincelait au soleil.

— Vous voulez qu'on aille vérifier si elle est revenue ?

— Elle n'y est pas.

— Comment le savez-vous ?

— Je le sais, un point c'est tout. Comme je savais, ce matin, qu'elle était partie.

J'ai ouvert la bouche pour lui répondre, mais je me suis ravisé. Inutile de discuter. Noah ne changerait pas d'avis. En plus, mon petit doigt me disait qu'il devait avoir raison.

— Elle va revenir, ai-je insisté en tâchant d'être le plus convaincant possible.

— Peut-être. Ou peut-être pas. Je n'en sais rien.

— Vous lui manquerez trop pour qu'elle reste loin de vous.

— Alors pourquoi est-ce qu'elle est partie ? Ça n'a pas de sens !

Du plat de la main, il a frappé le bras de son fauteuil.

— Si seulement ils comprenaient…, a-t-il repris, désabusé.

— Qui ?

— Mes enfants. Les infirmières. Le docteur Barnwell.

— Qu'Allie était le cygne ?

Pour la première fois de la conversation, il s'est tourné de mon côté :

— Non. Que, moi, je suis Noah. Le même homme depuis toujours.

Je n'étais pas sûr de bien comprendre, mais j'ai préféré garder le silence en attendant ses explications.

— Tu aurais dû les voir aujourd'hui. Tous. Je ne veux pas leur parler ? La belle affaire ! De toute façon, personne ne me croit et, moi, je n'avais pas envie de passer des heures à leur répéter que je sais de quoi je parle. On se serait disputés, comme d'habitude. Quand j'ai refusé d'avaler mon déjeuner ? Eh bien, on aurait dit que j'avais essayé de sauter par la fenêtre. Je suis perturbé, j'en ai parfaitement le droit. Et moi, quand je suis perturbé, je ne mange pas. Ça m'a toujours fait cet effet-là mais, aujourd'hui, tout le monde croit que mes capacités mentales ont encore baissé d'un cran. Kate a même essayé de me nourrir à la petite cuillère, comme si de rien n'était. Tu te rends compte ? Ensuite, Jeff et David sont arrivés. Eux, ils ont voulu régler le problème en me disant qu'elle était sans doute partie se chercher à manger. Ils ont oublié que je la nourrissais deux fois par jour ou quoi ?! Aucun d'eux ne semble s'inquiéter de ce qui lui est peut-être arrivé !

Tandis que je m'efforçais d'y voir clair, j'ai soudain compris que Noah n'était pas juste en colère contre ses enfants.

— Qu'est-ce qui vous contrarie tant que ça ? lui ai-je demandé gentiment. Qu'ils aient agi comme si ce n'était qu'un cygne ? C'est ce qu'ils ont toujours cru et vous le savez très bien. Jusqu'à présent, leur réaction ne vous avait jamais atteint.

— Ça ne les intéresse pas.

— Au contraire, ça les intéresse trop.

Têtu, il a recommencé à me tourner le dos.

— Je ne comprends pas, a-t-il répété. Pourquoi aurait-elle eu envie de partir ?

Tout à coup, je me suis rendu compte qu'il n'était pas vraiment fâché contre ses enfants. Et qu'il n'était pas non plus déstabilisé par la seule disparition du cygne. Non, c'était quelque chose de plus profond, quelque chose qu'il refusait peut-être d'admettre.

Au lieu d'insister, je n'ai rien dit et nous sommes restés assis en silence. Sa main tremblait sur ses genoux.

— Comment est-ce que ça s'est passé hier soir avec Jane ? m'a-t-il demandé de but en blanc.

Malgré la conversation que nous venions d'avoir, je l'ai soudain revu en train de danser avec Allie dans la cuisine.

— Encore mieux que je ne l'avais imaginé.

— Et elle a aimé l'album ?

— Elle l'a adoré.

— Bien.

Pour la première fois depuis mon arrivée, il a esquissé un sourire, qui a disparu aussi vite qu'il était venu.

— Je suis persuadé qu'elle veut vous parler. Et Kate est dehors elle aussi.

— Je sais, a-t-il soufflé d'un air résigné. Elles peuvent entrer.

— Vous êtes sûr ?

Quand il a acquiescé en silence, j'ai posé la main sur son genou.

— Ça va aller ?

— Oui.

— Vous voulez que je leur dise de ne pas parler du cygne ?

Après une petite seconde de réflexion, il a secoué la tête.

— Ça n'a pas d'importance.

— Allez-y doucement avec elles, d'accord ?

Il m'a lancé un regard patient.

— Je ne suis pas trop d'humeur à les taquiner, mais je te promets de ne plus leur crier dessus. Et n'aie pas peur : je ne ferai rien qui puisse perturber Jane. Je ne veux pas qu'elle s'inquiète pour moi alors qu'elle devrait penser à la journée de demain.

Je me suis levé et, avant de sortir, j'ai posé une main sur son épaule.

Je voyais bien que Noah était furieux contre lui-même. Il avait passé les quatre dernières années à croire qu'Allie s'était réincarnée en cygne, il avait eu besoin de croire qu'elle trouverait le moyen de revenir vers lui, mais la mystérieuse disparition de l'animal avait profondément ébranlé ses convictions.

Au moment de quitter la pièce, je l'entendais presque se dire : *Et si les enfants avaient raison depuis le début ?*

Une fois dans le couloir, j'ai gardé mon opinion pour moi, mais j'ai suggéré à Kate et Jane de laisser Noah parler et de réagir le plus naturellement possible.

Elles étaient d'accord avec moi. Quand ma femme s'est avancée la première, Noah s'est retourné vers nous. Les deux sœurs se sont arrêtées sur le seuil : incapables de deviner la réaction de leur père, elles attendaient qu'il les invite à entrer.

— Bonjour, papa, a soufflé Jane.

Noah a esquissé un sourire forcé.

— Bonjour, ma chérie.

— Ça va ?

Il nous a jeté un coup d'œil, puis il a tourné la tête vers le plateau-repas, qui avait refroidi sur le lit.

— Je commence à avoir un petit creux mais, sinon, ça va. Kate, tu ne voudrais pas…

— Bien sûr, papa, a-t-elle répondu en s'approchant de lui. Je vais te chercher quelque chose. Un bol de soupe ? Ou alors un sandwich au jambon ?

— Un sandwich, bonne idée. Et peut-être un peu de thé glacé.

— Je te remonte ça dans cinq minutes. Tu veux aussi du gâteau au chocolat ? J'ai entendu dire qu'ils en avaient fait ce matin.

— Oui, merci. Oh… et je suis désolé d'avoir réagi comme ça tout à l'heure. J'étais bouleversé, mais ce n'était pas une raison pour m'en prendre à toi.

— C'est oublié, lui a-t-elle répondu avec un petit sourire.

Même si elle avait encore l'air inquiète, Kate m'a lancé un regard soulagé. Dès qu'elle a eu quitté la chambre, Noah nous a montré le lit.

— Venez, mettez-vous là.

Pendant que je traversais la pièce, j'ai regardé Noah en me demandant ce qui se passait. Au fond de moi, je savais qu'il avait éloigné Kate pour nous dire quelque chose en privé.

Jane s'est assise sur le lit. Quand je me suis installé à côté d'elle, elle m'a pris la main.

— Je suis désolée pour le cygne, papa.

— Merci.

À voir le visage de Noah, le sujet était clos.

— Wilson m'a parlé de la maison. D'après ce que j'ai entendu, ça a vraiment de l'allure.

Les traits de Jane se sont radoucis.

— On se croirait dans un conte de fées. C'est même plus beau qu'au mariage de Kate.

Elle s'est tue un instant.

— On se disait que Wilson pourrait venir te chercher vers 17 heures. Je sais que c'est un peu tôt mais, comme ça, tu pourras passer du temps là-bas. Il y a longtemps que tu n'y as plus mis les pieds.

— Bonne idée. Ça me fera plaisir de revoir ma maison.

Il m'a regardé, il a regardé Jane et, quand il a remarqué que nous nous tenions la main, il a esquissé un sourire.

— J'ai quelque chose pour vous. Et, si ça ne vous ennuie pas, j'aimerais vous le donner avant le retour de Kate. Elle ne comprendrait peut-être pas.

— Qu'est-ce que c'est ? lui a demandé Jane.

— Aide-moi à me relever, s'il te plaît. C'est dans mon bureau et, quand je reste assis longtemps, j'ai du mal à me déplacer.

Je suis allé lui donner le bras. Une fois debout, il a traversé sa chambre d'un pas prudent. Puis, après avoir sorti un joli paquet-cadeau d'un tiroir, il est reparti à son fauteuil. Manifestement fatigué par cet aller-retour, il a un peu chancelé au moment de se rasseoir.

— Hier, j'ai demandé à une infirmière de me l'emballer.

C'était un petit paquet rectangulaire et recouvert de papier métallisé rouge mais, quand Noah nous l'a tendu, j'ai su d'emblée ce qu'il y avait à l'intérieur. Jane aussi, apparemment, parce qu'elle n'a pas osé y toucher non plus.

— S'il vous plaît, a-t-il insisté.

Elle a encore hésité avant de prendre le cadeau. Du bout du doigt, elle a caressé l'emballage, puis elle a redressé la tête :

— Mais… papa…

230

— Ouvre-le.

Jane a fait glisser le ruban, puis elle a soulevé le papier. Comme il n'y avait pas de boîte, le livre usé était reconnaissable entre mille. De même que le petit impact de balle en haut à droite, une balle destinée à Noah pendant la Seconde Guerre mondiale. C'était *Feuilles d'herbe* de Walt Whitman, le livre que je lui avais apporté à l'hôpital. Un livre que je croyais indissociable de sa vie.

— Bon anniversaire.

Jane tenait le recueil comme si elle avait peur de le casser. Après m'avoir jeté un coup d'œil, elle s'est retournée vers son père.

— On ne peut pas accepter, a-t-elle chuchoté, manifestement aussi stupéfaite que moi.

— Bien sûr que si ! a-t-il rétorqué.

— Mais… pourquoi ?

Noah ne nous quittait plus des yeux.

— Tu savais que je lisais ce livre tous les jours en attendant ta mère ? Quand elle a déménagé l'été où on n'était encore que des enfants ? D'une certaine façon, j'avais l'impression de lui réciter ces poèmes à elle. Ensuite, une fois mariés, on les relisait sur le perron, exactement comme je l'avais imaginé. Au fil des ans, on a dû parcourir chaque poème des milliers de fois. Parfois, quand je les récitais à voix haute, je voyais les lèvres de ta mère remuer en même temps que les miennes. À force, elle les connaissait tous par cœur.

Quand il s'est tourné vers la fenêtre, j'ai aussitôt compris qu'il pensait au cygne.

— Moi, je n'arrive plus à lire : c'est écrit trop petit. Mais ça me fait de la peine de penser que plus personne n'ouvrira ce livre. Je ne veux pas que ça devienne une relique, un objet qui resterait posé sur une étagère en souvenir d'Allie et moi. Je sais que vous n'aimez pas Whitman autant que moi mais, de tous mes enfants, vous êtes les seuls à l'avoir lu de la première à la dernière page. Et, qui sait, vous pourriez bien avoir envie de le relire.

Jane a posé les yeux sur le recueil.

— Je te le promets.

— Moi aussi, ai-je renchéri.

— Je sais, a-t-il répondu en nous regardant tour à tour. Voilà pourquoi je voulais vous le donner à tous les deux.

Après son déjeuner, nous avons senti que Noah avait besoin de repos, donc je suis rentré à la maison avec Jane.

Anna et Keith sont arrivés en milieu d'après-midi. Quelques minutes plus tard, Leslie s'est garée dans l'allée et nous nous sommes tous retrouvés à la cuisine, à bavarder et à plaisanter comme au bon vieux temps. Nous leur avons parlé du cygne, mais sans nous attarder sur le sujet. Le week-end approchant à grands pas, nous nous sommes plutôt entassés dans deux voitures et nous sommes allés chez Noah. Comme Jane la veille au soir, Anna, Keith et Leslie n'en ont pas cru leurs yeux. Bouche bée, ils ont passé une heure à faire le tour du jardin et de la maison. Alors que j'étais devant l'escalier du séjour, Jane s'est approchée de moi, radieuse. D'un clin d'œil complice, elle m'a montré le haut des marches. Je me suis mis à rire et, quand Leslie nous a demandé ce que nous trouvions si drôle, Jane a joué les innocentes :

— C'est juste une blague entre ton père et moi. Tu ne pourrais pas comprendre.

Sur le chemin du retour, j'ai fait un crochet par l'aéroport, où Joseph m'attendait. Il m'a accueilli de son traditionnel « Bonjour, papounet ! » et ensuite, malgré les événements de la semaine, il s'est contenté d'ajouter un simple :

— Tu as maigri.

Après avoir récupéré les bagages, nous sommes allés chercher Noah à Creekside. Fidèle à son habitude, Joseph ne m'avait pas dit grand-chose mais, dès qu'il a aperçu son grand-père, il n'a plus été le même. Noah aussi était ravi de revoir Joseph. Ils se sont installés sur la banquette arrière pour discuter. La conversation s'est animée au fil des kilomètres et c'est bras dessus bras dessous qu'ils ont franchi le seuil de la maison. Bientôt, Noah s'est retrouvé assis sur le canapé, entre Leslie et Joseph, à partager des tas d'anecdotes, tandis que Jane et Anna bavardaient à la cuisine. En entendant la maison résonner à nouveau de bruits familiers, je me suis dit que ça devrait toujours être comme ça.

Pendant le dîner, les rires ont fusé quand Jane et Anna nous ont raconté leur semaine endiablée puis, en fin de soirée, et à mon grand étonnement, Anna a fait tinter son verre avec sa fourchette.

Quand le silence s'est installé autour de la table, voilà ce qu'elle nous a dit :

— J'aimerais porter un toast à papa et maman.

Elle a levé son verre.

— Sans vous deux, rien n'aurait été possible. Ce sera le mariage le plus merveilleux qu'on puisse rêver.

Quand Noah a commencé à être fatigué, je l'ai reconduit à Creekside. Les couloirs de la résidence étaient déserts.

— Merci encore pour le livre, lui ai-je répété à la porte de sa chambre. Vous n'auriez pas pu nous offrir de cadeau plus précieux.

Opacifiés par la cataracte, ses yeux ont pourtant eu l'air de me transpercer.

— Je t'en prie.

— Hum... Vous savez, elle sera peut-être là demain matin.

Conscient que ça partait d'un bon sentiment, il a acquiescé d'un signe de tête :

— Peut-être.

À mon retour, Joseph, Leslie et Anna étaient encore à table. Keith venait de partir. Quand je leur ai demandé où était Jane, ils m'ont indiqué le ponton. J'ai ouvert la baie vitrée : Jane était accoudée à la rambarde. Je suis allé la rejoindre et, pendant de longues secondes, nous sommes restés là, tous les deux, à savourer la brise d'été. Sans dire un mot.

— Il allait bien quand tu l'as déposé à la résidence ? m'a demandé Jane au bout d'un moment.

— Aussi bien que possible. Même s'il était un peu fatigué vers la fin.

— Tu crois que la soirée lui a plu ?

— J'en suis sûr. Il adore passer du temps avec les enfants.

Par la baie, Jane observait ce qui se passait au séjour : manifestement en train de raconter une histoire désopilante, Leslie agitait les mains. Joseph et Anna, eux, étaient hilares. Même de dehors, on les entendait rire.

— Les voir comme ça, ça rappelle des souvenirs. Si seulement Joseph n'habitait pas si loin… Je sais que les filles en souffrent. Voilà presque une heure qu'ils rient aux éclats.

— Pourquoi est-ce que tu n'es pas restée avec eux ?

— J'y étais encore il y a quelques minutes. Je me suis juste faufilée dehors quand j'ai aperçu les phares de ta voiture.

— Pourquoi ?

— Parce que j'avais envie d'être seule avec toi, a-t-elle répondu en me donnant un petit coup de coude espiègle. Je voulais t'offrir ton cadeau d'anniversaire et, tu le disais toi-même, la journée de demain risque d'être un peu chargée.

Elle m'a tendu une carte.

— Je sais que ça ne paie pas de mine, mais ce n'est pas le genre de cadeau qu'on peut emballer. Tu vas comprendre quand tu sauras de quoi il s'agit.

Poussé par la curiosité, j'ai ouvert la carte.

— Des cours de cuisine ? ai-je constaté, amusé.

— À Charleston, m'a-t-elle expliqué avant de me détailler le bristol. Pour élèves chevronnés, tu vois ? Tu passes le week-end à l'auberge Mondori avec leur chef. Un des plus réputés du pays. Je sais que tu te débrouilles très bien tout seul, mais je me suis dit que ça pourrait t'amuser d'essayer autre chose. D'après ce que j'ai compris, on t'apprend à découper les viandes, à évaluer les bonnes températures de cuisson ou même à décorer tes propres plats. Tu connais Helen, non ? De la chorale de l'église ? D'après elle, c'est un des meilleurs week-ends de sa vie.

— Merci. Ça se passe quand ?

— Les cours ont lieu en septembre et octobre. Le premier et le troisième week-end du mois. Comme ça, tu pourras décider en fonction de ton emploi du temps. Il suffit de leur passer un coup de fil.

Les yeux rivés sur la carte, j'ai essayé d'imaginer à quoi

ressembleraient les cours. Jane, qui s'inquiétait de me voir aussi silencieux, m'a alors proposé d'une voix hésitante :

— Si ça ne te plaît pas, je peux trouver autre chose.

— Non, c'est parfait, l'ai-je rassurée avant de froncer les sourcils. Enfin, à part un détail.

— Oui ?

J'ai pris Jane dans mes bras.

— Ce serait encore mieux qu'on suive ces cours à deux. Et si on s'organisait un petit week-end romantique ? Charleston est une ville magnifique à cette époque de l'année et on pourrait bien s'amuser.

— Tu le penses vraiment ?

Après l'avoir attirée contre moi, je l'ai regardée droit dans les yeux.

— Rien ne pourrait me faire plus plaisir. Là-bas, tu me manquerais trop pour que je puisse en profiter.

— Loin des yeux, près du cœur, m'a-t-elle lancé d'un air malicieux.

— Impossible, ai-je répondu sur un ton beaucoup plus sérieux. Tu n'imagines pas à quel point je t'aime.

— Oh, mais si.

Du coin de l'œil, j'ai vu que les enfants nous regardaient quand je me suis penché pour l'embrasser, quand ses lèvres se sont attardées sur les miennes. Avant, je me serais sûrement senti gêné mais, là, ça n'avait plus aucune importance.

18.

Le samedi matin, j'étais moins nerveux que je l'aurais cru.

Anna, qui s'était levée la dernière, nous a étonnés par la nonchalance avec laquelle elle a pris son petit-déjeuner en famille. Ensuite, nous nous sommes tous installés sur le ponton. Là-bas, le temps semble presque aller au ralenti. Nous avions peut-être envie de reprendre des forces avant l'après-midi de folie qui nous attendait.

Plus d'une fois, j'ai senti que Leslie et Joseph nous observaient Jane et moi : ils avaient l'air fascinés de voir ainsi leurs parents se taquiner et rire de bon cœur. Alors que Leslie en avait presque les larmes aux yeux, comme une mère fière de ses enfants, Joseph, lui, semblait plus sur la réserve. Impossible de dire s'il était heureux pour nous ou s'il se demandait combien de temps cette nouvelle phase allait durer.

Leur réaction était sans doute légitime. Contrairement à Anna, ils ne nous avaient pas vus depuis un moment et ils se rappelaient sans doute l'ambiance qui régnait entre nous à leur dernière visite. À Noël, Jane et moi, nous étions à peine adressé la parole. Et je n'oublie pas non plus le fameux séjour à New York.

Je me suis demandé si ma femme avait remarqué le regard intrigué de nos enfants. Auquel cas, elle n'y prêtait aucune attention. Non, préférant les régaler d'anecdotes sur les préparatifs du mariage, elle exultait à l'idée que tout se soit aussi bien combiné. Leslie, qui n'arrêtait pas de lui poser des questions, se pâmait presque d'admiration au moindre détail romantique. Joseph, lui, se contentait d'écouter en silence. Anna intervenait de temps en temps, le plus souvent pour répondre à une question. Elle était assise à côté de moi sur la banquette et, quand Jane est allée remplir la cafetière, Anna lui a jeté un coup d'œil furtif. Puis, après m'avoir pris la main, elle m'a juste chuchoté à l'oreille :

— Je suis impatiente d'être à ce soir.

Toutes les femmes de la famille avaient rendez-vous chez le coiffeur en début d'après-midi et, au moment de quitter la maison, elles papotaient encore comme des écolières. De mon côté, John Peterson et Henry MacDonald m'avaient téléphoné dans la matinée pour savoir s'ils pouvaient passer chez Noah. Peterson avait envie de tester le son du piano. Quant à MacDonald, il voulait voir la cuisine et la salle de réception pour vérifier que le dîner se passerait bien. Ils m'avaient promis de ne pas rester longtemps, mais je leur avais assuré que ça ne posait aucun problème. Il fallait que je dépose quelque chose là-bas – un paquet que Leslie avait laissé dans son coffre – et j'allais donc y passer de toute façon.

J'étais sur le point de partir quand la voix de Joseph a résonné derrière moi :

— Dis, ça t'ennuie si je t'accompagne ?

— Pas du tout.

Pendant le trajet, Joseph s'est contenté de regarder le paysage. Sans desserrer les dents ou presque. Lui qui n'était pas allé chez Noah depuis des années, il semblait s'imprégner de la vue pendant qu'on serpentait à l'ombre des arbres. D'accord, New York était une ville excitante et Joseph s'y sentait désormais chez lui, mais j'avais bien l'impression qu'il venait de se rappeler les charmes de la campagne.

J'ai tourné au coin de l'allée et je me suis garé à ma place habituelle. Quand nous sommes sortis de voiture, Joseph est resté là un moment à contempler la maison. Sous le soleil d'été, elle était absolument resplendissante. D'ici quelques heures, Anna, Leslie et Jane se prépareraient là-haut en vue de la cérémonie. Nous avions décidé que le cortège démarrerait de la maison : j'ai levé la tête vers les fenêtres du premier étage pour essayer d'imaginer – en vain – les derniers instants précédant le mariage, le moment où tous les invités seraient installés et attendraient que ça commence.

Quand j'ai émergé de ma rêverie, Joseph se dirigeait vers la tente. Les mains dans les poches, il embrassait la propriété du regard. À l'entrée du grand dôme en toile, il s'est arrêté et s'est retourné vers moi pour m'inviter à le rejoindre.

Sans un mot, nous avons traversé la tente et la roseraie, puis nous sommes entrés dans la maison. Même si Joseph n'exprimait pas tout haut son enthousiasme, je sentais bien qu'il était aussi impressionné que Leslie et Anna. Après le grand tour du propriétaire, il m'a posé quelques questions d'ordre logistique – qui avait fait quoi et comment ? – mais, à l'arrivée du traiteur, il était déjà redevenu silencieux.

— Alors ton verdict ?

Il ne m'a pas répondu tout de suite mais, en survolant des yeux la propriété, il s'est quand même fendu d'un sourire :

— Pour être franc, je n'arrive pas à croire que tu y sois arrivé.

Quand j'ai suivi son regard, j'ai soudain repensé à l'état de la maison à peine une semaine plus tôt.

— C'est quelque chose, non ? ai-je lâché d'un air absent.

— Je ne te parle pas que de ça. Je veux aussi parler de maman.

Il s'est tu. Le temps de vérifier, sans doute, que je l'écoutais attentivement.

— L'an dernier, à New York, je ne l'avais jamais vue aussi bouleversée. D'ailleurs, à sa descente de l'avion, elle pleurait. Tu étais au courant ?

Mon visage interloqué a répondu à ma place.

Les yeux rivés par terre pour ne pas croiser mon regard, Joseph a enfoncé les poings dans ses poches.

— D'après ce qu'elle m'a dit, elle ne voulait pas que tu la voies dans cet état, alors elle a essayé de se contenir. Mais, pendant le vol, j'imagine qu'elle a fini par craquer.

Il s'est interrompu un instant.

— Enfin, quoi… Je vais chercher ma mère à l'aéroport

238

et, quand elle sort de l'avion, on dirait qu'elle revient d'un enterrement. Je sais que je côtoie le malheur tous les jours au travail, mais quand c'est ta propre mère…

Sa voix s'est brisée et, moi, je me suis bien gardé d'intervenir.

— Le soir de son arrivée, on a discuté jusqu'à minuit passé. Elle n'arrêtait pas de pleurer, de ressasser ce qui était arrivé entre vous, et je dois reconnaître que j'étais furieux contre toi. Pas seulement parce que tu avais oublié votre anniversaire, mais pour tout le reste aussi. Comme si, à tes yeux, notre famille avait toujours été une grande maison à entretenir et que, toi, tu n'aies jamais voulu y faire les travaux nécessaires. Finalement, je lui ai dit que, si elle était aussi malheureuse depuis tant d'années, elle serait peut-être mieux toute seule.

Je n'ai pas su quoi répondre.

— C'est une femme formidable et, moi, j'en avais assez de la voir souffrir. Les jours suivants, elle a repris du poil de la bête. Enfin, un peu. Elle redoutait toujours de devoir rentrer à la maison. Ça la rendait vraiment triste, alors j'ai fini par lui demander de rester à New York avec moi. Pendant un moment, j'ai cru qu'elle allait accepter mais, au bout du compte, elle m'a dit que c'était impossible. Que tu avais besoin d'elle.

J'ai senti ma gorge se serrer.

— Quand tu m'as expliqué ce que tu comptais faire pour votre anniversaire, j'ai d'abord eu envie de rester en dehors du coup. Je ne voulais même pas venir ce week-end. Mais hier soir…

Il a secoué la tête et laissé échapper un soupir.

— Tu aurais dû l'entendre quand tu es parti reconduire Noah. Elle n'a pas arrêté de parler de toi. De nous répéter que tu étais fantastique et que, ces derniers temps, tout se passait à merveille entre vous. Et puis, quand je vous ai vus vous embrasser sur le ponton…

Il s'est planté en face de moi, le visage presque incrédule, comme s'il me regardait pour la première fois :

— Tu l'as fait. Je ne sais pas comment, mais tu as réussi. Je crois que je ne l'ai jamais vue aussi heureuse.

Peterson et MacDonald sont arrivés pile à l'heure et, comme promis, ils ne sont pas restés longtemps. J'ai rangé le paquet de Leslie à l'étage et, sur le chemin du retour, nous sommes passés prendre deux smokings de location : un pour Joseph et l'autre pour Noah. Je devais ensuite aller à Creekside, mais j'ai d'abord déposé Joseph à la maison parce qu'il lui restait une course à faire avant la cérémonie.

Noah était assis dans son fauteuil, près de sa fenêtre inondée de soleil, et, quand il s'est retourné vers moi, j'ai compris que le cygne n'était pas revenu. Je suis resté sur le seuil.

— Bonjour, Noah.

— Bonjour, Wilson, a-t-il murmuré.

Il avait les traits tirés, comme si ses rides s'étaient soudain creusées pendant la nuit.

— Vous allez bien ?

— Ça pourrait aller mieux, mais ça pourrait aussi être pire.

En voyant son sourire forcé, j'ai eu l'impression qu'il essayait de me rassurer.

— Vous êtes prêt ?

— Oui, on peut y aller.

Pendant le trajet, il ne m'a pas parlé une seule fois du cygne. Il regardait le paysage, comme Joseph. J'avais décidé de le laisser seul avec ses pensées mais, à mesure que nous approchions de la maison, j'ai commencé à trépigner d'impatience. J'avais hâte qu'il voie le résultat des travaux et, au fond de moi, je m'attendais à ce qu'il soit aussi épaté que le reste de la famille.

Pourtant, il est resté bizarrement impassible en descendant de voiture. Après avoir jeté un coup d'œil à la ronde, il a fini par hausser les épaules.

— Je croyais que tu avais tout remis en état.

J'ai cligné les yeux. Est-ce que j'avais bien entendu ?

— Mais c'est ce que j'ai fait.

— Où ça ?

240

— Partout. Venez, laissez-moi vous montrer le jardin.

Il a secoué la tête :

— Je le vois très bien d'ici. Il n'a pas changé d'un iota.

— Maintenant peut-être, mais vous auriez dû le voir la semaine dernière ! ai-je rétorqué, presque sur la défensive. C'était une vraie forêt vierge ! Quant à la maison…

Noah m'a interrompu d'un sourire espiègle.

— Je t'ai eu ! m'a-t-il lancé avec un clin d'œil complice. Allez, viens maintenant, montre-moi ce que tu as fait.

Après avoir visité le jardin et la maison, nous nous sommes assis sur la balancelle du perron : il nous restait encore une heure avant d'enfiler nos smokings. Joseph, lui, était déjà sur son trente et un quand il nous a rejoints. Cinq minutes plus tard, Anna, Leslie et Jane sont arrivées directement du salon de coiffure. À leur sortie de voiture, les deux filles étaient tout excitées et, laissant Jane à quelques mètres derrière, elles ont vite disparu à l'étage, leur robe pliée sur le bras.

Jane s'est arrêtée à ma hauteur et, l'œil pétillant de joie, elle les a regardées s'éloigner.

— Souviens-toi, Keith ne doit pas voir Anna avant la cérémonie. Alors ne le laisse pas aller à l'étage.

— Promis.

— En fait, ne laisse personne passer. C'est censé être une surprise.

J'ai levé la main.

— Je monterai la garde au péril de ma vie.

— Ça vaut aussi pour toi, papa.

— J'avais bien compris, a répondu Noah.

Après avoir jeté un œil à l'escalier vide, elle m'a lancé :

— Tu commences à avoir le trac ?

— Un peu.

— Moi aussi. J'ai du mal à croire que notre petite fille est devenue une femme et qu'elle va se marier.

Malgré son enthousiasme, elle n'arrivait pas à cacher une certaine nostalgie. J'ai eu envie de l'embrasser sur la joue. Elle a souri.

— Écoute, il faut que j'aille aider Anna. Elle a besoin d'un coup de main pour entrer dans sa robe parce que c'est vraiment très ajusté. Et, moi, je dois finir de me préparer.

— Je sais. On se retrouve tout à l'heure.

Quelques minutes plus tard, le photographe a fait son entrée, bientôt imité par John Peterson et l'équipe de traiteurs. Chacun s'activait avec une grande efficacité. Des livreurs ont installé le gâteau sur le présentoir, le fleuriste m'a remis le bouquet de la mariée et les boutonnières. Enfin, juste avant l'arrivée des invités, le pasteur m'a récapitulé l'ordre du cortège.

Très vite, la cour a commencé à se remplir de voitures. Noah et moi, accueillions la plupart des invités sur le perron avant de les diriger vers la tente, tandis que Joseph et Keith escortaient les dames à leur place. Déjà assis au piano, John Peterson jouait quelques sonates de Bach dans cette douce soirée d'été. Bientôt, tout le monde a été installé et le pasteur a pris place devant l'autel.

Aux premiers rayons du soleil couchant, la tente s'est enveloppée d'une lumière quasi mystique. Les flammes des bougies vacillaient sur les tables. Le personnel se tenait prêt à servir le dîner.

Pour la première fois, j'ai senti que l'événement devenait réalité. Même si je m'efforçais de garder mon calme, j'ai commencé à faire les cent pas. Comme le mariage était prévu à peine un quart d'heure plus tard, je me suis dit que ma femme et mes filles devaient savoir ce qu'elles faisaient. Elles attendaient sans doute le dernier moment pour descendre mais, moi, je ne pouvais pas m'empêcher de regarder en haut de l'escalier toutes les deux minutes. Assis sur la balancelle du perron, Noah m'observait d'un œil amusé.

— Tu me rappelles la cible d'un stand de tir à la fête foraine. Tu sais, le pingouin qui n'arrête pas de se dandiner ?

J'ai souri.

— À ce point-là ?

— Je crois que tu as fini par creuser un trou dans le plancher.

Bon, d'accord, il valait mieux que je m'asseye, mais j'allais justement m'installer à côté de lui quand j'ai entendu des pas à l'étage.

D'un signe de la main, Noah m'a indiqué qu'il m'attendait sur le perron et, après avoir pris une grande inspiration, je suis entré dans le hall. Jane descendait lentement les marches en faisant glisser sa main sur la rampe : je suis resté fasciné.

Les cheveux relevés, elle était d'une beauté à couper le souffle. Sa robe de satin pêche épousait magnifiquement les courbes de son corps. Sa bouche était rehaussée de brillant à lèvres rose et une touche d'ombre à paupières suffisait à souligner ses yeux noirs. Quand elle a vu ma réaction, Jane s'est arrêtée un instant, comme pour savourer mon émerveillement.

— Tu es… incroyable, ai-je bredouillé.

— Merci.

Quelques secondes plus tard, elle me rejoignait dans le hall. J'ai senti qu'elle portait son nouveau parfum mais, quand j'ai voulu l'embrasser, elle m'a repoussé gentiment.

— Arrête, a-t-elle gloussé. Tu vas m'enlever mon rouge à lèvres.

— Vraiment ?

— Vraiment, a-t-elle répété en refusant que je la prenne dans mes bras. Tu pourras m'embrasser plus tard, promis. Quand je vais me mettre à pleurer, mon maquillage sera fichu de toute façon.

— Où est Anna ?

Jane a hoché la tête vers l'escalier.

— Elle est prête mais, avant de descendre, elle voulait parler à Leslie en tête à tête. Des petites confidences de dernière minute, j'imagine. Ah ! J'ai hâte que tu la voies, a-t-elle ajouté avec un sourire rêveur. Je crois que, moi, je n'ai jamais vu une mariée aussi belle. Tout est prêt là-bas ?

— Dès qu'il aura reçu le signal, John lancera la musique du cortège.

Visiblement nerveuse, Jane a acquiescé en silence.

— Et où est papa ?

— Là où il doit être. Ne t'inquiète pas. Tout se passera à merveille. Il n'y a plus qu'à attendre.

Encore un petit signe de tête.

— Quelle heure est-il ?

J'ai regardé ma montre.

— Huit heures.

Jane a failli proposer d'aller chercher Anna mais, au même instant, la porte de la chambre s'est ouverte et nous avons tous les deux levé les yeux.

Leslie est apparue la première. Comme Jane, elle était magnifique. La peau éclatante de jeunesse, elle a dévalé l'escalier avec une joie presque débridée. Elle portait aussi une robe pêche mais, elle, elle avait choisi un modèle sans manches, ce qui a mis en valeur les muscles dorés de son bras quand elle a agrippé la rampe.

— Elle arrive…, a-t-elle haleté. Elle descend dans une seconde.

Joseph, qui nous avait rejoints discrètement par la porte d'entrée, est venu se placer à côté de sa sœur. Jane m'a pris le bras et, à mon grand étonnement, je me suis aperçu que mes mains tremblaient. Voilà, on y était. Quand nous avons entendu la porte de la chambre se rouvrir, le visage de Jane s'est éclairé d'un sourire enfantin.

— Elle descend, a-t-elle murmuré.

Oui, Anna allait descendre mais, moi, à ce moment-là, je ne pensais qu'à Jane. La gorge soudain très sèche, je ne m'étais jamais senti plus amoureux.

Quand Anna est apparue en haut des marches, Jane a écarquillé les yeux : l'espace d'une petite seconde, elle est restée paralysée, muette d'étonnement. Devant la réaction de sa mère, Anna a alors descendu l'escalier à toutes jambes, une main derrière le dos.

Elle ne portait pas la robe que Jane avait vue encore quelques minutes auparavant. Non, elle avait enfilé la tenue que j'avais déposée ce matin-là à la maison et que j'avais rangée, dans sa housse, au fond d'un placard vide. Exactement la même que celle de Leslie.

Avant que Jane puisse retrouver la parole, Anna s'est avancée vers elle et lui a montré ce qu'elle cachait derrière son dos.

— Je crois que ça devrait être à toi de le porter, lui a-t-elle simplement dit.

Quand Jane a aperçu le voile blanc que sa fille lui tendait, elle a cligné les paupières, comme si elle n'arrivait pas à en croire ses yeux.

— Mais qu'est-ce qui se passe ? Pourquoi est-ce que tu as enlevé ta belle robe ?

— Parce que je ne vais pas me marier, a-t-elle répondu en souriant. Enfin, pas aujourd'hui.

— Mais de quoi est-ce que tu parles ? ! Bien sûr que tu vas te marier…

— Ça n'a jamais été mon mariage, maman. Ça a toujours été le tien… Pourquoi crois-tu que je t'ai laissée tout choisir de A à Z ?

Jane n'avait pas l'air de comprendre les explications de sa fille. Après avoir regardé Anna, Joseph et Leslie pour chercher des réponses sur leur mine réjouie, elle a fini par se tourner vers moi.

J'ai pris les mains de Jane et les ai portées à mes lèvres. Un an de préparatifs, un an de secrets pour en arriver là. Après lui avoir embrassé doucement les doigts, j'ai plongé mon regard dans le sien.

— Tu as bien dit que tu accepterais encore de m'épouser, non ?

Un bref instant, j'ai eu l'impression que nous étions seuls au monde. Sous les yeux ébahis de Jane, j'ai repensé à tout ce que j'avais organisé en cachette pendant un an : deux semaines de congés pile au bon moment, le photographe et le traiteur qui – comme par hasard – étaient « disponibles », des invités sans aucun projet de week-end ou encore des ouvriers capables de « se libérer » pour réparer la maison en deux jours à peine.

Au bout de quelques secondes, j'ai vu Jane assembler peu à peu les pièces du puzzle. Quand elle a enfin compris ce qui se passait, ce qui allait vraiment se passer ce week-end-là, elle a levé vers moi des yeux à la fois émerveillés et incrédules.

— Mon mariage à moi ? a-t-elle soufflé d'une voix émue.

— Oui. Le mariage que j'aurais dû t'offrir il y a longtemps.

Même si Jane voulait tout savoir sur-le-champ, j'ai pris le voile de mariée qu'Anna avait encore entre les mains.

— Je te raconterai ça au dîner, lui ai-je promis avant de fixer délicatement son voile. À l'heure qu'il est, les invités nous attendent. Joseph et moi, on devrait déjà être devant l'autel, alors il faut que j'y aille. N'oublie pas ton bouquet.

Jane m'a lancé un regard suppliant :

— Mais… attends…

— Je ne peux vraiment pas rester. Je ne suis pas censé te voir avant la cérémonie, tu te rappelles ? ai-je murmuré en souriant. Mais on se retrouve dans cinq minutes, d'accord ?

Tous les regards des invités se sont braqués sur moi quand j'ai remonté l'allée centrale avec Joseph. Quelques instants plus tard, nous sommes arrivés sous la tonnelle, où nous attendait Harvey Wellington, le pasteur qui avait accepté de célébrer notre mariage.

— Tu n'as pas oublié les alliances, dis-moi ?

Joseph a tapoté la poche intérieure de sa veste.

— Elles sont là. Je suis allé les chercher tout à l'heure, comme tu me l'avais demandé.

Au loin, le soleil commençait à décliner sous la cime des arbres et le ciel passait doucement du bleu au gris. J'ai survolé du regard le parterre d'invités et, en entendant leurs chuchotements étouffés, je me suis senti envahi d'une immense gratitude. Accompagnés de leur conjoint respectif, Kate, David et Jeff étaient assis au premier rang. Keith avait pris place juste derrière eux. Quant aux autres sièges, ils étaient occupés par nos amis de toujours. J'aurais voulu les remercier mille fois car, sans eux, je n'y serais jamais arrivé. Certains m'avaient envoyé des photos pour l'album. D'autres m'avaient aidé à trouver les bonnes adresses pendant mes longs mois de préparatifs. Pourtant, ma gratitude dépassait le cadre strictement matériel. À une époque où il semble inconcevable de garder un secret, non seulement ils avaient tous tenu leur langue mais, en plus, ils avaient joué le jeu avec enthousiasme et ils étaient prêts à célébrer avec nous ce jour exceptionnel de notre vie.

J'avais surtout envie de remercier Anna. Sans sa participation active, rien n'aurait été possible et, pour elle, ça avait été loin d'être une partie de plaisir : tout en occupant Jane à longueur de journée, elle avait dû réfléchir aux moindres mots qu'elle prononçait. Keith n'avait pas non plus été épargné et je me suis surpris à penser que, le moment venu, il ferait vraiment un bon gendre. D'ailleurs, je me suis juré que, le jour où ces deux-là décideraient de sauter le pas, Anna aurait le mariage de ses rêves. Quel qu'en soit le prix.

Leslie m'avait aussi été d'une aide précieuse. C'est elle qui avait persuadé Jane de passer la nuit à Greensboro. C'est elle qui avait acheté la robe pêche d'Anna et l'avait rapportée à la maison. Et, surtout, c'est à elle que je m'étais adressé pour organiser le plus beau des mariages : sa passion des films romantiques en faisait vraiment la conseillère idéale. D'ailleurs, la participation de Harvey Wellington et de John Peterson, c'est elle qui y avait pensé.

Et puis, bien sûr, il y avait Joseph. Quand je lui avais expliqué mon projet, il ne s'était pas montré aussi enthousiaste que ses sœurs mais, ça, j'imagine que j'aurais dû m'en douter. Ce qui m'a surpris, en revanche, c'est de sentir sa main se poser sur mon épaule pendant que nous attendions Jane sous la tonnelle.

— Dis ? a-t-il chuchoté.

— Oui ?

— Tu sais, je suis très flatté que tu m'aies demandé d'être ton témoin, m'a-t-il confié en souriant.

La gorge serrée par l'émotion, je n'ai réussi qu'à articuler un faible :

— Merci.

La cérémonie s'est déroulée à merveille. Je n'oublierai jamais les murmures d'excitation de la foule, ni la façon dont les invités tendaient le cou pour voir mes filles remonter l'allée. Je n'oublierai jamais mon émotion aux premières notes de la marche nuptiale, ni l'arrivée radieuse de Jane au bras de son père.

Sous son voile, elle avait l'air d'une adorable jeune mariée. Un bouquet de tulipes et de roses miniatures à la main, elle semblait glisser dans l'allée centrale. Auprès d'elle, Noah rayonnait de joie et laissait éclater toute sa fierté de père.

Une fois arrivés devant l'autel, il a lentement relevé le voile de sa fille. Après avoir embrassé Jane sur la joue, il lui a murmuré quelques mots à l'oreille, puis il est allé s'installer au premier rang, juste à côté de Kate. Derrière eux, quelques dames essuyaient déjà une petite larme.

Harvey a entamé l'office par une prière de remerciements. Après nous avoir invités à nous mettre face à face, il a ensuite parlé d'amour, de renouveau et d'efforts à fournir. Pendant toute la cérémonie, Jane m'a serré les mains très fort, sans jamais me quitter des yeux.

Le moment venu, j'ai demandé à Joseph de me donner les alliances. Pour Jane, j'avais choisi une bague en diamants. Quant à moi, j'avais fait reproduire l'anneau que je portais depuis toujours, une alliance dont l'éclat semblait symboliser l'espoir d'un avenir meilleur.

Nous avons renouvelé les vœux que nous avions prononcés trente ans plus tôt, puis nous avons échangé les alliances. Quand l'heure est arrivée d'embrasser la mariée, je m'y suis plié de bonne grâce sous les hourras, les applaudissements de la foule et le crépitement des flashs.

La réception s'est prolongée une bonne partie de la nuit. Le dîner était fantastique et, au piano, John Peterson était dans une forme exceptionnelle. Les enfants nous ont chacun porté un toast et, moi aussi, j'ai levé mon verre pour remercier tout le monde de son aide. Jane, elle, n'arrêtait pas de sourire.

Après le dîner, nous avons poussé quelques tables et j'ai dansé avec elle pendant des heures. Dès que nous nous arrêtions de tourner pour reprendre notre souffle, elle me bombardait de questions qui, moi, m'avaient tracassé toute la semaine.

— Et si quelqu'un avait vendu la mèche ?

— Ça n'est pas arrivé.

— Oui, mais admettons ?

— Je ne sais pas. Je devais juste espérer qu'en cas de fuite, tu penserais avoir mal entendu. Ou que tu ne me croirais pas assez fou pour me lancer dans un truc pareil.

— Tu as vraiment fait confiance à beaucoup de gens.

— Je sais. Et je les remercie de m'avoir donné raison.

— Moi aussi. C'est la soirée la plus merveilleuse de ma vie.

D'un bref coup d'œil, elle a survolé la salle.

— Merci, Wilson. Merci pour tout.

J'ai passé mon bras autour de sa taille.

— Mais je t'en prie.

Au bout d'un moment, les invités ont commencé à s'en aller. Au passage, ils me serraient tous la main et prenaient Jane dans leurs bras. Quand Peterson a fini par refermer le piano, Jane l'a couvert de remerciements et, spontanément, il l'a embrassée sur la joue.

— Vous savez, je n'aurais manqué ça pour rien au monde.

Comme Harvey Wellington et sa femme sont partis dans les derniers, nous avons pu les raccompagner sur le perron. Jane l'a remercié d'avoir célébré la cérémonie, mais il a secoué la tête :

— Inutile de me remercier. Il n'y a rien de plus merveilleux que de participer à ce genre d'événement. C'est l'essence même du mariage.

Jane a souri.

— Je vous passerai un coup de fil pour qu'on dîne ensemble tous les quatre.

— Avec plaisir.

Rassemblés autour d'une table, les enfants se remémoraient les grands moments de la soirée. À part ça, la maison avait retrouvé son calme. Jane est allée les rejoindre mais, moi, d'un bref coup d'œil à la ronde, je me suis aperçu que Noah s'était éclipsé en douce.

Lui qui était resté étrangement silencieux pendant la soirée, il était peut-être allé chercher un peu de tranquillité sur le ponton. Je l'avais retrouvé là-bas quelques heures plus tôt et, à vrai dire, je m'inquiétais un peu pour lui. La journée avait été longue et, comme il commençait à se faire tard, il avait peut-être envie de rentrer à Creekside. Seulement, quand je suis sorti sur le perron, il n'y avait personne.

J'allais vérifier les chambres à l'étage quand, au loin, j'ai aperçu une petite silhouette solitaire près de la rivière. Comment est-ce que j'ai réussi à voir Noah ? Ça, je ne le saurai jamais. J'ai peut-être vu remuer ses mains pâles parce que, sinon, sa veste de smoking le faisait disparaître totalement dans la nuit.

J'ai pensé l'appeler, mais je me suis ravisé. À mon avis, il ne voulait pas qu'on sache où il était. Cependant, la curiosité m'a vite poussé à aller le rejoindre.

Sous un ciel constellé d'étoiles, l'air frais sentait bon la terre de la campagne. Le gravier crissait un peu sous mes chaussures mais, une fois arrivé sur l'herbe, j'ai senti que le terrain commençait à descendre. D'abord en pente douce et puis, d'un seul coup, le chemin est devenu très raide. Difficile de garder son équilibre, surtout dans une végétation de plus en plus dense. Tout en repoussant les branches qui me giflaient le visage, je me suis demandé pourquoi – et comment – Noah s'était aventuré par là.

Le dos tourné, il murmurait. Les douces intonations de sa voix étaient reconnaissables entre mille. Au début, j'ai cru qu'il me parlait, mais j'ai vite compris qu'il ne s'était même pas aperçu de ma présence.

— Noah ? ai-je chuchoté.

Pris de court, il s'est retourné vers moi et m'a dévisagé. Il lui a fallu un moment pour me reconnaître dans le noir mais, peu à peu, il s'est détendu. Moi, en face de lui, j'avais l'étrange impression de le surprendre en train de faire une bêtise.

— Je ne t'ai pas entendu arriver. Qu'est-ce que tu fabriques ici ?

— J'allais vous poser la même question, ai-je rétorqué, à la fois amusé et perplexe.

En guise de réponse, il a hoché la tête vers la maison :

— C'était une sacrée fête ce soir. Tu t'es vraiment surpassé. Je crois que Jane n'a pas arrêté de sourire.

— Merci. Au fait, vous avez passé un bon moment?

— J'ai passé un « merveilleux » moment.

Pendant quelques secondes, nous n'avons plus rien dit.

— Vous allez bien?

— Ça pourrait aller mieux. Mais ça pourrait aussi être pire.

— Vous en êtes sûr?

— Oui. Sûr et certain.

Histoire peut-être d'assouvir ma curiosité, il a ajouté :

— La nuit est tellement belle. J'ai eu envie de sortir un peu pour en profiter.

— Ici?

Il a acquiescé en silence.

— Pourquoi?

D'accord, j'aurais dû deviner ce qui l'avait poussé à tenter une descente aussi risquée jusqu'à la berge mais, à l'époque, l'idée ne m'a même pas effleuré.

— Je savais qu'elle ne m'avait pas abandonné, s'est-il contenté de dire. Et je voulais lui parler.

— À qui?

Sans avoir l'air d'entendre ma question, Noah s'est retourné vers la rivière.

— Je crois qu'elle est venue pour le mariage.

Là, j'ai enfin compris mais, quand j'ai regardé la rivière, je n'ai rien vu du tout. Le moral à zéro, je me suis soudain senti terriblement impuissant. Et si les médecins avaient raison? Peut-être bien qu'il perdait la tête ou que la soirée avait été trop riche en émotions? Pourtant, quand j'ai voulu le persuader de rentrer à la maison, les mots me sont restés coincés au fond de la gorge.

Dans le clair de lune, et comme surgie de nulle part, elle a glissé vers nous sur les eaux calmes de la rivière. La végétation sauvage la rendait majestueuse. Ses plumes avaient presque l'air argentées. J'ai fermé les yeux en espérant me débarrasser de cette image mais, quand je les ai rouverts, le cygne nageait en rond devant nous et, d'un seul coup, je me suis mis à sourire. Noah avait raison. Je ne comprenais ni pourquoi ni comment elle était venue, mais j'étais sûr que c'était elle. Il le fallait. Ce cygne, je l'avais vu des centaines de fois et, même de loin, je n'ai pas pu m'empêcher de remarquer la minuscule tache noire sur son poitrail, juste au-dessus du cœur.

Épilogue

Dehors sur le perron, en plein automne, je me sens tout revigoré par la fraîcheur nocturne quand je repense au soir de notre mariage. Je m'en souviens encore dans les moindres détails, exactement comme je me rappelle tout ce qui est arrivé depuis l'anniversaire oublié.

Ça me fait bizarre de savoir que, maintenant, c'est du passé. J'ai été accaparé si longtemps par les préparatifs, j'ai imaginé tant de fois ce qui allait se passer que, parfois, j'ai l'impression d'avoir perdu de vue un vieil ami, quelqu'un avec qui je me sentais bien. Pourtant, grâce à ces souvenirs, j'ai compris que j'avais enfin la réponse à une question qui me hantait quand je suis sorti tout à l'heure.

Oui, un homme peut changer.

Les événements de l'année m'ont appris beaucoup de choses sur moi-même. Et aussi quelques vérités universelles. J'ai découvert, par exemple, qu'il est très facile de blesser ceux qu'on aime, mais qu'il est souvent bien plus compliqué de guérir un cœur meurtri. Cependant, tous mes efforts pour réparer le mal que j'avais commis m'ont permis de vivre l'expérience la plus riche de mon existence. Et ça, ça m'a fait comprendre une chose : alors que j'avais souvent surestimé la quantité de travail que je pouvais abattre en une journée, j'avais sous-estimé ce que je pouvais accomplir en une année entière. Mais, d'abord et avant tout, j'ai appris que deux personnes pouvaient retomber amoureuses l'une de l'autre... même si une vie entière de déceptions avait fini par les séparer.

Je ne sais pas quoi penser du cygne ni de ce que j'ai vu cette nuit-là. D'ailleurs, il faut reconnaître que, chez moi, le romantisme n'est pas encore une seconde nature. Je livre un combat de tous les instants pour me réinventer et, au fond de moi, une petite voix se demande bien si les choses changeront un jour. Et alors? Moi, j'applique à la lettre les conseils de Noah sur l'amour et les mille façons de l'entretenir. Je n'aurai peut-être jamais son âme de grand romantique, mais ça ne veut pas dire pour autant que je baisserai les bras.

Remerciements

Les remerciements sont toujours un vrai plaisir
Et j'en apprécie l'exercice de style.
Je ne suis guère poète, j'en ai bien conscience,
Alors pardonnez-moi des rimes peut-être malhabiles.

Je veux d'abord remercier mes enfants
Car je les aime de tout mon cœur.
Miles, Ryan Landon, Lexie et Savannah sont extraordinaires
Et ils remplissent ma vie de bonheur.

Theresa m'apporte un soutien constant et Jamie est un véritable pilier.
Ravi de travailler avec eux, j'espère qu'on ne changera jamais.

À Denise, qui a adapté mes livres à l'écran,
À Richard et Howie, champions de la négociation,
Et à Scotty, qui s'occupe des contrats.
Ces gens-là sont mes amis, j'en ai l'intime conviction.

À Larry, le grand patron, un type vraiment fantastique,
Et à Maureen, maligne en diable.
À Emi, Jennifer et Edna, de grandes professionnelles.
Pour vendre un livre, ils sont tous imbattables.

Il y en a aussi d'autres qui me font vivre chaque jour
Une aventure riche et merveilleuse.
Alors vous tous, parents et amis, je vous remercie,
Car, grâce à vous, mon existence est somptueuse.

IMPRIMÉ AU CANADA